D0673259

I gCóngar i gCéin

I gCóngar i gCéin

PÁDRAIG STANDÚN

Cló Iar-Chonnacht
Indreabhán
Conamara

An Chéad Chló 2011
© Cló Iar-Chonnacht 2011

ISBN 978-1-905560-68-4

Dearadh: Deirdre Ní Thuathail
Dearadh clúdaigh: Abigail Bolt

Tá Cló Iar-Chonnacht buíoch de Fhoras na Gaeilge
as tacaíocht airgeadais a chur ar fáil.

Faigheann Cló Iar-Chonnacht cabhair airgid
ón gComhairle Ealaíon.

Tá an t-údar buíoch de Chlár na Leabhar Gaeilge (Foras na Gaeilge) as coimisiún a bhronnadh air i leith an tsaothair seo.

Gach ceart ar cosaint. Ní ceadmhach aon chuid den fhoilseachán seo a atáirgeadh, a chur i gcomhad athfhála, ná a tharchur ar aon bhealach ná slí, bíodh sin leictreonach, meicniúil, bunaithe ar fhótachóipeáil, ar thaifeadadh nó eile, gan cead a fháil roimh ré ón bhfoilsitheoir.

Clóchur: Cló Iar-Chonnacht, Indreabhán, Co. na Gaillimhe.
Teil: 091-593307   **Facs:** 091-593362   **r-phost:** cic@iol.ie
Priontáil: CL Print, Indreabhán, Co. na Gaillimhe.
Teil: 091-593251

I

Tacsaí uisce a fuair Adrienne ón aerfort. Bhí a fhios aici go mbeadh sé costasach, ach sciobtha. Bhí an ghrian ag dul faoi cheana féin agus bhí eitleán Aer Lingus deireanach go maith ag tuirlingt sa Veinéis. Níor theastaigh uaithi a bheith ag iarraidh an t-árasán a bhí curtha in áirithe aici a thóraíocht sa dorchadas. De réir an ríomhphoist a fuair sí ón úinéir, d'fhágfadh an tacsaí uisce ag doras an fhoirgnimh í agus bheadh fear roimpi lena mála a thabhairt suas staighre. Bhí an t-árasán ar an tríú hurlár. Cé go raibh drogall uirthi roimh na céimeanna, bhí sé ráite ar an mbróisiúr gurbh fhiú an radharc ó bharr an tí chuile chéim acu.

Bhí an t-eitleán sách corraitheach nuair a bhí siad ag trasnú na nAlp, agus bhí áthas ar Adrienne a bheith ar ais slán sábháilte ar an talamh arís. Is beag a chuimhnigh sí roimh ré go mbainfeadh an tacsaí uisce creathadh den chineál céanna aisti. Tháinig scuaine bád ina dtreo, an t-uisce á chorraí acu agus an tacsaí ina raibh sí á chur ag preabadh ar bharr na dtonn. Ní raibh sa tacsaí ach í féin agus an tiománaí. Shuigh sí isteach sa gcábán beag, ach is beag an mhaith a rinne sé sin. Chaill sí a greim nuair a bhuail maidhm níos mó ná an chuid eile iad, agus thit sí siar ar a droim ar cheann de na suíocháin admhaid a bhí ar chaon taobh.

Bhí aoibh an gháire ar bhéal an tiománaí nuair a bhreathnaigh sé siar uirthi, a cosa san aer, a sciorta dearg mí-oiriúnach don turas sin. Stop sé ag gáire nuair ba léir gur thuig sé go raibh sí scanraithe. Mhoilligh sé an bád agus shín sé lámh isteach sa gcábán le breith ar láimh dheis Adrienne. Tharraing sé aníos ina seasamh í. Dúirt sé rud eicínt in Iodáilis nár thuig sí. Nuair a chuir sí é sin in iúl, d'iompaigh sé ar an mBéarla:

"*Catch.*"

Rug sise ar an ráille a thaispeáin sé di. Cé nach raibh cloiste aici uaidh ach an t-aon focal amháin i mBéarla, chuir sé iontas uirthi gur "*Ketch*" an fuaimniú a bhí aige ar an bhfocal. D'fhiafraigh sí de an in Éirinn a d'fhoghlaim sé a chuid Béarla.

D'imigh a fhreagra le gaoth agus dhírigh an tiománaí a chuid aire go hiomlán ar an obair a bhí ar siúl aige. Bhí siad imithe taobh amuigh den teorainn a bhí marcáilte san uisce le saltracha móra adhmaid sáite síos sa ngrinneall ar an dá thaobh, ach chuidigh sé sin leo, a cheap Adrienne. De bharr nach raibh na báid eile chomh gar is a bhíodar roimhe sin is lú an creathadh a bhí ar an mbád anois. Bhí sí ag suaimhniú de réir a chéile. Cé nach raibh sé baileach ina oíche fós bhain Adrienne taitneamh as an radharc a bhí amach roimpi os cionn an uisce. Bhí an spéir os cionn na cathrach deargaithe fós ag solas na gréine. Bhraith sí go raibh an cinneadh ceart déanta aici teacht chuig an gcathair cháiliúil seo. Idir fhoirgintí, shoilse agus uisce, bhí draíocht ag baint leis an áit seo. Bhraith sí go mba chuma léi mura bhfeicfeadh sí an baile go deo arís.

Ní raibh an baile ina bhaile níos mó, a smaoinigh sí, ach ar a laghad bhí áit aici le dhul dá dtógródh sí filleadh. Fuair sí an teach i gCill Mhantáin nuair a scar sí féin agus Patrick. Agus tuige nach bhfaigheadh? Nach ann a rugadh is a tógadh í, agus cén fáth a mbeadh sé aige féin agus a leannán? Bhí sé drogallach go maith an teach a fhágáil aici. B'fhearr leis tuilleadh airgid a thabhairt di, fortún i ndáiríre, ach an teach a choinneáil. Ach ní raibh sí sásta géilleadh, in ainneoin gur sa teach sin a thruailligh seisean a ngrá agus a bpósadh nuair a thug sé an bhitseach sin isteach ina leaba siadsan. Ina ainneoin sin, bhí taibhsí sa teach sin nach raibh sí sásta scaradh leo: taibhsí a muintire, taibhsí a saoil, taibhsí an ghrá a bhí aici do Phatrick tráth. Níor theastaigh uaithi filleadh go fóill, ach lá eicínt cá bhfios? Ancaire a bhí ann ina saol, ancaire a bhí scaoilte go fóill ach greamaithe faoi thoinn go dtí go dtiocfadh sí ar ais. Idir an dá linn, thabharfadh sí faoi dhúshlán nua i gcathair úr, i dtír eile ar fad.

Rófhada a d'fhan mé sa díog dhorcha, a smaoinigh Adrienne. Bhí sí ina seasamh le taobh an tiománaí, a cuid gruaige ag séideadh le gaoth, í ag cuimhneamh siar ar an mbliain a bhí caite ó thit a pósadh as a chéile. D'impigh Patrick uirthi teacht ar ais chuige arís is arís eile, ach ní fhéadfadh sí. Cén chaoi a bhféadfadh agus Síle ag súil le páiste a fir? Ba chuma leis, a dúirt sé. D'fhéadfadh sé a bheith ina athair don pháiste gan a bheith pósta lena mháthair. Scéal eile a bheadh ann, b'fhéidir, dá mbeadh gasúir acu féin, ach níor theastaigh sé sin uaidh ag tús a saoil phósta. "Go fóill," a deireadh sé. Timpiste a bhí i gceist leis an rud eile. Ní raibh Síle sách cúramach. Shíl Patrick go mbeadh chuile chailín ar nós Adrienne; go dtabharfadh sí aire do na cúrsaí sin. Cá bhfios nach cleas a bhí á imirt ag an mbitseach ar an amadán soineanta d'fhear a bhí aici féin?

Dhíbir Adrienne na smaointe sin as a hintinn. Nach raibh sí leis na néalta dubha a choinneáil uaithi feasta? Dhíreodh sí a haird ar an uisce, ar na báid, ar na soilse – ar an saol a bhí roimpi amach. Ach shleamhnaigh an seansaol ar ais in ainneoin a cuid iarrachtaí dearmad a dhéanamh air. Ar scar siad óna chéile róthobann? Ar eitigh sí a seans páirt a bheith aici i dtógáil páiste a fir, fiú dá mba le bean eile é nó í? B'fhéidir nach mbeadh an deis arís aici. Bhí cúig bliana déag agus fiche dá saol caite aici cheana. Shíl sí ansin gurbh é tús agus deireadh an scéil go raibh sí i ngrá le Patrick agus nach bhféadfadh sí grá a thabhairt d'aon fhear eile go deo. Grá measctha le fuath. Dá bhfeicfeadh sí a shúile gorma in éadan a ghasúir nach dtitfeadh sí i ngrá leis an bpáiste sin ar an toirt? Fiú más bean eile a d'iompair é nó í trí ráithe agus a thug an gasúr ar an saol. Ach bhí a hancaire tarraingthe anois aici. Bhí an seansaol thart.

Táim ag tosú as an nua, arsa Adrienne léi féin nuair a bhí an bád ag snámh ón bhfarraige oscailte isteach i gcanáil chúng idir thithe. Is ar éigean a bhí ar a cumas gach ar bhain leis an áit tharraingteach seo a shú isteach. B'aisteach é mar bhaile, ina raibh na sráideanna ina n-aibhneacha. Bhíodar ag dul faoi dhroichid áilne le daoine ag siúl trasna orthu os a gcionn. Nuair a shroich siad canáil níos leithne bhí báid mhóra agus báid bheaga ag teacht ina dtreo agus tuilleadh ina ndiaidh. Shílfeá gurbh fhurasta do thimpiste tarlú, ach in ainneoin chomh gar is a bhí na soithí dá chéile, thángadar slán i gcónaí.

D'aithin Adrienne an abhainn is mó, a shníonn ar nós nathair nimhe trí lár na cathrach, ón léarscáil ar a ndearna sí staidéar ar an eitleán, nuair a bhí an sruth mór sin bainte amach ag an tacsaí uisce. Bhí a fhios aici nach raibh siad i bhfad ó na hárasáin anois, agus thosaigh sí ar a málaí, a bhí scaipthe ag síorluascadh an bháid, a bhailiú le chéile. Ní raibh an bád ag imeacht chomh sciobtha is a bhí, torann an innill níos ciúine. D'fhiafraigh an tiománaí di i mBéarla arbh í a céad uair sa Veinéis í. Chuir a mháistreacht ar an teanga iontas uirthi, ach ghlac sí leis gur de bharr a bheith ag síorchaint le turasóirí a bhí sé amhlaidh. Tharraing sé a bhád isteach chuig cé bheag ag doras tosaigh na n-árasán, áit a raibh déagóir ag fanacht lena málaí a iompar isteach. Tháinig beagán díomá ar Adrienne nuair a chuala sí an fear óg ag caint leis an tiománaí. Níor thuig sí focal ó bhéal ceachtar acu, cé go raibh sí ag iarraidh Iodáilis a fhoghlaim ó leabhráin agus téipeanna le trí mhí roimhe sin.

Níor bhraith sí leath chomh dona nuair a thosaigh an déagóir ag caint i mBéarla breá léi, í ag ceapadh nach mbeadh cúrsaí teanga agus cumarsáide ródheacair dá mbeadh an oiread sin Béarla ag daoine áitiúla. Níor lig sé di aon rud a iompar ach a mála láimhe. Bhí na málaí troma ceangailte le chéile le rópa trí na láimhíní aige, é ag imeacht suas an staighre roimpi ar nós miúile a d'fheicfeá i scannán. Thug sí síntiús flaithiúil dó as ucht a chuid oibre sular fhág sé. Chomh luath is a thrasnaigh sí tairseach an árasáin chaith sí uaithi a bróga, mar go raibh a cosa ataithe ón eitleán. Shuigh sí ar feadh soicind ar an tolg, ach d'éirigh sí arís go scafánta, sceitimíní uirthi. Thosaigh sí ag siúl thart, ag breathnú ina timpeall san árasán, a baile nua.

Chuir an t-árasán teaichín beag bábóige i gcuimhne d'Adrienne. Bhí gach rud beag: cistin, áit suí, áit chodlata, leithreas, folcadán, na pictiúir ar na ballaí, na hornáidí ar na seilfeanna, na cathaoireacha féin. Bhí gach rud beag, ach bhí siad néata, snasta agus déanta go hálainn. Bhuail sí a lámha lena chéile mar a dhéanadh sí nuair a bhí sí ina cailín beag nuair a thagadh Deaidí na Nollag nó nuair a thugadh a hathair féirín beag ar ais i ndiaidh dó a bheith ag taisteal. Bhíodh sé as baile trí nó ceithre oíche sa tseachtain, ag dul ó bhaile go baile ag díol éadaigh leis na siopaí. Shíl sí ag an am gurbh iontach an saol a bhí aige le hais a máthar: é ag fanacht in óstáin agus ag ithe i mbialanna. Bhí malairt tuairime aici nuair a thaispeáin sé cuid de na háiteacha sin di níos deireanaí: óstáin den dara nó tríú grád, gan compord gan carachtar. Cillíní beaga uaigneacha.

Ní raibh deartháir nó deirfiúr aici, agus is mar chara níos mó ná tuiste a bhreathnaigh sí ar a máthair, iad ag siopadóireacht lena chéile, an tuiscint chéanna acu ar chúrsaí stíle agus faisin. Nuair ba déagóir í, ar ndóigh, dhiúltaíodh sí don rogha a dhéanadh a máthair, fiú má thaitin sé sin léi. Bhí sé mar threoir aici ina hintinn ag an am go gcaithfeadh sé go raibh daoine fásta mícheart faoi chuile rud. Chaith sí dathanna aisteacha ina cuid éadaigh agus ina cuid gruaige. An rud ba mheasa ná nár chuir na roghanna sin a máthair ná a hathair as a meabhair. "Má thaitníonn sé leatsa" an treoir a bhí acu siúd ar chúrsaí faisin an déagóra. Ghlac siad leis gur bhain na dathanna agus na leaganacha aisteacha ar a cuid éadaigh leis an ngairm a roghnaigh sí ina dhiaidh sin: le bheith ina healaíontóir. Ghlac a muintir leis sin freisin gan cheist. Má bhí sise sásta leis an saol, bhíodar féin sásta.

Bhí Adrienne sásta agus sona ina saol go dtí gur rug an deamhan ailse ar a máthair in aois a deich mbliana agus dhá scór. Bhí sí sé mhí ag fáil réidh le n-imeacht: a bolg ag at, an fheoil ag imeacht ón gcuid eile dá cnámharlach. Shílfeá i dtosach gur páiste a bhí á iompar aici, ach bás seachas breith a bhí inti istigh. Ghlac sí leis go réidh i ndiaidh tamaill, ró-réidh a cheap Adrienne. Ach céard eile a d'fhéadfadh sí a dhéanamh? Ghlac sí le cóir leighis ar feadh tamaill, agus nuair nár oibrigh sé sin, chuaigh sí ó scrín go scrín ag tóraíocht míorúilte. Má bhí míorúilt i ndán, b'fhéidir gurbh é an chaoi ar ghlac a máthair lena bás é: go stóiciúil.

D'oibrigh Adrienne cleas a mbainfeadh sí úsáid as nuair a theastaigh uaithi brón an bháis a choinneáil uaithi. Thug sí a máthair chun cuimhne mar a bheadh sí beo san árasán in éindí léi. Chuir sí ina suí í i súil a cuimhne, suite trasna uaithi ar cheann de na cathaoireacha beaga boga, gloine fíona ina láimh aici, ar nós go raibh sí ansin lena beo. Ach ní dheachaigh sí níos faide leis an tsamhail. Bhraithfeadh sí aisteach a bheith ag caint le taibhse, fiú le taibhse an té ab ansa léi ina saol. Nuair a bhí sé sin déanta aici, a máthair curtha ar a compord, thosaigh sí ar chuid dá málaí a fholmhú, fios aici ina croí istigh nach mbeadh sí ag bogadh ón áit sin go ceann tamaill mhaith.

D'oscail Adrienne buidéal fíona a cheannaigh sí ag an aerfort. Líon sí gloine agus sheas sí amach ar an mbalcóin. Chuir ciúnas na háite iontas uirthi. Smaoinigh sí ansin nach raibh gluaisteán ná leoraí ná truc feicthe aici ó tháinig sí chun na háite. Thosaigh sí ag gáire nuair a chuimhnigh sí ar fheithiclí mar sin ag iarraidh snámh ar bharr an uisce. Sheas sí, ag breathnú trasna amach ar an trácht a bhí ar siúl gan stopadh gan staonadh ar an gcanáil: báid bheaga, báid mhóra, báid den déanamh *gondola* — ag gluaiseacht siar is aniar, suas is anuas. Rinne sí iontas cá raibh an tiománaí tacsaí a thug go ceann cúrsa í faoin am seo; cé mhéad aistear a bhí déanta ó shin aige? Cé mhéad duine a casadh air i rith an lae? Bhraith sí go raibh go leor le foghlaim aici faoin mbaile iontach seo a bhí chomh difriúil ó chuile áit a chonaic sí riamh cheana.

II

Bhí Giorgio ina shuí ar na céimeanna ag doras a áit chónaithe, a chosa san uisce, a bhád ceangailte ag an gcé bheag, é ag faire ar an gcéad ghlaoch tacsaí eile. Ba iad na hóstáin ina thimpeall is mó a chuir fios air, mar go raibh praghsanna socraithe acu le turasóirí nó lucht gnó a thabhairt chuig an aerfort, nó chuig Cearnóg Naomh Marcas, nó Músaem Guggenheim nó áit cháiliúil eicínt eile. Chaillfeadh sé an gnó mura mbeadh sé in am nuair a bhí sé saor agus ar dualgas. De bharr na teicneolaíochta, bhíodh a bhád ina spota beag lasta ar a scáileán san óstán nuair a bhí sé amuigh ar an uisce, daoine á dtabhairt ó áit go háit aige. Mhúchtaí a sholas nuair nach mbíodh sé ar fáil. Nuair a bhí sé amuigh ar an uisce bheadh a fhios acu cá raibh sé ionas go mbeifí in ann glaoch air dá mbeadh daoine nó ábhar le bailiú gar don áit a raibh sé ag am ar bith.

Cibé cén fáth é, bhí sé deacair air an bhean is deireanaí a thug sé ón aerfort a chur as a chloigeann. Cén chaoi ar aithin sí a chanúint i mBéarla? An raibh seans ar bith gur bhain sí leis an dream a bhí sa tóir air? Drochsheans. Cosúlacht uirthi go raibh sí soineanta go maith – chomh maith le bheith slachtmhar, ar ndóigh. Chuimhnigh sé uirthi agus í caite siar ar a droim ar shuíochán an bháid, a cosa san aer, nuair a bhuail siad an tonn. Ní pictiúr de spiadóir nó bleachtaire a bhí ansin. Ach ní bheadh a fhios agat. Chaithfeadh duine a bheith cúramach i gcónaí. B'fhada ó chuir aon rud a bhain leis an seansaol isteach air. Bhí rudaí leathshocraithe sa mbaile, síocháin ann in ainneoin an tseicteachais. Ach bhí a leithéid féin i liombó i gcónaí. Bhí sé ar cheann de na daoine a cuireadh ar leataobh ar mhaithe lena sábháilteacht, daoine a bhásaigh, mar dhea, ionas nach é an bás dáiríre a bheadh i ndán dóibh.

Bhí pictiúir óna shochraid féin feicthe ar an idirlíon aige. Cibé cén fáth é, thaispeáin siad a chónra ag teacht amach ón séipéal arís is arís eile ar na cainéil idirnáisiúnta nuair a bheadh tagairt á déanamh do chúrsaí síochána i dTuaisceart Éireann. Bhí sé ar fáil ó Reuters nó dream eicínt, a shochraid féin agus sochraid Bhobby Sands, cé go raibh ar a laghad trí mhíle cónra eile ann chomh maith leo. Bhí blianta idir na sochraidí sin, ar ndóigh, mar gurbh í íobairt Bhobby agus na stailceoirí ocrais eile a spreag eisean le dul isteach sa nGluaiseacht. Níor theastaigh uaidhsean ach buille a bhualadh ar son na hÉireann. Is amhlaidh gur ródhíograiseach a bhí sé, dar le cuid de na ceannairí. Mar gur ón deisceart é, b'fhéidir gur bhraith sé gur ghá dó níos mó a dhéanamh ar son na cúise ná aoinneach eile.

Fós féin ní bheadh a ainm in airde ar fud na tíre mar laoch de chuid na Poblachta, ach bhí an Brainse Speisialta ó thuaidh agus ó dheas sa tóir air, gan trácht ar lucht drugaí ar éirigh leis a gcuid pleananna a chur ó mhaith. Rinneadh cinneadh ag an leibhéal is airde é a chur den saol, ligint orthu go raibh sé marbh, sochraid mhaith mhór a thabhairt dó agus ligint don tine a bhí lasta aige imeacht as. Níor theastaigh duine chomh díograiseach ag am a raibh cainteanna rúnda síochána ar siúl. Chuirfí fios air dá mbeadh sé féin agus a ghunna ag teastáil arís. Chuir sé go mór ina gcoinne sin mar shíl sé go raibh na Sasanaigh agus a gcomhghleacaithe ó dheas i ngar do bheith buailte. Ach cuireadh an rogha go borb os a chomhair: glacadh le bás dáiríre nó bás mar dhea.

Cúis náire a bheadh ann don dream i gceannas anois dá bhfaighfí amach gur beo dó i gcónaí. Bhí a fhios acu féin go maith go raibh ach níor mhaith leo go mbeadh a fhios ag an bpobal. Bhí formhór na ngunnaí díchoimisiúnaithe, ach bhí a fhios aigesean cá raibh fáil ar a bhréagán féin dá mbeadh sé ag teastáil arís. B'in é an fáth ba mhó a raibh sé ar a aire, ní de bharr na naimhde ar an taobh eile – lucht drugaí go háirithe – ach óna thaobh féin. Bheadh cuid acu ag iarraidh an scláta a ghlanadh, anois go raibh a gcosa faoin mbord acu i dteach mór Stormont. Bheadh aiféala orthu nár chuir siad den saol é fadó riamh, ach ní fhéadfaidís, mar gheall ar an meas a bhí ag an ngnáth-Óglach air. Ní raibh a shárú le fáil le duine a mharú le haon urchar amháin ó achar fada; glan, díreach, déanta. Sin í an scil a bhí aige, agus a bhí aige i gcónaí, is dóigh, cé nár thóg sé gunna ina láimh leis na blianta.

Níorbh í an Veinéis a chéad rogha le n-éalú ón seansaol, ach an Astráil. Ní fhéadfá dul níos faide ó bhaile agus is Béarla a bhí á labhairt san áit. Ach bhí an smaoineamh céanna ag daoine eile. Baile ó bhaile a bhí ann do roinnt mhaith eile as an nGluaiseacht a cuireadh ar leataobh ar an gcaoi chéanna leis féin. B'fhurasta casadh le duine ann a d'aithneodh thú. Thuig sé an chontúirt agus d'imigh leis. Roghnaigh sé an tír ina raibh sé anois thar thír ar bith mar go raibh Iodáilis foghlamtha aige sa Róimh le linn dó a bheith ina ábhar sagairt ansin le linn a óige. B'fhada anois é ó "Ná déan marú" agus na haitheanta eile ón mBíobla a threascair sé idir an dá linn. Ach is ag troid ar son a mhuintire a bhí sé: pobal Dé, pobal Caitliceach a thíre. Níor frítheadh aon locht ar Phádraig Mac Piarais ná ar Mhicheál Ó Coileáin, fir a bhí i bhfad níos fuiltí ná é féin de bharr a ngníomhartha.

Níor fhulaing aoinneach a fuair urchar uaidh. Maraíodh ar an toirt iad. D'fhulaing a muintir, ar ndóigh, ach cogadh a bhí ann, chuile shaighdiúir ar mhaithe leis féin i dtosach agus ar mhaithe lena chúis ina dhiaidh sin. B'aoibhinn leis a bheith beo agus an dara deis ar a shaol a bheith aige, in ainneoin na mbagairtí a bhain lena stair phearsanta. Ach saol uaigneach a bhí ann, é ag aireachtáil uaidh an tsaoil a chaith sé le linn a óige le taobh na farraige: an teanga, an dúchas, na cluichí, na daoine, a gcuid cainteanna tráthúla. Murach an idirlíon bheadh sé deacair air maireachtáil ar chor ar bith. Bhí air a bheith cúramach, éisteacht le cláracha Gaeilge i ngan fhios ar chluaisíní. Nuair a bhí cluiche peile nó rásaí curachaí ar siúl, bhí sé ar nós a bheith thiar sa mbaile. B'fhada leis go mbeadh pardún nó rud eicínt tugtha dá leithéid nár tháinig faoi Chomhaontú Aoine an Chéasta, ná socrú idir-rialtais ar bith eile.

Chuimhnigh Giorgio, mar a thug sé air féin anois, ar an seanfhocal go dtagann ciall le haois, agus bhraith sé go raibh an oiread céille tagtha anois air gur chuma leis faoi pholaitíocht agus nach ndéanfadh sé a dhath difríochta dó cé a bhí i gcumhacht agus cé nach raibh, ó thuaidh ná ó dheas, ina thírín féin ná i dtír ar bith eile. Ba é an ceacht ba mhó a bhí foghlamtha ná nach fiú an braon fola, agus nach bhfuil aon éalú ó chúrsaí fola ag an té a ghlac leis an gclaíomh, mar a chuir an Bíobla é. Bheadh air marú arís, a cheap sé, ar mhaithe lena shábháilteacht, cé gurbh é sin an rud deiridh a theastaigh uaidh. Is beag a thuig an bhean óg sin a thug sé ón aerfort le titim na hoíche nach mbeadh leisce ar bith air í a mharú dá gceapfadh sé go raibh aon bhaint aici leis an dream a bhí sa tóir air.

Ghlac formhór na dturasóirí a d'iompair sé ina thacsaí uisce leis gur Iodálach a bhí ann, mar go raibh teanga na tíre go réasúnta maith aige, ach bheadh a fhios ag daoine áitiúla óna chanúint nárbh amhlaidh a bhí. Ní raibh sé deacair a chur ina luí ar dhaoine ag an am céanna gur den dara glúin Iodálach é: gur tógadh é i gcaifé sráide i mbaile beag faoin tuath in

Éirinn, gurbh in an chúis go raibh Iodáilis sórt aisteach aige, briotach ach líofa. B'fhéidir go raibh contúirt ag baint le hÉirinn a lua a bheag nó a mhór, a smaoinigh Giorgio, ach d'aithneodh duine ar an toirt a bhí ar an eolas nach Béarla Mhanchain ná Chicago ná Sydney a bhí aige.

B'aoibhinn leis an baile mór seo, é ag imeacht leis ina bháidín beag buí, a chuir curach admhaid thiar sa mbaile i gcuimhne dó ach go raibh cábán beag uirthi seo. Ach bhí i bhfad níos mó siúil aici seo ná ag curach, amhail is go raibh scuaine de chapaill rása á tarraingt ar bharr an uisce.

Cheannaigh sé a bhád ón "phinsean" a tugadh dó ón mbanc a robáil sé i gCill Dhamhnait lá a shochraide. Ní fhéadfadh *alibi* níos fearr a bheith aige. Fuair sé a dhóthain as sin le hárasán a cheannacht, ach is ar lóistín a chaith sé a chuid airgid de réir a chéile. Bhí sé réidh le n-imeacht ón áit a raibh sé nóiméad ar bith a mbraithfeadh sé go raibh a bheatha i mbaol. Shíl sé gurb é an t-athrú teanga ba mhó a shábháil go dtí seo é: bheadh formhór an dreama a bheadh ina dhiaidh ag ceapadh gur go tír ina mbeadh Béarla a rachadh sé. É sin nó don Spáinn nó don Ísiltír, mar a chuaigh formhór lucht na ndrugaí a bhí ar a dteitheadh. Is ag iarraidh éalú óna leithéid a bhí seisean, ar ndóigh, mar nach cairde leis iad ach a mhalairt.

Bhí an ghráin aige ar dhrugaí agus ar an dream a rinne saibhreas astu. Is minic a smaoinigh sé ar shocrú a dhéanamh leis an rialtas nó dream eicínt sa mbaile ina dtabharfaí saorchead dó a scil leis an raidhfil mór a úsáid leis an oiread le lucht ceannais na ndrugaí a chur den saol i ngan fhios. D'fhéadfadh sé fanacht "marbh" don saol mar a bhí sé cheana. Chuirfeadh sé na buíonta a bhí ag plé leis an obair ghránna úd trína chéile. Bheidís ag marú a chéile níos minicí ná riamh, an tAire agus na Gardaí ag caint go poiblí ar an tábhacht a bhain le dlí na tíre, ag rá nach raibh sé de cheart ag aoinneach a ndlí féin a chur i bhfeidhm, *blah, blah, blah* . . .

Ach ba ghearr go mbeadh na sráideanna glan ó dhrugaí agus an drochobair go léir a bhain leo.

Bhí a fhios ag Giorgio gur brionglóideacht lae a bhí ar siúl aige. Ní bheadh *amnesty* i ndán dá leithéid ó dhream ar bith. Cur amú ama a bheith ag smaoineamh air fiú. Ba é Giorgio anois é, Pól fágtha ina dhiaidh go deo mar ainm. Ainm pápa a bhaist a mháthair air: an pápa a bhí ann nuair a rugadh é, Pól VI, agus is uirthi a bhí an bród nuair a thug sé aghaidh ar an Róimh le dul le sagartóireacht. Bhí idéalachas ag baint lena shaol ón tús, más le creideamh nó polaitíocht a bhain sé. Thart ar dheich mbliana d'aois a bhí sé nuair a léigh sé seanleabhar lena sheanathair, leabhar Dan Breen faoina chuid eachtraí féin i dTiobraid Árann i bhfad siar. Bhain sé geit as a athair agus máthair nuair a d'fhill sé ó theach a sheanmhuintire lá agus d'fhógair sé: "Faraor nach bhfuil Dúchrónaigh ar bith ann le marú níos mó."

Bhí an díograis chéanna ag baint leis ó thaobh creidimh is a bhí faoi chúrsaí peile nó polaitíochta agus é ag éirí aníos. Thuig sé go maith céard a thug ar fhir óga Mhoslamacha sa lá atá inniu ann lámh a chur ina mbás féin le daoine eile a phléascadh amach as an saol ar mhaithe lena gcúis. Bhí sé féin amhlaidh le linn a óige, ach nach raibh an deis aige. Ansin tháinig an lá gur bhraith sé go raibh leatrom á imirt ar a mhuintir féin agus gur theastaigh uaidh a chion féin a dhéanamh ar a son. D'fhoghlaim sé a cheird go cruinn agus go cúramach agus, seachas fear amháin in Ard Mhacha, bhí sé ráite nach raibh a shárú ar fáil mar ghunnadóir agus mar shnípéir go háirithe.

Nuair a thosaigh a fhón póca ag clingeadh, d'aithin Giorgio ar an bpointe gur ón óstán ba ghaire, an Principe, a bhí an scairt ag teacht. Theastaigh ó ghrúpa Meiriceánach dul le haghaidh béile i gceantar Accademia.

"Beidh mé ansin i gceann nóiméid," a d'fhreagair sé, agus

bhí. Bhí a fhios aige gur thaitin poncúlacht le lucht an óstáin. Nuair a shroich sé na céimeanna ag an doras tosaigh, chaith sé rópa thart ar cheann de na pólanna ansin. Rug sé ar lámha na dturasóirí ina nduine agus ina nduine, agus chinntigh sé go raibh gach duine slán sular ghlac sé leis an gcéad duine eile. Bhí aois mhór ar a bhformhór, ach bhí ardghiúmar orthu, cosúlacht orthu go raibh braon maith ar bord acu cheana féin. Nuair a bhí a bhád ag gluaiseacht léi, agus an dream a bhí inti glórach gealgháireach, smaoinigh Giorgio ar an saol breá taitneamach a bhí ag na seandaoine sin, in ionad a bheith suite i dteach altranais mar a bhí a mháthair féin an uair dheireanach ar chuir sé a tuairisc.

III

Níor chodail Adrienne chomh sámh le blianta. Nuair a bhreathnaigh sí ar a huaireadóir thug sí faoi deara go raibh sí tar éis a bheith ina codladh le haon uair déag, fiú nuair a chuir sí san áireamh nár athraigh sí a clog d'am na háite fós. Rinne sí é sin ar an bpointe, í ag rá léi féin gurb é seo tús lena saol nua. Bhí an rud céanna ráite aici cúpla uair an lá roimhe, nuair a bhí an t-eitleán ag éirí i mBaile Átha Cliath agus arís tar éis di an t-árasán a shroichint. Ach bhraith sí gur mar a chéile a bheith ag glacadh le ham na háite an mhaidin sin agus tosú i ndáiríre ar an athrú saoil a bhí i ndán di. Shín sí í féin ar an leaba go compordach, fios aici nár ghá di rud ar bith a dhéanamh an lá sin, ach chuir scalladh na gréine tríd an bhfuinneog in iúl nach lá le fanacht ar an leaba a bhí ann.

Tharraing sí fallaing ina timpeall agus amach léi ar an mbalcóin le radharc a fháil ar an mbaile. Smaoinigh Adrienne nach mbeadh an méid sin féin déanta sa mbaile aici gan toitín agus cupán caife a bheith aici ar dtús. Bhí sé ráite ag cairde léi go raibh drochbholadh ón uisce sna canálacha sa Veinéis ach níor thug sí é sin faoi deara, ach boladh a thug duganna na Gaillimhe chun cuimhne nuair a bhí sí ag freastal ar an institiúd teicneolaíochta ansin. Bhíodar ann a cheap gur cheart di freastal ar choláiste ealaíne níos clúití ach bhain sise taitneamh as an am a chaith sí i gCathair na dTreabh. Ba mhó a spéis riamh sa bhféinfhoghlaim ná a bheith rómhór faoi thionchar ag ealaíontóir nó lucht acadúil ar bith cuma cé chomh cáiliúil is a bhí siad. Theastaigh uaithi a stíl féin a chruthú agus a fhorbairt.

B'fhada léi go siúlfadh sí an baile seo agus na gailearaithe agus séipéil ar fad a fheiceáil. Bhí spéis ag Adrienne i ngach rud ó Tintoretto go Picasso agus ar tháinig rompu agus ina ndiaidh. Bhí a fhios aici go raibh saothar dá gcuid le feiceáil beo beathach sa gcathair seo, go díreach mar a phéinteáil siad iad. Bhí a fhios aici ón tsúil sciobtha a chaith sí ar an treoirleabhar a fuair sí ag an aerfort go raibh pictiúir na céadta bliain d'aois crochta i bhformhór na séipéal agus saorchead isteach ag an bpobal le breathnú orthu. Bhí neart gailearaithe chomh maith ann, an ceann ba cháiliúla ainmnithe i ndiaidh Peggy Guggenheim, a raibh teach mór aici ar an mbaile lena beo ina raibh saothar na n-ealaíontóirí ba mhó a mhair lena linn le feiceáil fós. Is go dtí an dánlann sin a bhí sé i gceist ag Adrienne a céad chuairt a thabhairt ar a céad lá sa gcathair. Cá bhfios nach mbeadh sí ann chuile lá eile chomh maith a d'iarr sí uirthi féin go héadrom, í ag tnúth go mór leis an éagsúlacht ealaíne a bheadh roimpi.

Cibé faoi shaothair ealaíne, bhraith Adrienne go raibh an radharc ina timpeall ón mbalcóin chomh taitneamhach is a chonaic sí riamh. Thaitin déanamh agus dearadh na dtithe léi, cé go raibh pláistéireacht ag titim de chuid acu agus dath ar chuid eile a thug le fios gur fada an lá ó cuireadh péint orthu. An rud is mó a thaitin léi ná gur bhain siad le saol eile. Bhain siad leis an seansaol ach bhain siad chomh maith leis an saol nua seo a raibh sé ar intinn aici léim isteach ann go huile is go hiomlán. Smaoinigh sí ar dhul isteach san árasán lena cuid toitíní a fháil, ach bhí sé mar a bheadh a máthair ag rá léi: "Ná déan. Cuimhnigh ar ar tharla domsa. Má tá saol nua uait, tosaigh leis na toitíní a thabhairt suas." Bhí a fhios aici go maith gur óna hintinn féin a bhí an guth seo ag teacht, ach bhí ciall leis. Agus nach deas an smaoineamh a bhí ann go mbeadh a máthair ag breathnú amach di ón saol eile.

An fhad a fhanfas mé anseo, ní bheidh aon *fag* agam, a

dúirt Adrienne léi féin go cinnte. Nach é an chéad chéim eile dul isteach agus cupán caife a ól gan toitín? Rinne sí amhlaidh, cé gur bhraith sí go raibh rud eicínt in easnamh, a méaracha folamh. Taithí, ar sí léi féin. Níl ann ach cleachtadh. Déan dá uireasa. Thuig sí go mbeadh sé chomh deacair céanna chuile uair a d'ólfadh sí tae nó caife, ach de réir a chéile . . . Rinne sí iarracht a hintinn a dhíriú ar rud eicínt eile agus, mar a tharla go minic, is ar Phatrick a smaoinigh sí. Nach mbeadh sé go deas glaoch nó téacs féin a chur chuige ag rá go raibh sí ag éirí as na toitíní, go raibh sí sásta inti féin as an saol nua a bhí roghnaithe aici. Sin é an rud is mó a d'airigh sí uaithi ó chlis ar a bpósadh: duine a bhféadfadh sí rudaí beaga seafóideacha nó rudaí greannmhara a insint dó.

Ach, maidir le rudaí a insint, níor inis seisean go raibh sé léi siúd, agus ní inseodh fós murach go raibh a pháiste á iompar aici. Shíl sise, le linn dóibh a bheith lena chéile, go raibh siad chomh mór lena chéile le lánúin ar bith dá lucht aitheantais, go dtí an oíche sin a raibh siad suite ar an tolg, gloine fíona an duine acu, a lámhsan thar a gualainn. Bhíodar tar éis scannán greannmhar a fheiceáil, tar éis gáire lena chéile faoi na heachtraí seafóideacha ar an scáileán, nuair a dúirt sé léi go raibh rud faoi leith le n-insint aige di. Níor bhain an méid sin féin geit de chineál ar bith aisti. Shíl sí gurbh é go raibh sé i gceist aige dul chuig an gcluiche idirnáisiúnta rugbaí i bPáras lena chairde nó rud eicínt. Bhí leide eicínt faighte aici go raibh a leithéid á pleanáil acu.

"Dúramar riamh go mbeimis fírinneach lena chéile," a thosaigh sé.

B'in nuair a thosaigh na cloig rabhaidh ag clingeadh ina cloigeann. Shíl sí go raibh an iomarca airgid caillte ag na geallghlacadóirí aige.

"Is cosúil go bhfuil mé le bheith i m'athair," ar sé. D'fhan sé le go ndéarfadh sí rud eicínt, ach bhí sé mar a bheadh an mothú imithe aisti chomh maith lena hanáil. "Tá an-bhrón orm," ar sé go ciúin. "Níor theastaigh uaim riamh tusa a ghortú ar bhealach ar bith."

Rug sí ar an gcochán scaoilte is deireanaí a bhí ag imeacht le gaoth, mar go raibh acmhainn ghrinn aisteach aige uaireanta:

"Más ag magadh atá tú, níl sé sin barrúil ar bhealach ar bith."

"Ní ag magadh atá mé, faraor. Níorbh ionann é sin agus a rá nach bhfuil mé i ngrá leatsa i gcónaí."

Bhí an cheist ar bharr a teanga, fiafraí cé a bhí ag iompar, ach ní raibh na focail sásta teacht óna béal.

"Ní raibh a fhios agam go raibh tú le haoinneach," ar sí. Tháinig an chaint óna béal chomh réasúnta le rud ar bith, i bhfad ró-réasúnach, ar ndóigh.

"Ní raibh mé i ndáiríre mar gheall uirthi ná tada. *Just* tharla sé. De bharr óil agus ragairne."

"Ní raibh ann ach craic."

Is cosúil nár aithin Patrick an searbhas ina guth, mar d'fhreagair sé:

"Go díreach é. Tá a fhios agat féin, nuair atá cóisir ar siúl . . ."

"Stop ag cartadh nuair atá tú chomh domhain sin cheana féin sa gcac," ar sise go feargach.

"Is leatsa atá mé i ngrá i gcónaí," ar seisean. "Agus beidh go deo."

"Ar dhúirt tú é sin le do striapach?"

"Ní striapach í. Táimse chomh ciontach is atá sise," a dúirt Patrick. "Bíonn beirt ag teastáil . . ."

"An bhfuil sise pósta freisin?"

"Níl," ar sé go dubhach. Bhí chuile fhreagra a thug sé mar a bheadh scian ghéar á sá trína cuid easnacha. Agus ba ghéire freisin a bhí a teanga ag fáil:

"Mura bhfuil sí pósta níl sí chomh ciontach is atá tusa. Tusa a rinne do chuid geallúintí os comhair Dé."

"Shíl mé gur beag é do chreideamh i nDia?"

"Is iomaí rud a shíl tú nach raibh fíor, de réir cosúlachta! Shíl tú nach bhfaighinn amach fút féin agus do striapach!" Bhí Adrienne ag béiceach faoin am seo.

"Ní bhfuair tú amach," ar seisean go ciúin agus go náireach. "Táimse tar éis é a rá leat."

"D'inis tú dom é mar nach raibh aon rogha eile agat," ar sise, "mar go bhfuil sí suas an focain pól!" Ní raibh sí chomh hoibrithe riamh ina saol. "Agus níor inis tú fós dom cé hí?"

"Inseoidh mé duit é nuair a chiúnfas tú," an freagra a thug Patrick. "Ní hiontas ar bith tú a bheith ar buile."

"Níl mé ag iarraidh a chloisteáil cé hí," a dúirt sí, cé gurbh é a mhalairt ar fad a bhí fíor. Bhí sí ar bís lena fháil amach.

"Síle," ar sé go híseal.

"An bhitseach sin san oifig? An Síle sin a tháinig chun béile anseo, agus chuir mé fáilte roimpi agus í a dhéanamh compordach sa gcomhluadar? Ise a bhí chomh cúthalach nach leádh im ina béal?"

Chlaon Patrick a cheann le náire.

Rinne Adrienne chuile iarracht beag is fiú a dhéanamh dá namhaid:

"Chuala mé faoi fhir a bheadh sásta dul suas ar thom aitinne, ach Síle? An luch bheag nach raibh tada le rá aici ar feadh na hoíche. Ciúin ciontach. An luch a d'iompaigh ina francach. Níl tú i ndáiríre? Inis dom gur ag magadh atá tú, a Phatrick?"

"Táim i ndáiríre, faraor," arsa Patrick go míchompordach.

"Ar smaoinigh tú ar an gcuma a bheas ar an bpáiste beag sin? Le máthair chomh míshlachtmhar sin. Dá mbeinnse i do bhróga déarfainn léi ginmhilleadh a fháil. Ar mhaithe leis an bpáiste." Rinne sí chuile iarracht rud amháin níos measa a fháil le rá ná an chéad rud eile de bharr a cuid feirge.

"Níl a fhios agam nach é sin a dhéanfas sí," arsa Patrick, imní le brath ina ghuth.

"Agus cén dearcadh atá ag an athair air sin?" a d'iarr Adrienne.

"Táim in aghaidh an ghinmhillte i bprionsabal."

"I bprionsabal," ar sise go drámatúil. "Ach, ar ndóigh, má thograíonn an luichín é a dhéanamh, ní bheifeá in ann í a stopadh. Dhéanfá iomrascáil le do choinsias, agus thabharfá isteach?"

"Shíl mé go bhféadfaimis é . . . í . . . cibé céard é féin . . . a thógáil muid féin: mise agus tusa."

Baineadh geit as Adrienne ach chuir a fhreagra níos mó ar buile ná riamh í. Cheap sí anois agus í ag breathnú siar go raibh ciall eicínt leis mar mholadh. Ach is beag difríocht a dhéanfadh sé a bheith ag smaoineamh anois air. Thograigh Síle ar deireadh an páiste a bheith aici. Ní raibh sa rud eile ach smaoineamh fánach ag Patrick ag am a raibh sé trína chéile. Níorbh fhada gur thit gach rud a bhí eatarthu as a chéile.

Bhraith sise go gcaithfeadh sí bata agus bóthar a thabhairt do Phatrick. Bhí a fhios aici ina croí istigh gur beag an mhaith dul ar ais le chéile. Bheadh an mhídhílseacht sin, an tréas sin, eatarthu i gcónaí. Cé gur airigh sí uaidh é ó am go ham, bhí taobh eile de Phatrick feicthe aici le linn dóibh a bheith ag scaradh. Bhí sé santach ó thaobh maoine agus airgid de. Athair Phatrick a dúirt é sin léi nuair a casadh ar a chéile i dtosach iad. Shíl sí ag an am gur aisteach an rud é sin le rá faoina mhac féin, ach bhí an ceart ar fad ag an seanfhear, a thaitin go mór léi mar gheall ar a mhacántacht.

Caithfidh mé glaoch a chur ar Daid, arsa Adrienne léi féin ag smaoineamh ar a hathair fhéin. Deiridís amach go díreach céard a cheap siad. Ní raibh a fhios aici ar bhain sé sin leis an aois a bhí acu nó leis an saol ar thángadar tríd. Beidh sé ag iarraidh a fháil amach cén chaoi ar éirigh liom, a smaoinigh sí.

Ní bhíodh sí féin agus a hathair i dteagmháil lena chéile chomh minic sin, ach bhí sé ansin nuair a theastaigh uaithi rud a phlé. Bhí sé níos sine ná a mháthair, agus mhothaigh Adrienne gur bhraith sé sórt ciontach go bhfuair sí bás roimhe.

Bhí cuma ar a hathair nach raibh uaidh ó d'éirigh sé as an múinteoireacht ach a bheith in éindí lena bhean, cibé flaitheas a bheadh i ndán dóibh. Is beag lá nár thug sé cuairt ar a huaigh sa reilig. In ainneoin gur mhothaigh Adrienne uaigneas a hathar, níor theastaigh uaithi a bheith anuas sa mullach air rómhinic lena cuid fadhbanna féin.

Chuir sé in iúl nuair a ghlaoigh sí air cé chomh sásta is a bhí sé gur thaitin an Veinéis agus a hárasán nua léi:

"Tiocfaidh borradh faoi do chuid ealaíne dá bharr," ar seisean.

"Caithfidh tú teacht ar cuairt nuair a bheas mé socraithe síos i gceart," a dúirt sí leis. "Tá an t-árasán beag ach bheadh sé sách mór don bheirt againn ar feadh tamaill."

"Nach bhféadfainn fanacht in óstán? Nach bhfuil an áit sin lán lena leithéid?"

"Ná bíodh seafóid ort," ar sise. "Tuige a mbeifeá ag cur do chuid airgid amú nuair atá áit agamsa anseo?"

"B'fhéidir go mbeadh duine eicínt in éindí liom."

"Duine de do chairde ón scoil?" a d'iarr sí, ag ceapadh gur duine de na hiarmhúinteoirí a bhí i gceist aige.

"Casadh duine orm i gclub na n-aosach," a d'fhreagair sé.

"Ó," ar sise, ag smaoineamh de chéaduair go bhféadfadh sé gur bean a bhí i gceist aige. Bhí an ceart aici.

"Cairde muid, ach tá an-spéis aici go deo i gcúrsaí taistil. Is cosúil go bhfuil chuile chnoc ar domhan dreaptha aici le blianta beaga anuas."

Ní raibh a fhios ag Adrienne céard a déarfadh sí.

"Caithfidh sé go bhfuil sí aclaí," na focail a tháinig óna béal. Níor chuimhnigh sí riamh go bhféadfadh a hathair a bheith le bean ar bith seachas a máthair. Bhí an domhan ag iompú ina chíor thuathail ó lá go lá.

"Mothaíonn sí scoilteacha ina corróg," a d'fhreagair a hathair, "ach tá sí len í a fháil déanta. Tá sí le ceann nua a fháil gan mórán achair." Rinne sé gáire. "Is iontach go deo an méid páirteanna spárála atá an seanduine in ann a fháil sa lá atá inniu ann."

"Cá fhad ó chuir sibh aithne ar a chéile?" a d'iarr Adrienne, "nó an bhfuil sibh le chéile i bhfad?"

"Cén sórt 'le chéile' atá i gceist agat?" a d'iarr sé. "Ná bíodh aon imní ort faoi d'oidhreacht. Níl aon chaint againn ar phósadh nó ar thada mar é. Táimid beirt róshean don obair sin."

"Is maith liom go bhfuil comhluadar agat," ar sise, í chomh dáiríre is a bhí sí in ann a ligint uirthi.

"Ach b'fhearr leat comhluadar fir a bheith agam?"

"Níor dhúirt mé a leithéid de rud," a d'fhreagair Adrienne go héadrom. "Rud ar bith a dhéanann sona sásta thú."

Ach bhí imní uirthi tar éis di an fón a leagan uaithi. Chuala sí cheana faoi fhir a rinne rudaí seafóideacha nuair a tháinig an aois orthu. Ag imeacht le mná óga a bhí sách amaideach nó sách glic len iad a phósadh. Ach nach fearr caidreamh ná uaigneas lá ar bith? ar sí léi féin. Ise a dúirt leis páirt ghníomhach a ghlacadh i gclub na n-aosach, ach is cluichí cártaí nó fichille a bhí ar intinn aici seachas comhluadar ban.

Bhraith Adrienne go raibh sé in am aici a haghaidh a thabhairt ar ionad ealaíne Guggenheim. Bhí sí tar éis ligint dá hintinn dul ar seachrán faoi dhó cheana ó mhaidin.

"Bíodh acu," a dúirt sí os ard faoi Phatrick agus faoina hathair. Déanaidís a rogha rud. Ach dhéanfadh sise a rogha rud freisin. Réitigh sí í féin go galánta le haghaidh a thabhairt ar an mbaile mór. Chaith sí gúna dearg, le hata beag gorm ar chúl a cinn, chomh maith le bróga le sála arda nach raibh feiliúnach do shráideanna na cathrach, mar a fuair sí amach sula i bhfad.

Chuaigh Adrienne ar bhád den déanamh *vaporetto*, báid fharantóireachta a théann ó thaobh go taobh na cathrach ó mhaidin go faoithin, agus ar feadh na hoíche chomh maith. Bhíodar i bhfad níos mó ná tacsaithe, agus mall dá réir. Busanna uisce iad i ndáiríre. Ach bhí siad i bhfad níos saoire. D'fhéadfadh sí ticéad a fháil a thug cead di taisteal d'áit ar bith ar an uisce ar feadh cúpla lá in éindí. Thograigh sí an oiread sásaimh a bhaint as sin is a d'fhéadfadh sí. Rinne sí botún ansin mar go ndeachaigh sí ar bhád a bhí ag dul sa treo mícheart. Ach d'fhan sí inti, ag breathnú ar na radharcanna uile ina timpeall. Tá an lá fada, agus an bhliain níos faide arís, a smaoinigh sí. Bheadh am aici amach anseo an Guggenheim agus na gailearaithe eile a fheiceáil ar a suaimhneas. D'fhág sí an bád tar éis fiche nóiméad nó mar sin. Stop sí ag caifé beag ar an gcé le *pizza* a ithe agus le caife a ól. Nach iontach go deo an saol é, ar sí léi féin agus í ag filleadh abhaile ar an *vaporetto* arís.

IV

Seanlánúin ón tSeapáin a bhí Georgio a thabhairt ina thacsaí uisce ón aerfort ar thuras deiridh a lae. Ní hé nach raibh an oiread eitleán ag tuirlingt i rith na hoíche is a bhí i rith an lae, ach bhí ar dhuine críochnú am eicínt. Bhí a dhóthain á shaothrú aige don saol a bhí aige, agus roinnt curtha i dtaisce dá mbeadh air éalú faoi dheifir. Bhí sé tuirseach. D'fhág lá ar an bhfarraige ar an dóigh sin i gcónaí é, fiú nuair a bhí sé thiar sa mbaile. Ba mhór idir a bheith ag tarraingt potaí agus ag breith ar ghliomaigh an uair sin agus ag iompar turasóirí ó áit go háit mar a bhí sé anois, ach ba í an fharraige chéanna i gcónaí í. Bhí sí míthrócaireach. Bhí saothrú le fáil aisti, idir iascach agus iompar, ach go bhfóire Dia ar an té nár thaispeáin ómós di. Níor scaoil sí i bhfad leis an té a bhí róshantach.

B'fhacthas do Giorgio gurbh iad na Seapánaigh an dream ba mhó i ndiaidh na bPoncánach a thug cuairteanna ar an Veinéis. Bhíodar saibhir, ar ndóigh, agus de réir cosúlachta tugadh suntas an-mhór sna hollscoileana thall ann don ealaín agus do na traidisiúin a bhain leis an gcathair tharraingteach seo. Ní raibh siad iontach flaithiúil ó thaobh *tips* de, ach d'íoc siad a mbealach. Bhí dúil ag Giorgio i mná óga na tíre, mar go raibh an oiread acu thart agus mar nár fhan siad rófhada. Ní raibh súil acu ach an oiread go raibh fear len iad a phósadh mar gur chaith sé oíche amháin nó dhó in éindí leo. Bhí mná eile mar sin. Mar go raibh cáil rómánsúil ar an gcathair, is beag nár thit siad i ngrá láithreach leis an gcéad fhear a chuir suim dá laghad iontu.

Cé gur thaitin comhluadar agus caidreamh na mban go mór le Giorgio, níor theastaigh uaidh go n-éireodh bean ar bith rómhór leis. D'fhan sé amach ó na hIodálaigh dá bharr, ag díriú airde ar mhic léinn agus ar thurasóirí. Níor theastaigh ceisteanna agus níor theastaigh fiosracht uaidh. Ba leor rud beag spraoi agus spóirt agus paisin, chaon duine ag dul ina threo féin ina dhiaidh. Bhí ceann de na hoícheanta is fearr ina shaol aige le Seapánach óg nach raibh cúig troithe ar airde agus nach raibh focal Béarla aici, ach bhí fuinneamh agus fonn agus faobhar sna géaga aclaí sin. Bhí sé féin ag labhairt Ghaeilge léi ar feadh na hoíche, ise ag freagairt ina teanga féin, ach ní sa gcaint is mó a bhí spéis ag ceachtar acu. Bhí oiread aicsin inti gur bheag nár mharaigh sí é, ach dá maródh féin ní fhéadfá a rá nach bás sona a bheadh aige, a smaoinigh sé.

Nuair a bhí na turasóirí tugtha go ceann cúrsa ag Giorgio, a bhád ceangailte agus clúdaithe le tarpól, chuaigh sé i dtreo a árasáin le cith a thógáil agus a chuid éadaigh a athrú. Thug sé aghaidh ansin ar an óstán is mó a thug saothrú dó, an Principe. Thaitin fear an bheáir, Johnny, leis, chomh maith leis an amhránaí agus ceoltóir, Vinny. Ní raibh aon chosúlacht Elvis Presley air siúd le breathnú air, ach dá ndúnfá do shúile agus é ag casadh, shílfeá gurb é an Rí é féin a bhí ann ina bheo i bhfad ó bhaile. Tharla sé go minic go mbíodh daoine ó na soithí móra, na *cruise liners*, ag fanacht san óstán céanna ar feadh oíche nó dhó ar a dturas thart ar an Meánmhuir, cuid acu ag iarraidh an oiread taitnimh agus ab fhéidir a bhaint as oíche ar thalamh tirim.

Shíl Giorgio go raibh a leithéid ann an oíche sin: bean thart ar dhá scór bliain d'aois ag an gcuntar, braon maith ólta aici agus í glórach, cainteach. Chuaigh sí amach i lár an urláir ag damhsa léi féin uair, tar éis di iarraidh ar Johnny damhsa léi.

Ach bhí seisean róchruógach agus é ag freastal ar an mbeár agus ar an mbialann chomh maith. Bhí sí sách slachtmhar ach bhí a caint ag sciorradh faoin am seo. Ní raibh aon dabht ar Giorgio ach go bhféadfadh sí a bheith aige don oíche, ach de bharr an méid a bhí ólta aici, b'fhéidir gur éigniú a bheadh sí ag cur ina leith ar maidin. Mar a tharla, tháinig a fear céile isteach á hiarraidh le haghaidh an dinnéir. Gliomach eile éalaithe as an bpota.

Bhí tuairim ag Giorgio gur imigh a choinsias uaidh an chéad uair a mharaigh urchar leis duine. Bhí a fhios aige roimhe sin céard a bhí ceart agus céard nach raibh. Ní raibh a fhios sin aige ní ba mhó. Bhí an gunna leagtha ar leataobh le blianta beaga anuas, ach níor tháinig a choinsias ar ais riamh mar a bhí. Nach fada a bhí sé imithe ón mbuachaill óg neamhurchóideach a thograigh a shaol a thabhairt do Dhia. An de bharr a ghrá do Dhia nó faitíos roimh ifreann a rinne sé amhlaidh? Ní raibh a fhios aige tada níos mó faoi Dhia ná faoin duine féin. Ghlac sé le chuile dheis a fuair sé bean a bheith aige don oíche. Ní raibh aon chosúlacht ar an scéal gur ghortaigh sé iad ar bhealach ar bith. Theastaigh an rud céanna uathu is a theastaigh uaidh féin: sásamh, teagmháil, pléisiúr, paisean – an doras a dhúnadh ar an uaigneas ar feadh tamaill. Cén locht atá air sin? a d'fhiafraigh sé de féin.

Chaith Giorgio tamall ag an gcuntar ag caint le Johnny nuair nach raibh sé faoi bhrú, nó le Vinny nuair a bheadh scíth á ligint aige idir na hamhráin. Ach an oiread le Guinness nuair a d'ól sé ar dtús é, níor thaitin *grappa* leis go dtí go ndeachaigh sé i dtaithí air. Ach ní bhíodh sé i bhfad ag fáil *buzz* uaidh, agus go dtí seo ní raibh a chloigeann tinn ina dhiaidh ar maidin, mar a tharla i ndiaidh dó fíon a ól. Bhí a fhios aige go raibh an t-ól in ann an teanga a scaoileadh, ach ní mórán imní a bhí air agus é ag labhairt Iodáilise leis na fir a bhí ag obair san áit. Chuir siad obair ina threo, agus mhol siad a thacsaí do na turasóirí. Ba mhó imní a bhí air agus é ag caint i mBéarla le Sasanach nó le Meiriceánach. Bhíodh sé fíorchúramach nach gcloisfí an tuin Éireannach ar a chuid cainte. Go deimhin thugadh sé le fios dóibh go hiondúil nach raibh aige ach Iodáilis.

Bhí sé cloiste ag Giorgio go raibh cúpla *chick* sa mbialann arbh fhiú fanacht orthu. Bhí triúr ón soitheach ag bord amháin gan fear ar bith ina gcuideachta. Thairg Giorgio deoch dóibh. Meiriceánaigh a bhí iontu. D'aithin sé ar an bpointe iad. Bhíodar bailithe aige sa tacsaí níos túisce. Chomh fada leis an gcé is gaire do Chearnóg Naomh Marcas a thug sé iad. Bhí *tip* gnaíúil faighte aige uathu, agus dúirt sé gurbh é sin an fáth ar theastaigh uaidh an deoch a cheannacht dóibh. Labhair siad faoin gCearnóg agus ar na mílte colúr a bhíonn ag eitilt thart ann nuair nach mbíonn siad ag ithe bruscar beatha a thugann na turasóirí dóibh. Bhí caint acu chomh maith faoin séipéal mór millteach féin, ar admhaigh Giorgio nach raibh an taobh istigh de feicthe fós aige.

"Is mór an náire thú agus tú i do chónaí sa gcathair," arsa duine acu.

"Ach tá leabhair agam a bhfuil na h*icons* agus na pictiúir ar fad ann," a mhínigh sé. "Is iomaí duine a dúirt liom nach bhfeiceann siad aon rud i gceart agus iad ag imeacht sa scuaine ag breathnú suas ar a bhfuil ar an díon taobh istigh. Feictear domsa gur mó a fheiceann duine ar leabhar nó ar scáileán teilifíse nó ríomhaire ná mar a fheiceann siad sna gailearaithe agus na séipéil mhóra agus na hardeaglaisí ar fad."

Thug an dearcadh sin ábhar plé dóibh, na mná ag rá gurb é atmaisféar na háite a bhí tábhachtach; mionrudaí iad na pictiúir agus na dealbha. Dhírigh Giorgio a aird ar an gcailín ab óige agus ba dhathúla. Faoin am seo bhí a hainm faighte amach aige: Cadence.

Dúirt sé léi gur deas an t-ainm é sin, chomh deas léi féin.

D'fhreagair sí nach raibh ina chaint ach seafóid, gur dóigh nár chuala sé an t-ainm sin riamh cheana.

D'admhaigh sé nár chuala, ach gur mhaith leis an deis a fháil é a rá níos minicí; go mbeadh sé go deas an oíche a chaitheamh á chogarnaíl ina cluais.

Chroith sí a cloigeann agus í ag gáire, agus dúirt nach raibh sí chomh héasca sin.

"Ach fan go gcuirfidh tú aithne ormsa, agus go gcuirfidh mise aithne ortsa," ar seisean, é ag fiafraí di, ar nós go raibh spéis aige sa cheist, an staidéar nó pléisiúr a thug don Veinéis í.

Fuair sé amach go raibh céim sa tsíceolaíocht aici, agus bhí an bhliain seo á caitheamh aici leis an domhan mór a fheiceáil sula dtosódh sí ag obair go proifisiúnta.

"Bhuel, tá céim sa *chick*eolaíocht agamsa," a d'fhreagair sé i mBéarla, "agus tá tusa ar cheann de na cailíní is deise dá bhfaca mé riamh. Murar tú an duine is deise ar fad díobh."

D'fhiafraigh sí de an é an chaoi gur dhúirt sé an rud sin le chuile chailín a casadh air. Tháinig an smaoineamh chuige agus é ag leanacht lena dhea-chaint go raibh sé ag éirí tuirseach de sheilg na mban. Cé go raibh an cailín seo go deas, bhí sí cosúil le go leor de na mic léinn ar bhuail sé bleid cainte orthu. Bheadh sí imithe lá arna mhárach, fiú dá n-éireodh leis í a fháil don oíche. Bhraith sé nárbh fhiú an tairbhe an trioblóid ní ba mhó.

Cé nach raibh fonn ar Cadence an oíche a chaitheamh leis, bhí cosúlacht ar an scéal nár theastaigh uaithi imeacht uaidh ach an oiread. Chuimhnigh sé ar sheift len í a dhíbirt as a chomhluadar:

"Caithfidh sé go bhfuil tú go maith as," ar sé, "agus tú ag taisteal ar an mbád mór sin i measc na n-uasal? Murab ionann is an dream óg a fheicim ag dul thart timpeall na cathrach seo lena *rucksacks* ar iompar acu."

Dúirt sise go raibh chuile dollar a bhí aici saothraithe ó

bheith ag obair i mbialann i Nua-Eabhrac le linn a cuid staidéir, agus nár bhain sé leis más saibhir nó bocht í. Ní raibh mórán le rá acu lena chéile ina dhiaidh sin agus chuaigh sé abhaile nuair a chríochnaigh sé a dheoch. Bhí díomá ar Giorgio ag dul a chodladh dó. Thuig sé nach raibh sa méid a tharla san óstán ach rud imeallach den sórt drochmhisnigh a bhí air le tamall. Bhí sé tite idir dhá stól, amú idir dhá shaol. Níor fhéad sé dul ar ais abhaile. Bhí brú agus contúirt ag baint leis an saol a bhí anseo aige. B'fhéidir go raibh sé in am aige imeacht leis go háit eicínt eile, ach níor theastaigh uaidh a shaol a chaitheamh ag rith ó áit go háit, ó thír go tír, ó bhaile go baile. In ainneoin chomh tuirseach is a bhí sé thóg sé i bhfad air titim ina chodladh.

V

Bhí díomá ar Adrienne le Gailearaí Guggenheim. Ní hé nach raibh an áit leagtha amach go deas, go háirithe lasmuigh, ar an uisce, ach bhraith sí go raibh rud eicínt in easnamh. Ina seasamh di os comhair bhunphictiúir de chuid Picasso cheap sí go raibh na dathanna leamh. Bhí cóipeanna den phictiúr céanna feicthe cheana aici agus b'fhacthas di go raibh beocht ag baint leis na dathanna. B'fhéidir nach raibh ann ach cóip, a smaoinigh sí, ar mhaithe le sábháilteacht. Ní raibh ach blas beag de phictiúir an ealaíontóra mhóir sin ann, den mhúnla Cúbach den chuid is mó. Bhí saothar Braque den sórt céanna ann, chomh maith le *surrealism* Salvador Dali. Bhí samplaí d'obair na Meiriceánach Jackson Pollock agus Rothko ann chomh maith. Bhí sé ráite le taobh phictiúr Francis Bacon gur ón mBreatain é, cé go raibh a fhios ag Adrienne gur in Éirinn a rugadh é agus gur bhreathnaigh sé air féin mar Éireannach. Ach is i Sasana a chaith sé an chuid is mó dá shaol.

Thaitin *L'angelo della citta* le Marino Marini, a bhí taobh amuigh chun tosaigh, le taobh na canálach, níos mó le hAdrienne ná dealbh ar bith eile. Bhain an dealbh d'fhear lena bhod ina sheasamh agus é ar mhuin capaill, gáire amach nuair a dúirt bean as Meiriceá amach go hard go raibh a chuid Viagra tógtha aige siúd. Bhí cúpla píosa le Henry Moore ann freisin, clochadóireacht, a bhí i ngar do chroí Adrienne i gcónaí. D'airigh sí uaithi toitín nuair a bhí sí suite taobh amuigh.

Ar na turasóirí seachas ar an obair ealaíne a bhí sí ag

breathnú faoi seo. Lucht rachmais, lucht saibhris, dea-ghléasta, compordach iontu féin de réir cosúlachta. Ní raibh sí in éad leo, ach sa mhéid is a bhí cuid acu ag caitheamh toitíní le stíl, ar nós cuma liom faoina sláinte. Thabharfadh sí rud ar bith ar cheann a chaitheamh, ach bhí a hintinn socraithe aici. Ní raibh sí ach ar an dara lá dá n-uireasa, agus bhí ar intinn aici an lá seo a chríochnú gan toitín a chaitheamh.

Ós rud é go raibh ceann de na gailearaithe eile is mó sa gcathair i bhfoisceacht cúpla céad slat den Guggenheim, thograigh Adrienne cuairt a thabhairt ar an Academia chomh maith. Ach theastaigh greim le n-ithe i dtosach. Shíl sí go raibh sé chomh maith di lón iomlán a fháil le nach mbeadh uirthi dul ag cócaireacht nuair a d'fhillfeadh sí ar a hárasán. Theastaigh uaithi bia na háite a bhlaiseadh ar dtús, agus nuair a bheadh a sáith de sin ite aici amach anseo, bheadh cuid de na héisc úra agus glasraí a bhí feicthe aici ar an margadh sráide aici sa mbaile. Bhí sé soiléir go raibh beatha mhaith shaor le fáil go héasca.

Bhí an *gnocchi* a d'ordaigh sí an-bhlasta agus bhain sí taitneamh as an bhfíon bán chomh maith, cé gur airigh sí sórt náire alcól a bheith aici i lár an lae. Ach nach bhfuil mé saor le mo rogha rud a dhéanamh? ar sí léi féin. Agus má bhíonn *siesta* uaim ina dhiaidh, cén dochar? Cé gur thaitin saoirse mar seo léi bhí a fhios aici nach bhféadfadh sí maireachtáil gan cuideachta gan comhluadar ar feadh i bhfad.

Bhraith Adrienne uaigneach cheana féin tar éis lá amháin, in ainneoin áilleacht na háite agus na sluaite ina timpeall. Bhí sí ag smaoineamh ar chomh deacair is a bheadh sé aithne a chur ar dhaoine gan teanga na háite a bheith aici. Ba bheag an mhaith, de réir cosúlachta, an méid a d'fhoghlaim sí ó na leabhair agus téipeanna, mar níor thuig sí focal ó bhéal na ndaoine. Ní raibh a fhios aici an de bharr a gcanúna nó luas na cainte a bhí sé sin amhlaidh. Smaoinigh sí ar dhul chuig rang éigin. Ar a laghad, bheinn ag caint le duine eicínt ag na ranganna sin, a cheap sí, seachas a bheith ag caint liom féin an t-am ar fad.

Bhí an bhialann ina raibh Adrienne ag ithe le taobh an uisce agus bhí am aici breathnú i gceart ar na báid a bhí ag dul thar an áit. Ní báid do thurasóirí amháin a bhí iontu ach báid den uile chineál, cuid acu ag iompar gainimh, adhmaid agus suiminte. Bhí bád ag imeacht leis an bpost. Bhí báid le boscaí grósaera, le bairillí agus buidéil fhíona, le héadaigh agus earraí faisin. Thóg sé tamall ar Adrienne a thuiscint i gceart nach raibh aon bhealach ann le freastal ar na siopaí ach ar bharr an uisce. Ní raibh aon mhaith le gluaisteán, le jíp ná le leoraí ina leithéid d'áit.

Bhí formhór na ndaoine ar na cúlsráideanna, áit a raibh na siopaí agus óstáin. Bhí bealach ag an gcuid is mó acu amach chuig na báid ar an uisce chomh maith. Chroch fear a raibh tacsaí uisce á thiomáint aige a lámh i mbeannacht. Bhreathnaigh Adrienne ina timpeall, ag ceapadh gur le duine eicínt eile a bhí a chomhartha láimhe á dhéanamh aige. Thug sí faoi deara ansin gurb é an fear a thiomáin ón aerfort í a bhí ann, ach bhí sé seolta thart faoin am seo. Beidh sé ag ceapadh go bhfuil mé *stuck-up*, a smaoinigh sí, ag crochadh a láimhe nuair a bhí sé imithe. Ach cén dochar? Nach cuma liom céard a cheapann sé. Chuile sheans nach bhfeicfidh mé go deo arís é.

Tháinig cúpla *gondola* an treo sin, iad réitithe go galánta, cathaoireacha boga le héadach dearg agus péint óir timpeall orthu le haghaidh na dturasóirí. Fear amháin a thiomáin gach ceann ar leith acu, é ina sheasamh ag an gcúl le maide rámha fada aige. Bhreathnaigh an obair contúirteach, ach bhí cleachtadh na mblianta acu. Ní raibh a fhios ag Adrienne, agus í ag breathnú amach orthu an ag iomramh a bhí siad leis na maidí móra nó an á gcur síos go bun na habhann len iad a bhrú ar aghaidh.

B'álainn an radharc iad. Chuir siad an difríocht idir an seansaol agus an saol nua i gcuimhne di: na báid ghnó ag imeacht leo le luas agus le strus go ceann cúrsa, na *gondole* go mall, réidh, ciúin, gan inneall, stíl ag baint leo agus leis na fir a bhí á dtreorú. Bhí éadach traidisiúnta á gcaitheamh acu, hataí beaga dubha agus geansaithe den chineál céanna i ndathanna éagsúla, le stríocaí dearga nó gorma den chuid is mó ina dtimpeall.

Bhí beirt óg, nuaphósta b'fhéidir, i gceann de na *gondole*, beirt i bhfad níos sine, a d'fhéadfadh a bheith leathchéad bliain pósta, ag teacht ina ndiaidh. Ní hiontas ar bith gur thug siad cathair rómánsúil ar an mbaile seo, a cheap Adrienne, a pósadh briste féin ag teacht chun a cuimhne, pósadh a thosaigh mar iad seo. Ach b'in é an saol a bhí.

Cá bhfios di céard a bhí i ndán don lánúin óg seo ach an oiread, nó nach raibh croíthe briste ar ócáidí áirithe le linn a saoil féin ag na seanlánúin. B'fhéidir nach í a bhean féin atá leis a bheag nó a mhór, a smaoinigh sí agus í ag breathnú ar an seanfhear, a raibh an bhean lena thaobh roinnt mhaith níos óige ná é, mar a thug sí faoi deara nuair a tháinig na báid níos gaire. Chroch sí lámh ag beannú dóibh agus iad ag seoladh leo, í ag súil go mbeadh sonas den sórt sin aici féin lá eicínt, más go gairid féin é.

Bhí an oiread pictiúr sa Galleria dell'Accademia gur shiúil Adrienne timpeall faoi thrí len iad a fheiceáil go léir. Ina dhiaidh sin bhí a fhios aici nach raibh tugtha aici orthu ach sracfhéacháint. Bhí a fhios aici go mbeadh sí ag filleadh ar an áit sin arís is arís eile, murarbh ionann is an Guggenheim, cé go raibh sé ar intinn aici dul ar ais ansin chomh maith. Bhí a leithéid de rud agus a bheith dallta ag an iomarca rudaí áilne, agus is mar sin a d'airigh sí anois. Chuir sé i gcuimhne di a bheith in áit álainn ar chósta thiar na hÉireann: cnoic agus sléibhte chuile áit a mbreathnófá, an oiread acu ann go gceapfá nach bhfeicfeá iad ar fad. Ach beidh an áit seo ann inniu agus amárach agus arú amárach, a smaoinigh sí, agus beidh ar mo chumas filleadh ar mo shuaimhneas le breathnú ar a bhfuil ann.

Bhí sé ar intinn ag Adrienne tosú ag péinteáil arís i gceann míosa nó mar sin, ag súil le hinspioráid a fháil ón méid a bhí feicthe aici sna gailearaithe agus ar fud na cathrach idir an dá linn. Ach níor theastaigh uaithi an lá ar fad a chaitheamh mar sin. Cúpla uair an chloig ar maidin agus an chuid eile den lá agam féin, a smaoinigh sí. Ní raibh a fhios ag Adrienne an mbeadh a dóthain féinsmachta aici féin an patrún sin a leanacht, ach bhí sé i gceist aici triail a bhaint as. Ní raibh mórán cuma ar an obair a rinne duine a bhí tinn tuirseach, a cheap sí.

Bhí laethanta ann, ar ndóigh, nach ndéanfaí rud ar bith gan dua agus allas, go mbeadh ar dhuine tabhairt faoin obair fiú dá ndéanfaí praiseach de ar deireadh. Ach bheadh an iarracht déanta agus gheofaí smaoineamh eicínt dearfach ann in áit eicínt. Is minic a d'eascair lá inspioráideach as an méid sin, lá a gceapfá go raibh aingeal ar do ghualainn agus go raibh gach stróc ar an gcanbhás níos fusa agus níos feiliúnaí ná an ceann a chuaigh roimhe.

Bhraith roinnt mhaith de ar ghiúmar an duine, ar an méid a chodail tú an oíche roimhe sin, ar dheacrachtaí an tsaoil i do thimpeall. Aisteach go leor, is nuair a bhí a saol dubh dorcha tar éis dá pósadh cliseadh is fearr a d'oibrigh Adrienne. Bhí sé mar a bheadh an fhearg agus an díomá agus an brón agus an t-uaigneas a bhí istigh inti ag pléascadh amach ar an gcanbhás. Shíl sise go raibh dorchadas ag baint leis an bpictiúr céanna, ach mhol daoine eile na dathanna misniúla a bhí iontu go hard na spéire.

B'éigean d'Adrienne gáire a dhéanamh faoi chuid de na pictiúir móra a bhí amach ar a haghaidh i gceann de hallaí móra an ghailearaí. Péinteáil chráifeach a bhí i gceist, céasadh

Chríost lena mháthair Muire agus Naomh Eoin ag bun na croise. Ach cé hé sin a bhí in éineacht leo? Cairdinéal eicínt ón seú haois déag, an té a d'íoc as an bpictiúr, is dóigh. Duine mór le rá, *celebrity* na haimsire a chinntigh go mbeadh sé féin ar dheisláimh Mhic Dé ar an saol seo ar a laghad. Cé is moite de sin, bhí mothúcháin an chéasta le brath iontu, ach bhí an oiread den sórt sin ann go dtógfadh sé am iad a fheiceáil i gceart. Bhí ríl ina cloigeann ag iarraidh breathnú orthu ar fad. Is mó a thaitin na h*icons* ó Bhíosáintiam léi.

Bhí seomra mór amháin tugtha dóibh siúd agus shíl Adrienne nach raibh an oiread óir ina timpeall riamh. D'fheil na soilse a bhí thart orthu do na pictiúir, agus bhí cosúlacht idir an chaoi a raibh éadan na naomh tarraingthe ar chuid acu agus roinnt d'ealaín an lae inniu. Chuala sí in áit eicínt nach le breathnú orthu is mó a péinteáladh iad, ach le ceapadh gurb amhlaidh go raibh Íosa agus Muire agus Dia agus an chuid eile acu ag breathnú ort. Níor thuig Adrienne go baileach céard a bhí i gceist leis sin, ach cheap sí gur deas an smaoineamh a bhí ann.

D'fhoghlaim sí ó na nótaí a bhí ar fáil gur in aimsir Napoleon a bailíodh roinnt mhaith de na pictiúir mhóra chráifeacha isteach faoi aon díon amháin ó shéipéil a bhí curtha faoi chois aige. B'olc an ghaoth . . . a smaoinigh sí. D'fhéadfadh go leor acu a bheith caillte idir an dá linn de bharr tinte agus ballaí taise murach ordú sin an Impire. Bhí sé deacair a thuiscint anois go raibh impireacht dá cuid féin ag an Veinéis féin ar feadh i bhfad agus nach raibh a leithéid de thír agus an Iodáil ann ina hiomláine ach le céad go leith bliain nó mar sin.

Leon a bhí mar shiombail do Naomh Marcas riamh, agus mar gheall ar an mbaint a bhí aige leis an gcathair de réir na staire, bhí pictiúir agus dealbha de leoin chuile áit. Ba é an pictiúr ba mhó a raibh Marcas luaite leis ná *The Translation of the Body of Saint Mark* le Tintoretto. Ní aistriú cainte a bhí i gceist, ar ndóigh, ach aistriú coirp. Bhí ainmneacha cuid de na péintéirí cloiste cheana ag Adrienne, ar nós Belleni, ach níor chuala sí trácht riamh ar Carpaccio ná ar Mantegna, cé go raibh cáil orthu san áit seo gan dabht. Ar a bealach abhaile go dtí a hárasán ar an *vaporetto*, smaoinigh sí go raibh an-lá ealaíne aici, ach b'fhéidir nach fada go mbéarfadh sí ar a scuab péinteála arís.

VI

An rud ba mhó a thaitin le Giorgio faoina chuid oibre ná nach raibh leadránacht ar bith ag baint leis. Bheadh sé ar an mbealach go dtí an t-aerfort ar maidin, an Lido tráthnóna, ag dul síos ceann de na canálacha beaga le paisinéirí ar ócáid eile. Chastaí daoine difriúla air ó mhaidin go faoithin, agus is beag duine acu a d'aithin sé an dara huair. Eisceacht a bhí sa mbean a chonaic sé i gcaifé le taobh an uisce. Ba ise an bhean a thit siar ar a tóin ina chábán, a cosa san aer, iomhá a d'fhan ina intinn in ainneoin gur theastaigh uaidh mná uile an tsaoil a dhíbirt as a chloigeann. Ní raibh aon suim ag an mbean sin ann ar aon chaoi, a smaoinigh sé. Bhreathnaigh sí air ar nós nár aithin sí é agus níor chroch sí lámh leis nuair a bheannaigh sé di. Bhí sé ar nós nach raibh sé ann ar chor ar bith. Bíodh aici; bhí sé bréan de na mná.

Bhí air machnamh a dhéanamh ar a shaol. B'fhéidir go raibh sé sách fada ina chónaí san áit seo, ach cén áit eile a bhfaigheadh sé obair a thaitin chomh mór leis? Bhí sé i bhfolach ar an saol mór anseo, mar cé a cheapfadh go mbeadh Éireannach i mbun na hoibre seo, Iodáilis á labhairt aige lena chustaiméirí? Bhí sásamh san obair, cinnte, ach ní raibh sé sásta lena shaol. Bhí sé ceart go leor a bheith ag plé le mná éagsúla. Ba é aisling chuile fhear é, nó an chuid is mó acu. Ar feadh tamaill. Glacadh leis sin nuair a bhí duine ina dhéagóir nó sna fichidí, ach theastaigh rud níos buaine ón duine a bhí níos sine. Bhí sé ráite go raibh clog bitheolaíoch ag mná;

bhraith seisean go raibh clog den chineál céanna ag ticeáil taobh istigh ann féin, ar nós an chloig i gcuid de na buamaí seanaimseartha a bhíodh ag a chomrádaithe sular fheabhsaigh an teicneolaíocht.

Ach d'fhéadfadh sé gurbh ionann aithne a chur ar bhean ar mhaithe le caidreamh buan a bheith eatarthu agus breith an bháis dósan, a cheap Giorgio. Bheadh sí ag iarraidh chuile rud a fháil amach faoi – agus an ceart aici, ar ndóigh. Ach an mbeadh sí in ann a béal a choinneáil dúnta tar éis a fháil amach cén cúlra a bhí aige? Gur mharaigh sé daoine. Fiú agus an cogadh thart, ní mórán a bheadh sásta a leithéid d'fhear a bheith acu. Bhí seanmhana ann: an gadhar a raibh marú déanta aige cheana go maródh sé arís. B'fhacthas dó go raibh an rud céanna fíor faoin duine. Agus an ceart acu, is dóigh, ina chás féin. Ní hé go raibh fonn air marú a dhéanamh ach chuile sheans nach mbeadh aon rogha aige dá dtiocfadh aoinneach ina dhiaidh. Mise nó tusa a bheadh ann an uair sin.

Chuimhnigh Giorgio ar an bpléisiúr a bhain leis an marú glan díreach: an piléar imithe go ceann cúrsa, an namhaid tite – bhí sé chomh maith le gnéas nó níos fearr. Ach ní fhéadfá fanacht len é a mhothú i gceart. Bheadh póilíní agus saighdiúirí sa tóir ort taobh istigh de chúpla nóiméad. Bhainfí creathadh astu siúd i dtosach ar feadh tamaillín. B'in é an t-am do dheis éalaithe a thapú. Dream proifisiúnta a bhí sna fórsaí cosanta agus ní thógfadh sé i bhfad orthu díriú ar an namhaid. Ach bheadh a chuid pleananna déanta aigesean chomh maith: a ghunna tugtha chun siúil agus curtha i bhfolach ag comrádaí dílis, eisean ag siúl na sráide, agus é dea-ghléasta ar nós státseirbhíseach nó baincéir ag teacht óna lón. Shiúlfadh sé i dtreo an aicsin beagnach i gcónaí, ar nós go raibh an oiread iontais air féin faoinar tharla i ngar dó is a bhí ar chuile dhuine eile. An faitíos is mó a bhí air ag an am ná go bhfeicfí rómhinic é ar scáileáin CCTV agus é róghar do láthair na fola.

Ní fhéadfaí na laethanta úd a thabhairt ar ais, mura rachadh duine leis na *mercenaries* a chuaigh ó chogadh go cogadh san Afraic. Ach cé a bheadh i gceannas orthu siúd? An mbeadh deis ag a leithéid a scil faoi leith féin mar shnípéir a úsáid? Ní bheadh sé ach ina shaighdiúr singil i measc na ngarbh.

Fiú nuair a bhí sé sa nGluaiseacht, d'airigh sé go raibh sé níos mó ina "ghunna ar cíos" ná ina dhuine den chlub. Shíl sé go raibh sé sin amhlaidh mar nach ón Tuaisceart é. Cheap an lucht ceannais nár thuig sé rudaí áirithe. Bhain siad úsáid as le jabanna faoi leith a dhéanamh, agus nuair a bhíodar réidh leis, tugadh bata agus bóthar dó. D'fhág siad an doras ar oscailt, ar ndóigh, ar fhaitíos go mbeadh sé ag teastáil arís. Sin é an fáth nár mharaigh siad uilig é. Ach ní bheidís ag cur fios anois air, tar éis dóibh réiteach le lucht Phaisley. B'fhearr leo go mbeadh a leithéid as an mbealach ar fad.

Bhí lá cruógach ag Giorgio ar an uisce an lá sin mar gur tháinig ollsoitheach leis na céadta paisinéir isteach. Bhí sí rómhór le dul chuig an gcé ag an duga, agus bhailigh na báid bheaga ina timpeall ar nós na mbeach thart ar an mbláth. Ní raibh mórán ama ag Giorgio smaoineamh ar a chuid fadhbanna féin an chuid eile den lá. Faoin am a chríochnaigh sé bhí lán a phóca d'airgead aige agus chuaigh sé go dtí an Principe le haghaidh a dhinnéir. Bhí Johnny agus Vinny ag magadh faoi mar nár chuir sé suim sna mná a bhí sa mbeár, ag rá go gcaithfeadh sé go raibh bean faoi cheilt in áit eicínt eile aige. D'fhreagair sé iad chomh maith agus chomh barrúil is a bhí sé in ann, cé gur deacair greann a dhéanamh i dteanga fhoghlamtha. D'fhan sé ar cheann de na suíocháin bheaga ghalánta, ag éisteacht leis na hamhráin agus ag ól beorach go cúramach go dtí thart ar mheán oíche. Chuaigh sé abhaile tuirseach ach sásta leis an lá oibre a bhí déanta aige.

Ina luí dó ar a leaba ag fanacht ar chodladh na hoíche, shíl Giorgio gur dhóigh gurbh é an méid a bhí á ól aige a chuir drochmhisneach air le tamall anuas. B'fhéidir go raibh an *grappa* róláidir dó. I gcomparáid lena smaointe ar maidin, ní raibh fonn ar bith air imeacht ón áit sin níos mó. Bhí an obair sásúil, pingineacha ina phóca, spraoi aige leis na fir sa mbeár, agus d'admhaigh sé dó féin nach raibh na mná tugtha suas go huile is go hiomlán aige.

Thograigh sé iarracht a dhéanamh casadh leis an mbean sin a bhí ag teacht go síoraí trína intinn ón am a casadh air í ina thacsaí ón aerfort. Bhí rud eicínt ag baint léi a thaitin leis cé nach raibh sé in ann a mhéar a leagan air. Cé hí? Céard a thug anseo í? Bhí a fhios aige cá raibh sí ag fanacht. Nach é a thug chuig céimeanna na n-árasán í. Chinnteodh sé go mbeadh sé ag dul an treo sin amárach, agus é i mbun a chuid oibre, mar dhea. Chodail sé go sámh leis an smaoineamh sin ina intinn.

VII

Thug Adrienne aghaidh ar Phadova an lá árna mhárach. Bhí ainm na háite feicthe ar an léarscáil cúpla uair aici sular bhuail an smaoineamh í gurb ionann sin agus Padua – ainm a chuala sí go minic ina hóige luaite le Naomh Antaine. Thograigh sí dul ann in ómós dá máthair, mar go mbíodh sise i gcónaí ag caint faoi. Lá ar bith a mbeadh rud ar iarraidh sa mbaile, ba é an naomh sin a chuirfí sa tóir air. Shílfeá, uaireanta, gurbh é a chuir i bhfolach chuile rud agus gurbh é sin an fáth ar éirigh leis iad a fháil ar ais. Is mar sórt pisreoige a bhreathnaigh Adrienne air, ach chuir sí a muinín féin ann ó am go ham agus í sa tóir ar rud a bhí imithe amú. Nuair nach n-oibríodh na heascainí, d'iompaíodh sí ar na paidreacha. Más de thimpiste nó go síceolaíoch a tharla sé, bhraith sí nár lig Naomh Antaine síos fós í. Shíl sí go dtabharfadh sé níos gaire dá máthair í ar bhealach eicínt scrín an naoimh a fheiceáil.

Chuir sé iontas uirthi chomh saor is a bhí an ticéad traenach go Padua. Níor chosain sé ach thart ar chúig euro. Shuigh sí siar sa suíochán ag breathnú amach ar na radharcanna ina timpeall. Chuadar ar droicheadbhóthar trasna na farraige i dtosach, agus b'fhearr an radharc a thug sé sin di ar an gcathair ná mar a bhí aici ón tacsaí uisce ar a céad oíche san áit nuair a bhí sí scanraithe ag síorluascadh an bháid. Ní raibh an chuid sin den chathair chomh draíochtúil leis an méid a bhí feicthe aici go dtí sin. Bhíodar i bPadua sula raibh Adrienne socraithe ina suíochán i gceart.

Ba daoire an tacsaí go dtí láthair an naoimh ná an turas traenach. Thug Mercedes galánta í chomh fada leis an mbasilica mór ina bhfuil tuama Naomh Antaine le feiceáil. "San Antóin" a thug an tiománaí ar an áit, ainm a thug amhrán de chuid Johnny Cash i gcuimhne d'Adrienne, amhrán a thaitin riamh lena hathair. Chomh luath is a chonaic sí an séipéal agus na sluaite daoine ina timpeall thuig sí nach í a máthair amháin a chuir a muinín sa naomh seo. Bhí daoine den uile chineál ann: sean, óg, aclaí, bacach, saibhir, bocht, gorm, bán agus buí.

Más pisreogacht atá anseo, a smaoinigh Adrienne, tá na mílte páirteach sna pisreoga. Taobh istigh den bhasilica bhí scuaine mór daoine ag siúl thar thuama an naoimh, lámh á leagan acu ar an gcloch dhubh. Sheas siad nóiméad ag guí nó ag smaoineamh sular lean siad ar aghaidh. Leag sise a lámh ar an gcloch fhuar, ar mhaithe lena máthair, ar sí ina hintinn, ach fios aici gur ar mhaithe léi féin a bhí sí á dhéanamh chomh maith, agus lena hathair, agus cibé rud a bhí i ndán di sa saol.

Céard a déarfadh Patrick dá bhfeicfeadh sé in áit mar seo í? Patrick nár thaobhaigh séipéal, chomh fada lena heolas, ón lá ar phós sé í. Ach ní hí seo an áit le bheith ag casaoid agus ag cáineadh, a cheap sí. Tharla an rud a tharla. Níor thaitin sé léi, ach chaithfeadh sí é a chur taobh thiar di. In ainneoin a tola, beagnach, d'iarr sí ar Antaine beannaithe aire a thabhairt dá fear céile a bhí. Bhí sé níos deacra arís a bheith ag guí go mbeadh a pháiste agus máthair a linbh ceart chomh maith, ach rinne sí é. Thuig sí gur rud maith é scaoileadh leis an bpian agus leis an ngortú agus leis an saol a bhí caite, in ainneoin chomh deacair is a bhí sé uirthi é sin a dhéanamh. Mura ndéanfadh sí san áit bheannaithe seo é, b'fhéidir nach ndéanfadh sí go deo é. Ní hé nach mbeadh pian ann arís amárach agus an lá dár gcionn. Lá amháin ag an am.

Bhraith Adrienne gur thóg an méid sin ualach uaithi, agus

bhí sé mar a bheadh a cloigeann éadrom agus í ag dul ó phóirse go póirse timpeall an tséipéil mhóir, í ag breathnú ar phictiúir agus ar samplaí den éadach a chaith Antaine lena bheo seacht gcéad bliain roimhe sin. Bhí cuid de beagnach ite ag na leamhain. Bhí éadach aifrinn dá chuid ann chomh maith. Ina seasamh di ar aghaidh phictiúr den naomh bhí sí gealgháireach agus í ag rá:

"Má tá tú chomh maith ag fáil rudaí is a deir siad, faigh comrádaí dom le mo shaol a roinnt leis, maith an fear." Choisric sí í féin ar an mbealach a d'fhoghlaim sí óna máthair fadó, fios aici gur dóigh gur fada go ndéanfadh sí a leithéid arís.

Chonaic Adrienne mairtínigh ag iarraidh leighis ar an naomh, agus tuilleadh a bhí tar éis tabhairt suas ar an éileamh sin agus nár theastaigh uathu anois ach airgead a fháil ó na hoilithrigh le cuidiú leo maireachtáil. Ní raibh a fhios aici an de bharr nach raibh na seirbhísí sóisialta sa tír sin sásúil a raibh an oiread daoine ag iarraidh déirce. Ach bhíodar in Aontas na hEorpa agus chaithfí teacht isteacht de chineál eicínt a bheith acu, a cheap sí. Nó an é go raibh sé furasta croí na ndaoine ar oilithreacht a bhogadh?

Bhí seanbhean amháin ar a glúine, a cloigeann leagtha ar an gcoincréit aici, lámh amháin crochta ar éigean le muigín plaisteach inti, í ag súil go gcuirfeadh na daoine a bhí ag dul thairis déirc eicínt ann. B'ionann is scéal a chloisfeá ón mBíobla é. Bheadh croí crua ag an té nach gcuirfeadh airgead ina cupán, a cheap Adrienne, an méid a bhí á spáráil aici á roinnt ar an lucht déirce uile. Mura ndéanann Antaine ach an méid sin a fháil isteach i bpócaí na mbocht, a cheap sí, is fiú ann é féin agus a bhasilica.

Ní raibh sí baileach chomh sásta nuair a lean cláiríneach amháin trasna na sráide í agus í ag dul le greim a fháil le n-ithe agus leis an leithreas a úsáid i gceann de na bialanna, a raibh Dolce Del Santo scríofa os cionn an dorais. Bhí sé ar leathchos agus é ina shuí ar rothaí pram, a bhí sé in ann a choinneáil ag imeacht chomh sciobtha le duine ag siúl. Bhraith Adrienne go raibh sí náirithe os comhair an tsaoil in ainneoin go raibh sí tar éis níos mó airgid a thabhairt dó ná mar a rinne aoinneach eile. Ach is dóigh gurb é sin an fáth a bhfuil sé do mo leanacht, a cheap sí, mar gur mé is boige ar fad acu. Bhí an fear seo glórach, truamhéalach, agus choinnigh sé ina diaidh tar éis di fiche euro eile a thabhairt dó.

"Focáil leat!" a bhéic sí leis ar deireadh. Cé nach raibh sé sin ráite san Iodáilis, bhí sé soiléir céard a bhí i gceist i chuile theanga. Bhí Adrienne ag creathadh nuair a d'imigh sé. Shíl sí go raibh chuile dhuine ar an gcearnóg ag breathnú uirthi agus ag ceapadh gur drochdhuine amach is amach a bhí inti. Bhí áthas uirthi nuair a bhain sí doras na bialainne amach.

D'ordaigh Adrienne cupán caife agus chuaigh chuig an leithreas. Ní fhaca sí a leithéid riamh: poll i ndeilf ag leibhéal na talúin. Ní hé nach raibh sé glan ach níor theastaigh uaithi dul ar a gogaide os a chionn. Thug sé chun a cuimhne scéalta a d'inseodh a máthair faoin leithreas sa scoil náisiúnta ar ar fhreastail sí féin: poll i bpíosa adhmaid leis an gcac ina chnocán a bhí ag fás in aghaidh an lae thíos faoi. Chuaigh sí ar ais sa mbialann, d'íoc as a caife agus d'imigh gan aon bhraon de a ól. Chuardaigh sí thart ar an gcearnóg go dtí go bhfuair sí óstán le leithreas den sórt a chleacht sí sa mbaile. D'ith sí pláta spaigití le harán agus im agus d'ól sí gloine fíona.

Caithfidh mé a bheith cúramach, ar sí léi féin. Fíon arís i lár an lae. Ach bhí cosúlacht ar an scéal gurb é sin a bhí ag go leor de mhuintir na háite chomh maith. Ach ní bheidh aon *siesta* agamsa, mura dtitfidh mé i mo chodladh ar an traein. Ar a laghad bheadh ar an traein stopadh nuair a thiocfadh sé go ceann cúrsa. Ní thabharfaí na mílte as a bealach i ngan fhios di féin í. Sa Veinéis a bhí an staisiún deireanach ar an líne.

Bhraith Adrienne go raibh an mothú bainte aisti ag an té

a lean í ag iarraidh déirce, agus thóg sé tamall uirthi teacht chuici féin arís. Bhí a fhios aici go dtaitneodh bronntanas ón áit seo lena hathair, agus chuardaigh sí na siopaí thart ar an mbasilica go dtí go bhfuair sí dealbh bheag d'Íosa agus a mháthair. Beidh gliondar air, a smaoinigh sí. Ceapfaidh sé go bhfuil mé imithe ar ais chuig an seanchreideamh arís ar deireadh i mbasilica Antaine, ar sí léi féin le meangadh gáire.

D'airigh sí uaithi, uaireanta, an sólás agus an chinnteacht a thug creideamh dá muintir agus dá sinsir, ach ba rud é a bhí agat nó nach raibh. Ba í an ealaín a Dia sise, agus bhraith sí rud eicínt den chruthaitheoir tríd an gcruthaíocht láimhe a rinne sí. Ach b'fhada é sin ó chreideamh a sinsear. Chuile dhuine dá n-aois féin, a cheap sí. Bhí dearcadh difriúil ag na glúnta éagsúla ar na cúrsaí sin, ar ar taobh seo den domhan go háirithe. Ba léir ó na tuairiscí ó na Stáit ó dheas i Meiriceá go raibh cinnteacht chreidimh ag go leor den aos óg sna háiteacha sin ina raibh an Bíobla i réim i chuile ghné den saol. Bhí creideamh acu chuile phioc chomh láidir leis na seanóirí.

Ag breathnú di ina timpeall sular fhág sí Cearnóg San Antaine shíl sí go mairfeadh a leithéid de chráifeacht san áit sin go deo, mar gur fhreastail sé ar chuid de mhianta an duine: an gá le leigheas anama is coirp, achainí agus paidreacha ar siúl lá agus oíche, an oidhreacht ársa a d'fhág daoine naofa ar nós Antaine agus Proinsias Beannaithe a sheas teist na mblianta. Bhí rud éigean suarach ag baint leis an díol agus ceannacht, agus le lucht na déirce féin, ach ba chuid den saol réadúil é sin agus chaithfí glacadh leis.

Ar a bealach ar ais don Veinéis ar an traein bhí Adrienne ag smaoineamh go mbainfeadh sí úsáid as an mbealach taistil sin arís, mar gheall ar chomh saor is a bhí sé. D'fhéadfadh sí aghaidh a thabhairt ar Milan nó Verona le lá a chaitheamh iontu, leis na gailearaithe a fheiceáil agus le siopadóireacht a dhéanamh. Bhí an Róimh níos faide ó bhaile, ach d'fhéadfadh sí fanacht thar oíche ann agus filleadh tar éis cúpla lá nó seachtain, cibé rud a d'fheilfeadh di.

Níor theastaigh uaithi an iomarca airgid a chaitheamh go dtí go mbeadh an méid a bhí socraithe le Patrick oibrithe amach go huile is go hiomlán ag na dlíodóirí. Bhí méid áirithe á fháil aici in aghaidh na míosa faoi láthair, agus ní raibh sí ag iarraidh níos mó ná sin a chaitheamh. Ní fada go mbeadh taispeántas i nGaillimh den obair a rinne sí i rith an gheimhridh roimhe sin, agus bhí súil aici roinnt pictiúr a dhíol. Ar phraghsanna maithe, ar ndóigh, a smaoinigh sí agus í ag gáire léi féin, ag ceapadh go mbeadh na paisinéirí eile den tuairim go raibh sí imithe as a meabhair, straois uirthi léi féin gan fáth. Bheadh uirthi filleadh ar Éirinn i gcomhair an taispeántais, ach thabharfadh sé sin deis di a hathair agus cairde eile a fheiceáil. Mura bhfuil mé imithe craiceáilte anseo roimhe sin, ceal comhluadair, a dúirt sí léi féin.

Chuaigh Adrienne ar an *vaporetto* ón bpointe is gaire don stáisiún traenach, cúpla céad slat nó mar sin. Bhí slua ollmhór sa mbád farantóireachta, mar go raibh sé thart ar an am a mbeadh daoine ag filleadh óna gcuid oibre. Shíl sí go mbeadh contúirt ann dá rithfeadh chuile dhuine go taobh amháin, ach bhí an oiread ar bord nach bhféadfaí rith in áit ar bith. Smaoinigh sí ar dhán Raiftearí, "Anach Cuain", a d'fhoghlaim sí ar scoil. Dá n-iompódh an bád a raibh sí inti bheadh i bhfad níos mó ná "aon fhear déag agus ochtar mná" báite. Cheap sí go raibh céad ar a laghad inti. Bhí faitíos uirthi i mbád dá leithéid de chéaduair ó tháinig sí go dtí an baile. D'imigh sí amach aisti ag an gcéad stad eile, cé go raibh sí míle nó níos mó óna stad féin. Bhain sí di a bróga agus thosaigh sí ag siúl cosnocht i dtreo an árasáin.

Ní raibh aon bealach díreach le taobh an uisce ón áit ar fhág sí an bád go dtí a háit chónaithe. Bhí cosáin cuid den bhealach ach tháinig deireadh leo ansin mar gheall ar thithe áirithe a bheith ag gobadh amach. Bhí ar Adrienne siúl isteach trí lánaí beaga caola inar bhraith sí go raibh níos mó contúirte ná ar an mbád a d'fhág sí. Bhí sé ráite sa treoirleabhar a léigh sí gur cathair shábháilte a bhí sa Veinéis, ach ní thógfadh sé ach robálaí nó scaibhtéir amháin le hionsaí a dhéanamh uirthi. Chuaigh sí ar ais chuig imeall an uisce agus chuir sí glaoch ar an uimhir a bhreac sí síos ón tascaí uisce a thug ón aerfort í an oíche ar shroich sí an chathair. Taobh istigh de chúig nóiméad bhí bád Giorgio ag tarraingt isteach lena taobh. Thug sí a seoladh dó ach d'fhreagair sé go raibh a fhios aige cheana cá raibh cónaí uirthi.

D'iarr Adrienne air i mBéarla ar choinnigh sé cuntas ar gach duine ar thug sé ó áit go háit, agus dúirt sé go mbraitheann sé sin ar chomh deas agus chomh sibhialta is a bhí na paisinéirí.

"An gceapann tú gur óinseach mé?" a d'iarr Adrienne i nGaeilge, níos mó uirthi féin ná airsean, agus chuir sé iontas mór uirthi nuair a d'fhreagair sé:

"Ní óinseach ar bith thú."

Bhreathnaigh Adrienne go géar air.

"Tá Gaeilge agat?"

"Gaeilge na hIodáile," ar seisean, ag gáire.

Dhiúltaigh sé labhairt i nGaeilge arís as sin go ceann cúrsa, cé go raibh Adrienne fiosrach faoi féin, faoi cé as ar tháinig sé, faoi cén chaoi ar fhoghlaim sé an teanga.

"Is cosúil le Gaeilge na Gaeltachta atá agat," ar sí leis. "Níor fhoghlaim tú í sin san Iodáil."

Chroith sé a ghuaillí agus dúirt i mBéarla go mbíonn Iodálaigh in áit ar bith ina mbíonn siopaí éisc agus fataí rósta ar fáil ar fud an domhain. In ainneoin a ceisteanna dhiúltaigh sé eolas ar bith eile faoina shaol a thabhairt di. Luaigh Adrienne a faitíos ar an *vaporetto* de bharr an tslua, agus dúirt seisean gur báid fhíorshábháilte a bhí iontu. Ach gheall sé go dtabharfadh sé ó áit go háit í am ar bith a raibh faitíos uirthi taisteal ar cheann ar bith de na báid eile.

"Agus íocfaidh mé go daor as, is dóigh," ar sise i nGaeilge agus is sa teanga sin a d'fhreagair sé:

"Beidh ráta speisialta ann duitse, ach go gcaithfidh tú fanacht orm má táim faoi ordú ón óstán nó an t-aerfort," ar sé.

"Beidh mé ag cuimhneamh air sin," a d'fhreagair Adrienne, ar nós cuma liom.

"Beirt Éireannach i bhfad ó bhaile, ba cheart dóibh aire a thabhairt dá chéile," a dúirt Giorgio go héadrom.

Labhair Adrienne chomh héadrom céanna leis, a gruaig fhada á caitheamh siar aici lena láimh:

"Ó, is Éireannach anois thú."

"Is Eorpach mé, ach an oiread leat féin."

"An bhfuil tú i bhfad sa gcathair seo?"

"Sách fada," an freagra a thug Giorgio.

"Is ionann a bheith ag caint leatsa is a bheith ag iarraidh fiacla a tharraingt le pionsúir."

"Coinnigh ort ag fiafraí agus gheobhaidh tú freagraí," ar seisean le meangadh gáire.

"Ach sin í an fhadhb. Nílim ag fáil freagra ceart ar bith uait."

"Caithfidh tú aithne níos fearr a chur orm mar sin."

"Tuige a mbeinn ag iarraidh aithne níos fearr a chur ar dhuine nach bhfuil sásta ceist dhíreach a fhreagairt?" a d'iarr Adrienne. Bhí an tacsaí ag an árasán faoi seo. Cheangail Giorgio an rópa de mhaide, ach d'fhan siad ag caint. Bhí an chosúlacht orthu nár theastaigh ó aoinneach acu a gcomhrá a chríochnú.

"Tar amach in éindí liom. Beidh dinnéar againn agus freagróidh mé ceist amháin ar a laghad," arsa Giorgio.

"Tarraingíonn ceist ceist."

"Ceist amháin in aghaidh na hoíche," ar seisean go magúil.

"Cosnóidh sé an t-uafás ort mar sin," a dúirt Adrienne, "mar beidh go leor dinnéar i gceist. Tá tú chomh rúnda sin."

"Cá bhfios dom nach bhfuil tusa chomh rúnda céanna?"

"Mar nár chuir tú aon cheist orm."

"Níl mise fiosrach. Is fear mé."

B'éigean d'Adrienne gáire a dhéanamh. Bhí sí idir dhá chomhairle. Ní raibh a fhios aici cén sórt duine a bhí anseo, ach bhreathnaigh sé go deas. Bhí sí uaigneach, ceal cuideachta. Agus ní raibh ann ach dinnéar.

"An bhfuil tú i ndáiríre faoin dinnéar?" a d'iarr sí.

"Caithfidh sé go bhfuil ocras ort."

"An gcaithfidh tú a bheith ag magadh faoi chuile rud?"

"Ní bheadh sé ráite agam mura mbeinn i ndáiríre faoi."

"Cén uair atá i gceist agat?"

"Anocht ag a seacht. Táim ag críochnú ag a sé."

"Níl a fhios agam," arsa Adrienne. "Shíl mé gurbh é an deireadh seachtaine nó am eicínt mar sin a bhí i gceist agat."

"Má theastaíonn uait freagraí a fháil ar do chuid ceisteanna . . ." ar seisean go mealltach.

"Cén áit?" a d'iarr Adrienne.

"Beidh mé anseo ag a ceathrú chun a seacht. Cibé áit a thugann Gráinne ina dhiaidh sin muid."

"Gráinne?" a d'iarr sise.

Leag sé lámh ar stiúir an bháid.

"Gráinne anseo," a d'fhreagair Giorgio. "Gráinne Mhaol. Banríon na farraige."

"Ní fheicim a hainm scríofa uirthi."

Chroith seisean a chloigeann ar nós go raibh déistin air, mar dhea: "Ceisteanna, ceisteanna."

Sheas Adrienne amach as an mbád ar an gcé. Scaoil Giorgio an rópa agus chas sé a thacsaí amach i dtreo lár na canálach. D'imigh sé leis, lámh amháin ar an stiúir, an ceann eile san aer agus *Buona sera* á rá go drámatúil ar nós drochaisteora aige.

Bhí aiféala ar Adrienne agus í ag dul in airde staighre gur ghlac sí lena chuireadh a bheag nó a mhór. Ní hé nár theastaigh cuideachta uaithi, ach bhraith sí nach raibh sí réidh ó thaobh ama agus éadaigh de. Ní bheadh sí réidh ach an oiread faoin am a bhí socraithe acu. Céard a chaithfeadh sí? Céard a bheadh feiliúnach? Cén chaoi a mbeadh a fhios aici nuair nár dhúirt sé cá raibh siad ag dul?

Is beag nár chuir sí téacs chuig Giorgio nuair a shroich sí a hárasán, ag rá nárbh fhéidir léi dul amach an oíche sin, go raibh teachtaireacht phráinneach roimpi nuair a shroich sí an baile nó rud eicínt mar sin. Ach cá huair a mbeadh deis arís aici dul chuig dinnéar? Nárbh fhearr a bheith ag dul amach leis seo ná bheith suite istigh ag breathnú ar na ballaí nó ar chláracha teilifíse nár thuig sí? Cláracha nuachta is mó a bhí ar fáil i mBéarla, an nuacht ceannann céanna gach leathuair. Scríobh sí nóta le cur in iúl di féin bealaí eile teilifíse a ordú, agus le fáil ar an idirlíon lena *laptop* ar an bpointe boise.

Ach is tasc don lá amárach atá ansin, a cheap Adrienne. Céard atáim ag dul a chaitheamh anocht? Chaith sí éadach san aer.

"Níl agam ach giobail!"

Theastaigh uaithi a bheith ag breathnú go deas faiseanta ach gan a bheith "éasca". Roghnaigh sí gúna dubh go dtí a glúine, le seaicéad bán ar a guaillí. Ní raibh Adrienne amuigh le fear ar bith ó scar sí féin agus Patrick, agus chuir sé sin imní uirthi. An mbeadh sí místuama, cúthalach? Nó an raibh a dhóthain cainte ag mo dhuine don bheirt acu? B'aisteach an rud é, a cheap sí, fear le Gaeilge chomh maith sin aige a fháil ag tiomáint tacsaí uisce in áit mar sin chomh fada ó bhaile.

Ach nach raibh muintir na hÉirinn chuile áit? a smaoinigh Adrienne. Céard faoi má tá sé pósta le hIodálach? Bhí ceisteanna le cur, ach b'in í an chéad cheist. Ansin smaoinigh sí nach raibh sí ach ag dul amach le haghaidh béile leis. Ní raibh sí ag fáil réidh lena ghasúir a bheith aici.

A luaithe a fhaighim amach go bhfuil sé pósta, beidh mise ag seoladh trasna na habhann ar nós faoileáin, a dúirt sí léi féin, idir an gúna dubh a bhaint di agus á chaitheamh ar leataobh agus ceann dearg a chur uirthi. Sheas sí os comhair an scátháin, ach ní róshásta a bhí sí fós.

Meas tú céard faoin gceann buí . . .

VIII

Bhí Giorgio é féin ar bís agus é á réiteach féin don dinnéar le hAdrienne. Smaoinigh sé nach raibh a fhios aige cén t-ainm a bhí uirthi. Ach cé mhéad bean dá raibh sé leo ó tháinig sé chun na hIodáile a mbeadh sé ar a chumas a n-ainm ná a sloinne a aithris? Ach bhí sí seo difriúl. Chuaigh sé i gcontúirt ar mhaithe léi. Bhí a fhios aige go raibh rubicon trasnaithe aige a luaithe is a tháinig an chéad fhocal Gaeilge amach as a bhéal. Bhí sé ag dul sa seans níos mó ná riamh, ach b'fhéidir gurbh fhiú é. D'airigh sé go raibh sé compordach ar bhealach eicínt ag caint leis an mbean seo.

Smaoinigh Giorgio nach mbeadh air gach rud a insint di. D'inseodh sé an méid a bhí ag teastáil. B'fhéidir nach bhfeicfidís a chéile go deo arís i ndiaidh na hoíche sin. Smaoinigh sé go raibh rogha idir beatha is bás aige, idir leanacht leis an saol a bhí aige le tamall, saol nár thug sásamh dó, nó iarracht a dhéanamh maireachtáil sa sórt saoil a bhí ag formhór na ndaoine dá aois, fiú má tharraing sé sin trioblóid air.

Fuair mé bás, mar dhea, a cheap sé, ar mhaithe le bheith beo, ach cén sórt saoil atá agam? Ní neamh ar talamh é, cinnte, cibé céard eile atá ann.

Rinne Giorgio gáire leis féin faoin nóisean go bhféadfadh sé a bheith i ngrá. Níl a fhios agamsa céard é grá, a smaoinigh sé, nó sin é an scéal atáim a insint dom féin i gcónaí. Bhí a fhios aige nár mhothaigh sé mar sin faoi bhean ar bith ó thit sé i ngrá de chéaduair le cailín a bhí ar chúrsa Gaeilge sa teach nuair a bhí sé ina dhéagóir. Muireann a bhí uirthi, cailín ard tanaí le gruaig fhionn. Sheasfadh sé sa sneachta ag breathnú uirthi ar an gcúirt chispheile, nó ag rince ag na céilithe san oíche. Chaith cuid de na cailíní eile mionsciortaí le haird a tharraingt orthu féin. Bhí Muireann ar nós go raibh sí i ngan fhios go raibh cosa fada dea-dhéanta uirthi. D'éirigh leis féin fáinne cispheile a chur le chéile le sreang miotail agus píosa eangaí a chroch sé ar bhinn an tí. Thug sé sin deis dó am a chaitheamh léi ag cleachtadh taobh amuigh nuair ab fhearr leis an gcuid eile a bhí ag fanacht sa teach a bheith ag péinteáil a gcuid ingne nó ag cúlchaint faoi bhuachaillí.

Chuimhnigh Giorgio siar ar an sórt ómóis a bhí ag an mbeirt acu dá chéile. Shíl seisean go raibh sise ró-álainn leis an draíocht a bhí eatarthu a bhriseadh. Bhí a fhios ag Muireann go raibh sé ag dul chun na Róimhe le beith ina ábhar sagairt ag deireadh an tsamhraidh. Bhí sé ar nós gur tugadh na trí seachtaine sin dóibh le heolas a chur ar ghrá neamhurchóideach, le blas den mhistéir a fháil sula dtiocfadh an fíorshaol anuas sa mullach orthu. Ní dhearna siad teagmháil fhisiciúil lena chéile riamh ach amháin nuair a bhíodar ag léim le breith ar liathróid, nó leis an gcispheil a shá san eangach beag. Bhídís lán de "Gabh mo leithscéal" ina dhiaidh sin lena chéile, ar nós go raibh rud eicínt luachmhar truaillithe acu, ach iad buíoch as an tsoicind teagmhála a thug sé sin dóibh ag an am céanna.

Bhí gach ar bhain lena gcaidreamh soineanta, neamh-urchóideach, ach shíl Giorgio gur chorraigh sé taobh istigh ann na mothúcháin a bhain leis an bhfíorghrá, rud a raibh sé sa tóir air riamh ó shin, ach nár éirigh leis a aimsiú in ainneoin na mban a thug sé chun a leapa. Nuair a bhí sé á bhearradh féin agus ag réiteach le dul amach le hAdrienne shíl sé gurb iad na mothúcháin sin a bhí idir é féin agus Muireann fadó a theastaigh uaidh a fháil ón gcaidreamh seo. "An as mo mheabhair atá mé?" a d'fhiafraigh sé de féin sa scáthán. Fear idéalach a bhí ann riamh. Fear amaideach ag rith i ndiaidh na gealaí i gcónaí ach ag críochnú sa bpuiteach. B'idéalachas a thug air daoine a mharú, gasúir a fhágáil gan athair, mná gan a fear céile. Ar mhaithe le céard? Le go mbeadh cuid de na naimhde is mó a bhí riamh ann suite lena chéile ag ól tae i Stormont, a leithéid féin dearmadta agus caite ar charn aoiligh na staire.

D'fhulaing siad ar fad ar chaon taobh a bheag nó a mhór, a cheap Giorgio, cuid acu i bhfad níos mó ná a chéile. D'fhulaing na daoine a raibh buntáiste bainte acu as an bpróiseas síochána, agus d'fhulaing na daoine nach bhfuair tada as. Ba é an seanscéal arís é, an rud a thug James Connolly foláireamh faoi roimh 1916. Cén mhaith na bratacha a athrú os cionn thithe an rialtais nó dath na gcaipíní a chaith na póilíní dá mbeadh an dream a bhí bocht roimhe bocht i ndiaidh na réabhlóide. Céard atá bainte amach ag muintir na bhFál nó muintir na Seanchille nach raibh acu sular thosaigh na trioblóidí? a d'iarr sé air féin. Crá croí agus fuath agus seicteachas méadaithe.

Tuirse is mó a thug síocháin i réim i dTuaisceart Éireann, a cheap Giorgio. Tugadh suntas agus buíochas do pholaiteoirí áirithe, ach an rud is mó a tharla ná gur éirigh daoine tuirseach den troid. Theastaigh gnáthshaol uathu, mar a theastaigh uaidh féin i láthair na huaire: saol gan breathnú thar do ghualainn. Suaimhneas. Shamhlaigh sé é féin ar chlár teilifíse agus ollamh mór le rá ag fiafraí de céard é an toradh is mó a bhíonn ar an idéalachas? Bhainfeadh sé creathadh as an lucht éisteachta nuair a d'fhreagródh sé, "Tuirse".

Sin é an fáth nach n-éiríonn leis na réabhlóidí riamh, a smaoinigh sé. Nár éirigh Alastair Mór é féin mí-fhoighdeach nuair nach raibh aon arm eile le cloí aige, ach bhí a sprioc bainte amach aigesean agus é ina fhear óg. Maidir le Lenin agus Stalin agus Trotsky agus an dream is mó a luaitear le réabhlóid le céad bliain anuas, rith siad amach as cuspóirí agus pleananna mar gur éirigh leo a naimhde a dhíbirt ró-éasca. Ní raibh a ndóthain machnaimh déanta acu ar an gcéad rud eile a bhí le déanamh. Bhí an doirteadh fola rófhurasta, agus lean siad leis.

Cén sórt amadáin mé? a d'iarr Giorgio de féin. Ag smaoineamh ar sheafóid mar seo agus bean bhreá ag réiteach le dul chun béile liom. Bhí sé ar intinn aige a bheith béasach, uasal, séimh, cosúlacht air nár theastaigh uaidh ach go mbainfeadh a chompánach sásamh as an tráthnóna. Ní raibh sé ag iarraidh aon rud thairis sin. Dá dtarlódh aon rud eile ina dhiaidh sin in imeacht ama, bheadh sé iontach sásta, ach bhí sé tinn tuirseach den chaidreamh fisiciúil aon oíche.

Ní raibh a fhios ag Giorgio céard a d'inseodh sé di seo faoi féin nó faoina shaol ach thiocfadh na smaointe sin nuair a bheidís ag teastáil. Shocraigh sé ina intinn go gcuirfeadh sé an bhéim uirthise agus ar a saol. Is beag duine a casadh riamh air nár thaitin leo caint a dhéanamh ina dtaobh féin. Luigh sé sin leis an nádúr. Is fearr an t-eolas atá ag duine air féin ná ar dhuine ar bith eile. Agus, sa deireadh thiar thall, is cuma cén sórt pleanála a dhéanfadh sé, d'iompódh an oíche amach ar bhealach eicínt eile ar fad.

IX

Bhí Giorgio réasúnta sásta leis féin nuair a bhí sé feistithe sna héadaí ab fhearr a bhí aige, a raibh téama an bhuachalla bhó ag baint leo, le hata leathair agus bróga arda. Chuaigh sé síos lena bhád a fháil agus as go brách leis i dtreo na n-árasán ag ar fhág sé an bhean óg seo an oíche ar thug sé ón aerfort í. Shéid sé bonnán an bháid cúpla uair, ní hamháin mar go raibh cúpla *gondola* ag teacht ina threo ach mar go raibh áthas agus gliondar air nár mhothaigh sé le tamall maith roimhe sin. Bhraith sé ar nós an déagóra ag dul amach le cailín den chéad uair: imní measctha le bród agus gliondar.

Cheangail sé a bhád agus sheas ar na céimeanna ag fanacht. An bhfuil sí le mé a fhágáil anseo i m'amadán aonarach, a d'iarr sé ina intinn tar éis tamaill nuair nach raibh aon radharc uirthi. Bhreathnaigh sé ar a uaireadóir. Bhí sé luath, deich nóiméad roimh an am. Shuigh sé isteach ina bhád arís agus d'éist leis an raidió leis an am a chaitheamh. Is beag nár tháinig Adrienne i ngan fhios dó. Léim sé amach agus rug ar láimh uirthi le cuidiú léi dul isteach sa tacsaí uisce.

"Táim ceart go leor," ar sí. "Níl aon fhonn orm dul ag snámh sa ngúna seo. Ach go raibh maith agat as a bheith chomh cúirtéiseach."

"Nílim ag iarraidh tú a fheiceáil ar do dhroim sa gcábán mar a tharla cheana," ar seisean.

"An ndéanann tusa dearmad ar rud ar bith?"

"Ní dhearna mé dearmad ar chomh deas is a bhreathnaíonn

tusa, níos deise arís nuair atá tú réitithe amach mar atá tú faoi láthair."

"Plámás," a dúirt Adrienne, cuma sórt náirithe uirthi. "Caithfidh sé gur bhreathnaigh mé go dona sna seanghiobail."

"Ní culaith shíoda atá tábhachtach," ar seisean, "ach an té atá á chaitheamh."

"Gabhar atá tú a thabhairt anois orm."

Bhreathnaigh Giorgio go géar uirthi.

"Cé as ar tháinig an smaoineamh seafóideach sin?"

"Luaigh tú culaith shíoda," arsa Adrienne. "Má chuireann tú culaith shíoda ar ghabhar, is gabhar i gcónaí é."

Chroith Giorgio a chloigeann.

"Ní féidir le fear argóintí den sórt sin a bhuachan. Níl cosúlacht ar bith gabhair ort."

"Mar a deir an pocaide," arsa Adrienne ag gáire.

Scaoil Giorgio an téad agus chas sé amach ón gcé bheag an bád.

"Tusa atá ag glaoch ainmneacha ormsa anois."

"Cá bhfuilimid ag dul?" a d'iarr Adrienne de réir mar a bhí luas ag teacht faoin mbád.

"An Trattoria La Campana. Tá an bia blasta agus tá pictiúir dheasa ar na ballaí."

"Ní féidir pictiúir a ithe," a dúirt Adrienne go magúil os cionn torann an innill. Bhraith sí go raibh gá leanacht uirthi ag caint mar go raibh sí chomh neirbhíseach.

"Shíl mé go dtaitneoidís le péintéir," a dúirt Giorgio. "Nó ealaíontóir ba chirte dom a rá?"

"Níor dhúirt mise gur péintéir mé."

"Chonaic mé na huirlisí a bhí á n-iompar agat an chéad oíche. Nílim chomh tiubh is a bhreathnaím."

"Nach tú a bhí fiosrach?" arsa Adrienne.

"Bhí siad sách feiceálach."

"B'fhéidir nach liom féin iad."

"Ní fhaca mé aoinneach eile," a d'fhreagair Giorgio.

"Gheobhaidh tú post mar bhleachtaire má chliseann ar an tionscal turasóireachta," arsa Adrienne go héadrom.

"Sin tionscal nach dtiocfaidh deireadh leis go deo. Beidh turasóirí ag teacht anseo go dtí go rachaidh sí faoi uisce ar deireadh," ar seisean.

"An bhfuil sé fíor go gceapann siad go dtarlóidh sé sin amach anseo?" a d'iarr Adrienne, leis an gcomhrá a choinneáil ar siúl. "Go mbéarfaidh an taoille ar an gcathair ar deireadh?"

"Sin é a deir siad, ach déarfainn go mbeidh béile na hoíche anocht ite againne roimhe sin."

Tharraing Giorgio an bád isteach chuig cé in aice le hóstán, áit a raibh sráid chaol ag dul trasna chuig sráid na siopaí.

"An mbeidh sí sábháilte anseo?" a d'iarr Adrienne.

"Níor goideadh fós í, agus tá árachas agam uirthi. Ar aon chaoi, tá cáil na sábháilteachta ar an gcathair seo." Shín Giorgio a lámh chuici. "Gabh i leith. Ná déan imní ar bith faoin mbád."

Shiúil siad aníos chomh fada le sráid a bhí lán le siopaí agus bialanna. Bhí mascanna den uile chineál le díol i bhformhór na siopaí, iad dea-dhéanta, dathanna éagsúla orthu, cuid acu fíorghalánta.

"Ar mhaith leat ceann a fháil?" a d'iarr Giorgio.

Chroith Adrienne a guaillí ar nós cuma liom.

"Is fada ó Oíche Shamhna fós muid."

"Ní bhaineann siad leis an tSamhain mórán anseo ar chor ar bith, ach le féilte áirithe eile. Bíonn paráideanna acu ar na sráideanna, chuile dhuine le masc orthu. Bíonn sé thar a bheith dathúil."

"Ní thaitníonn siad chomh mór sin liom," a dúirt Adrienne. "Tá siad déanta go deas, ar ndóigh, ach scanródh ceann acu sin mé dá bhfeicfinn i lár na hoíche é."

"D'fheicfeá níos measa."

"Níl tú chomh dona sin," ar sí.

Rug Giorgio ar láimh uirthi mar go raibh an oiread sin daoine ag siúl na sráide, daoine den uile náisiún faoin spéir de réir cosúlachta: málaí ar iompar ag cuid acu, málaí ar rothaí á dtarraingt ina ndiaidh ag daoine eile, turasóirí ar a mbealach chuig lóistín ar shráideanna cúnga nach raibh aon chóras taistil eile orthu ach siúl na gcos. Tháinig siad chomh fada le cearnóg le séipéal mór i gcoirnéal amháin, foirgnimh áilne ina thimpeall, bialanna, siopaí agus lucht déirce le feiceáil i ngach áit.

"Tá pictiúir fhiúntacha sa séipéal sin," a dúirt Giorgio. "Ón séú haois déag cuid acu. Is fiú breathnú orthu."

"Shíl mé gur ag dul ag ithe atáimid anocht," ar sise.

"Ní raibh mé ach á rá," a dúirt Giorgio. "Bhí mé ag ceapadh go mbeadh suim agat iontu."

"Nach bhfuil neart ama agam lena aghaidh sin? Bia anocht," arsa Adrienne, "ealaín amárach."

"Cibé rud a deir tú féin. Nílimid i bhfad ón *trattoria* sin anois." Threoraigh Giorgio Adrienne chomh fada le sráid chúng ar chúinne na cearnóige. Thart ar chéad slat níos faide shroich siad an bhialann. Chuir a rogha iontas ar Adrienne ach níor dhúirt sí rud ar bith faoi ar fhaitíos go raibh sé gann ar airgead. B'in an fáth ar ordaigh sí fíon na háite chomh maith, agus thaitin sé sin léi. Bhí sí ag súil le háit níos galánta le haghaidh oíche ar dáit, ach nuair a bhlas sí den bhia, thuig sí cén fáth ar thug sé ann í.

"Tá an spaigití seo iontach," a d'admhaigh sí. "An iad féin a dhéanann é?"

"Ithim agus ní chuirim ceist faoi," a d'fhreagair Giorgio, téada de ag titim óna bhéal. "Ach is fiú teacht anseo ar mhaithe leis sin amháin."

Shuigh Adrienne siar ina cathaoir nuair a bhí an chéad chuid ite agus na plátaí tugtha chun bealaigh ag bean mheánaosta a raibh cosúlacht uirthi go raibh sí faoi bhrú mór oibre. Tháinig cócaire amach as an gcisteanach agus chuaigh chomh fada leis an doras tosaigh le toitín a chaitheamh. Thug an bhean faoi i nguth ard feargach, agus níorbh fhada go raibh seisean ag béiceach ar ais. Bhí Giorgio ar nós nár thug sé faoi deara céard a bhí ar siúl. Chuir Adrienne a lámh lena béal lena gáire a choinneáil istigh.

Bhreathnaigh Giorgio uirthi agus d'iarr:

"Céard é féin?"

"Níor airigh mé a leithéid riamh in áit phoiblí."

"Shíl mé gur fonn múisce a bhí ort nuair a chonaic mé do lámh le do bhéal," a dúirt Giorgio.

"Nach é an trua nár féidir liom iad a thuiscint?"

"Tá caint agus argóint mar sin mar a chéile i chuile theanga," a d'fhreagair Giorgio. "Ach is cosúil gur cuma le muintir na tíre seo cé atá ag éisteacht."

"Is iontach an píosa drámaíochta é."

Rinne Giorgio gáire beag.

"Agus é ar fad saor in aisce. Chaithfeá íoc as sin sa mbaile."

"Caithfidh sé go bhfuil sí go maith ag a cuid oibre."

"Tuige?" a d'iarr seisean.

"Is mór an t-ionadh nach bhfaigheann sí bata agus bóthar, agus mo dhuine a ionsaí mar sin."

"Is é a fear céile é. Níl sé chomh furasta sin fáil réidh le ceachtar acu nuair atá siad pósta lena chéile. Cá bhfios dúinn nach bhfuil siad go mór i ngrá ina ainneoin sin? Mhaithfí chuile rud dóibh nuair a chuireann siad bia agus fíon chomh maith leis seo ar fáil."

Choinnigh Adrienne a cloigeann síos ar feadh tamaill ar fhaitíos go bhfeicfí ag gáire í. Lean sí féin agus Giorgio orthu ag ithe nuair a leagadh an chuid eile den bhéile os a gcomhair, laofheoil aigesean agus ribí róibéis ag Adrienne, gan mórán a rá lena chéile. Ba é Giorgio a bhris an tost nuair a cheap sé go raibh míchompord ag baint leis:

"Níor inis tú do bharúil de na pictiúir dom?"

Bhreathnaigh Adrienne ina timpeall ar na ballaí a raibh pictiúir crochta chuile áit orthu. Pictiúir de dhroichid na háite, agus na foirgnimh cháiliúla den chuid is mó, neart *gondole* le feiceáil iontu. An rud is mó a thaitin léi ná go bhféadfaí pictiúir a dhíol ina leithéid d'áit. D'fhéadfadh sí buntáiste a bhaint as sin amach anseo.

"Tá siad sách deas," a d'fhreagair sí. "Is dóigh go gceannaíonn na turasóirí go leor acu. Bheidís go deas mar bhronntanais, nó leis an áit a chur i gcuimhne do dhuine tar éis filleadh abhaile dóibh."

"Ach ní ealaín atá iontu?" a d'iarr Giorgio. "Sin é atá tú a rá. Tá siad ceart go leor don ghnáthdhuine, ach ní bheidís sách maith ag lucht na n-ealaíon ceart."

"Is tusa a dúirt. An ag tabhairt *snob* orm atá tú anois?"

"Is tusa a dúirt," ar sé le meangadh gáire.

Chuir Adrienne a cloigeann ar leataobh ar bhealach a thaitin le Giorgio agus bhreathnaigh sí ar na pictiúir.

"Tá cúpla ceann acu thar a bheith go maith," ar sí. "An bhfeiceann tú an ceann sin sa lár, leis an gcathair seo faoi bhrat sneachta? Seasann an ceann sin amach, mar go bhfuil an chuid eile acu róchosúil lena chéile."

Chas Giorgio thart len é a fheiceáil ach d'iompaigh sé ar ais ar an bpointe chuig a bhéile.

"Níor bhreathnaigh tú i gceart air ar chor ar bith," a dúirt Adrienne, a díomá le tabhairt faoi deara ina guth.

"Tá mo dhuine leis an bhféasóg faoin bpictiúr ag ceapadh gur ag breathnú air atá mé."

"Ná bíodh seafóid ort. Céard le n-aghaidh a bhfuil na pictiúir ann ach le go bhfeicfí iad? Tá a fhios aige go maith gur ag féachaint ar an bpictiúr atá tú."

"Chonaic mé mo dhóthain de," arsa Giorgio. Bhí geit bainte as mar gur cheap sé gur aithin sé an fear a bhí suite faoin bpictiúr. Bhí sé níos sine agus níos raimhre ná mar ba chuimhin leis é. Bhí níos mó gruaige air freisin, ach bhí sé cinnte go bhfaca sé é i bpríosún na Ceise Fada blianta fada roimhe sin. Ní raibh Giorgio faoi ghlas in éindí leis mar nár rugadh riamh air ó thuaidh ná ó dheas, ach thug sé cuairt ar na príosúnaigh mar dhuine de na gaolta mar dhea, le labhairt leis na ceannairí agus le teachtaireachtaí a fháil ó dhuine den Ard-Chomhairle.

Bhí Adrienne ag caint leis, intinn Ghiorgio in áit eile:

"Níor cheap mé go raibh tú cúthalach."

"Nílim, ach sílim nach bhfuil sé béasach a bheith ag breathnú san aghaidh ar dhuine nuair atá sé ag ithe." Bhí Giorgio idir dhá chomhairle agus é ag caint, é ag smaoineamh ar cheart dó rith nó fanacht san áit a raibh sé. Dá n-imeodh sé, bheadh leid tugtha do mo dhuine go raibh rud eicínt as corr. Dá bhfanfadh sé, bheadh deis aigesean tuilleadh staidéir a dhéanamh air. Thograigh sé ar imeacht as an áit ar nós go raibh an béile críochnaithe aige féin agus Adrienne.

Is ar an bpictiúr a bhí Adrienne ag cuimhneamh i gcónaí.

"Ag breathnú ar an bpictiúr a bheifeá, agus ní ar dhuine ar bith faoi leith. Is fiú breathnú air i ndáiríre."

Bhreathnaigh Giorgio san aghaidh uirthi agus d'fhiafraigh sé:

"An bhfuil sé ag breathnú ormsa?"

"An bhfuil cén duine ag breathnú ort?"

"Mo dhuine faoin bpictiúr," a dúirt Giorgio, teannas ina ghuth.

"An bhfuil tusa *paranoid* nó céard?"

"An bhfuil sé ag breathnú orm?" a d'iarr Giorgio arís go crosta.

"Tá sé ag ithe ar nós go bhfuil sé stiúgtha leis an ocras."

"Gabh i leith uait," arsa Giorgio, ag éirí ón mbord.

"Cá bhfuil do dheifir?" a d'iarr Adrienne. "Táim ag súil le ceann de na milseoga sin a bheith agam."

"An bhfuil tú ag teacht nó ag fanacht?" a d'iarr Giorgio i gcogar ard a thug le fios go raibh sé féin ag imeacht ar chaoi ar bith.

D'éirigh Adrienne agus rug Giorgio ar láimh uirthi sula raibh deis aici a cóta a chur uirthi. Chaith sé roinnt airgid ar an mbord agus d'imigh siad amach faoi dheifir. Thart ar leathchéad slat ó dhoras na bialainne, thug Giorgio Adrienne faoi scáth dhorcha agus choinnigh sé súil ghéar ar dhoras na bialainne. Bhí greim daingean aige ar láimh Adrienne an t-am ar fad, ach scaoil sé léi tar éis tamaill nuair nár lean aoinneach amach an doras iad.

"Is dóigh go bhfuil sé ceart go leor anois," ar sé.

"Céard atá ceart go leor?" a d'iarr Adrienne go feargach. "An bhfuil fiacha ag mo dhuine ort nó céard?"

"Míneoidh mé duit arís," a d'fhreagair Giorgio. "Ní bhaineann sé seo le coiriúlacht ná tada mar sin ó mo thaobhsa de, ach táim ag obair faoi rún, má thuigeann tú mé."

"Do na *carabinieri*?" a d'iarr Adrienne.

Lean Giorgio lena bhréaga:

"Níos airde arís. Don rialtas."

"Spiadóireacht?"

"B'fhéidir go bhfuil an iomarca scannáin James Bond feicthe agat," an freagra a fuair sí. "Baineann sé le bagairtí sceimhlitheoirí i dtíortha ar fud na hEorpa. Tá a fhios agat céard a tharla i Madrid agus Londain agus sa Tuirc?"

"An bhfuil tú le hInterpol nó céard?"

Chuir Giorgio méar lena bhéal i gcomhartha ciúnais. Níor theastaigh uaidh tuilleadh bréag a insint go dtí go mbeadh am aige smaoineamh orthu.

"Ar mhiste leat fanacht san óstán seo thíos an bóthar go ndéanfaidh mé seiceáil ar mo dhuine?" a d'iarr Giorgio. Rug sé ar láimh Adrienne agus dheifrigh siad tríd an gcearnóg go dtí gur shroich siad an Principe. "Beidh tú ceart go leor anseo go dtí go bhfillfidh mé," ar sé nuair a thug sé isteach sa mbeár í. "Tá *tab* agam anseo. Tabharfaidh Johnny taobh thiar den chuntar aire duit, agus bíodh deoch de do rogha rud agat. Ní bheidh mé i bhfad."

"B'fhearr liom dul ar ais go dtí an t-árasán," a d'fhreagair Adrienne. "Ní bhaineann an tseafóid seo liom."

"Ní seafóid ar bith é ach ceist bás nó beatha. Beidh mo dhuine imithe faoin am sin. Caithfidh mé deifir a dhéanamh." Tharraing Giorgio airgead óna phóca. "Ach má tá tacsaí uisce uait . . ."

"Coinnigh ort. Fanfaidh mé tamall." Shuigh Adrienne síos ar nós go raibh an mothú bainte aisti. Ní raibh sí ag súil le tada den sórt seo nuair a thograigh sí dul le haghaidh béile le Georgio. Ag an am céanna bhí aiféala uirthi nár dhúirt sí leis a bheith cúramach. Céard faoi dá marófaí é nó rud eicínt agus gan focal cineálta cloiste aige uaithi?

Chuaigh Giorgio ar ais chuig an *trattoria* agus bhreathnaigh sé tríd an bhfuinneog, féachaint an raibh fear na féasóige ann i gcónaí. Bhí sé ansin ag caint le bean níos óige ná é a bhí suite trasna uaidh, a lámh leagtha ar a láimhsean. Ag breathnú ar thaobh a éadain, mar a bhí sé anois, bhí a fhios ag Giorgio gur dóigh nárbh eisean an té a cheap sé a bhí ann. Ach ní fhéadfadh duine a bheith róchúramach. Choinnigh sé súil orthu go dtí gur íoc siad a mbille agus tháinig siad amach ar an tsráid. Lean sé iad go gcloisfeadh sé ag caint iad. Canúint Mheiriceá, a cheap sé, ach bhí Giorgio fós fiosrach. Rug sé ar ghualainn mo dhuine agus é ag siúl thairis agus d'iarr an raibh a fhios aige cá raibh stáisiún na traenach. Bhí sé cinnte faoin am a raibh treoir tugtha ag an té a raibh sé in amhras faoi go raibh botún déanta aige féin. Ní hamháin sin ach is dóigh nach mbeadh Adrienne sásta dul amach leis arís go deo.

D'éirigh Adrienne ina seasamh nuair a shroich Giorgio

beár an Principe agus dúirt gur theastaigh uaithi dul abhaile láithreach.

"Nach bhfanfaidh tú le haghaidh ceann amháin eile? Bíonn *cocktails* faoi leith ag Johnny anseo," a dúirt Giorgio.

"Tá mo dhóthain faighte agam don oíche anocht," a d'fhreagair Adrienne go dubhach agus í ag siúl i dtreo an dorais. Níor oscail sí a béal ar an mbealach chuig an tacsaí uisce ná ar an turas ar ais go dtí a hárasán. Seachas focal íseal buíochais nuair a bhí sí ag seasamh amach ón mbád, choinnigh sí a comhairle féin.

X

Is ar éigean a chodail Adrienne i rith na hoíche tar éis do Giorgio í a fhágáil ar ais ag a hárasán. Chas sí anonn is anall ina leaba agus í ag iarraidh ciall agus réasún a bhaint as a raibh cloiste agus feicthe aici ar feadh an tráthnóna. Bhí sí cinnte d'aon rud amháin: nach raibh sí chun dul in aon áit le Georgio arís. Bhí an iomarca trioblóide ag baint leis. Suaimhneas agus ciúnas a theastaigh uaithi agus í ag teacht chun na háite seo, agus céard a fuair sí ón gcéad fhear a casadh uirthi ach spiadóireacht agus amhras. Dá mba é sin an sórt saoil a bhí uaithi bheadh sí imithe isteach i Léigiún Coigríochach na Fraince, ach ní raibh a fhios aici ar ghlac siad le mná. Is cuma, a cheap sí, mar ní raibh fonn uirthi riamh baint nó páirt a bheith aici le dream contúirteach nó trodach de chineál ar bith.

D'airigh sí Patrick uaithi. Fear stuama staidéarach nach mbacfadh le trioblóid pholaitíochta ná sóisialta. Ní gá a bheith in amhras faoi aoinneach a bhí timpeall air nuair a bheidís ag dinnéar. Ach ní raibh ansin ach taobh amháin de, mar a bhí faighte amach aici. Nach é a bhí ciúin ciontach ag an am céanna, bean eile ag iompar a pháiste. An raibh fear ar bith le trust? An raibh duine ar bith le trust? Smaoinigh sí ar ghlaoch gutháin a chur ar Phatrick mar gur bhraith sí uaigneach, ach bhí sé deireanach.

Shamhlaigh Adrienne a hiar-fhear céile ag dúiseacht agus ag breith ar an bhfón, imní air go raibh rud eicínt mícheart.

Bheadh Síle ag corraí lena thaobh agus ag fiafraí cé a bhí ann ag an am sin den oíche. Ansin a thosódh an raic: "Cén fáth an raibh sí sin ag glaoch? Nach bhfuil bhur bpósadh thart? Céard a bhí uaithi? Níorbh ionann is dá mbeadh gasúir agaibh. Bheadh leithscéal aici a bheith ag glaoch i gcás go raibh gasúr tinn nó rud eicínt. Ach ag glaoch mar go bhfuil sí uaigneach. *Get over it!* Tá an bhean sin i ngrá leat i gcónaí," a déarfadh sí go searbhasach. "É sin nó níl sí go maith ina cloigeann."

An bhfuil mé i ngrá leis i gcónaí? a d'fhiafraigh Adrienne di féin agus í ag éirí le cupán tae a réiteach. Thagadh caife idir í agus codladh na hoíche ach b'fhéidir nach mbeadh tae ródhona. D'airigh sí uaithi seacláid the mar a bheadh aici i gcás mar sin sa mbaile, ach ní raibh a leithéid feicthe aici i siopaí na háite seo. Shíl sí nach raibh sí i ngrá le Patrick a thuilleadh. Is éard a bhí ann ná nach raibh sí imithe as cleachtadh an tsaoil a bhí acu mar lánúin: duine eicínt agat le scéal a insint dó, le himní bheag a phlé leis, le gáire faoi rud beag seafóideach a tharlódh.

Níos túisce sa lá shíl Adrienne go bhféadfadh sí caidreamh den sórt sin a bheith aici le Giorgio, ach ansin fuair sí amach go raibh i bhfad níos mó i gceist lena shaol ná tacsaí uisce a thiomáint. Bhí a fhios aici go raibh daoine ann a dtaitneodh saol mar sin leo, a gcuirfeadh dainséar sceitimíní orthu, a cheapfadh go raibh fuadar agus spreagadh ag baint lena leithéid d'fhear. Dá mbeinn deich mbliana níos óige, a cheap Adrienne, b'fhéidir, ach is suaimhneas agus compord a bhí uaithi i láthair na huaire.

Níor chodail Adrienne néal as sin go breacadh an lae. D'éirigh sí agus chuaigh amach ar an mbalcóin leis an ngrian a fheiceáil ag éirí. D'ardaigh na dathanna áilne ag bun na spéire a croí. Chuaigh sí isteach le páipéar agus dathanna láimhe a fháil. Rinne sí sceitse i ndiaidh sceitse de réir mar a bhí na dathanna ag athrú le linn don ghrian a bheith á nochtadh féin. D'oibreodh sí orthu níos deireanaí le holaphéint ar chanbhás. Bhuail an smaoineamh ansin í go raibh ualach an tsaoil imithe dá guaillí: a pósadh thart, saol nua tosaithe, dearmad déanta ar fhir uilig an tsaoil. Bhí sí ag obair arís. Rinne Adrienne gáire léi féin agus í ag rá:

"Go tigh an diabhail leis an *lot* acu."

Chuir sí glaoch ar a hathair mar gurbh eisean an t-aon fhear amháin nach raibh sí in amhras faoi. Bean a d'fhreagair agus dúirt nach raibh sé ina shuí fós. Bhí dearmad déanta ag Adrienne ar ainm an té a bhí luaite ag a hathair nuair a bhí sí ag caint leis an uair dheireanach.

"An bhfuil tusa ag fanacht ansin anois?" a d'iarr sí, iontas uirthi.

Is amhlaidh a phléasc an bhean eile amach ag gáire.

"Tagaim isteach faoi dhó sa tseachtain le glantachán a dhéanamh. Ní gá a bheith in éad liomsa."

"In éad leat?" Níor thuig Adrienne céard faoi a bhí sí ag caint.

"Is dóigh gur tusa duine de na mná ó chlub na mban a mbíonn sé ag caint orthu." Ansin a smaoinigh Adrienne nár inis sí don bhean eile cé hí féin. "Is mise a iníon," ar sí, "Adrienne."

"Gabh mo leithscéal," ar sise. "Ní raibh a fhios agam. Fan go dtabharfaidh mé an fón isteach chuige."

Bhain a hathair an-taitneamh as an smaoineamh go raibh bean ag fanacht leis.

"Tá an t-ádh orm nach bhfuil sí seo agam ar aon chaoi," ar seisean faoin mbean a bhí ag glanadh. "Is cosúil í le bean a bhí san iomaíocht do charachtar duine de na deirfiúracha gránna sa ngeamaireacht Cinderella ach ní bhfuair sí an pháirt."

"Tá súil agam nach bhfuil sí ag éisteacht leat," a dúirt

Adrienne, "a leithéid de rud a rá faoi bhean ar bith!" Ach níor fhéad sí gan gáire a dhéanamh faoi.

"Tá tú uaigneach i gcónaí," ar seisean.

"Tuige a bhfuil tú á cheapadh sin?"

"Mar go bhfuil tú ag glaoch chomh minic."

"Arbh fhearr leat nach nglaofainn?"

"Tá fáilte romhat glaoch ag am ar bith, ach nach bhfuil na glaonna an-daor i bhfad ó bhaile?"

"Níl siad chomh daor sin," a d'fhreagair sí, cé nach raibh a fhios aici i ndáiríre, "ag uaireanta áirithe den lá. Ach má táim ag cur isteach ort féin agus ar do chuid ban . . ."

"Níl agam ach bean amháin an t-am seo den lá," ar sé, "agus níl sé i gceist agam níos mó a rá fúithi sin."

Bhí áthas ar a hathair nuair a d'inis Adrienne dó go raibh sí tosaithe ag obair arís. Rinne sí cur síos chomh maith is a bhí sí in ann ar éirí gréine na maidne agus thug cuireadh dó teacht amach len í a fheiceáil chomh luath in Éirinn is a d'fhéadfadh sé.

Nuair a bhí a gcomhrá thart smaoinigh Adrienne ar an gcaoi ar aithin a hathair ar an bpointe go raibh sí uaigneach, agus bhí a fhios aici nach fada go dtiocfadh sé ar cuairt dá bharr sin. Chuir sí glaoch ar Phatrick ag a oifig le nach mbeadh uirthi labhairt le Síle. Is ann a d'oibrigh sise chomh maith, ar ndóigh, ach gach seans go raibh sos faighte aici faoin am seo ar mhaithe leis an bpáiste a raibh súil leis go gairid.

"An bhfuil rud eicínt mícheart?" a d'iarr Patrick.

"Nílim ach ag fiafraí cén chaoi a bhfuil tú?"

"Ní dhearna tú é sin cheana," ar sé.

"Ní raibh mé socraithe isteach go dtí anois." D'inis sí cá raibh sí agus thug a seoladh dó. "Agus táim tosaithe ag péinteáil arís."

"An mbeidh na pictiúir nua sin ag an taispeántas i nGaillimh?" a d'iarr sé, ar nós go raibh sé ag iarraidh cuimhneamh ar rud eicínt le rá leis an mbean a bhí pósta leis tráth.

"Níl aon rud críochnaithe fós," ar sí go héadrom. "Níor theastaigh uaim ach tú a choinneáil ar an eolas. Bhíomar sách fada le chéile, agus ní féidir dearmad a dhéanamh ar na huaireanta maithe."

"D'fhéadfaimis iad sin a bheith againn arís, murach an deifir a bhí ort ag imeacht uaim," arsa Patrick i gcogar.

"Ní mé a bhí mídhílis," arsa Adrienne, cé nár theastaigh uaithi a bheith ag troid.

"Tá a leithéid de rud agus maithiúnas ann," ar seisean, "gan trácht ar 'go scarfaidh an bás sinn'."

"Faraor nár chuimhnigh tú air sin agus do threabhsair a fhágáil ort, má chreid tú na geallúintí sin."

Níor fhreagair Patrick. Lig sé osna ar nós gur theastaigh uaidh an fón a chrochadh ach go raibh sé róbhéasach leis sin a dhéanamh.

"Cén chaoi a bhfuil Síle?" a d'iarr Adrienne ar nós go raibh sí ag cur i gcuimhne dó go raibh a bpósadh thart.

"Maith go leor," a d'fhreagair sé.

"Níl i bhfad le dul anois aici?"

Tháinig an freagra gonta ar ais:

"Tamaillín."

"Bhuel, tá súil agam go mbeidh chuile shórt ceart." Bhí sé sin ar an rud ba dheacra aici a rá, ach ní raibh sí ag iarraidh a gcomhrá a chríochnú agus iad ag troid. "Dála an scéil, an bhfuil a fhios agaibh fós an buachaill nó cailín a bheas agaibh."

Ghearr Patrick isteach ar a caint:

"Tá ceist phráinneach anseo a gcaithfidh mé déileáil leis. Gabh mo leithscéal. Beidh mé ag caint leat arís lá de na laethanta."

Bhí tuairim mhaith ag Adrienne go raibh Síle tagtha isteach

san oifig. Cén fáth a gcuirfeadh sé sin iontas uirthi? Nach ansin a thosaigh siad? Ar an deasc, is dóigh. Rinne sí iarracht an tsamhail a dhíbirt as a hintinn. Ní raibh a fhios aici cén fáth ar ghlaoigh sí air a bheag ná a mhór. B'ionann é is a bheith ag caint le strainséir.

Ach caithfidh mé aghaidh a thabhairt ar an uaigneas seo, a dúirt sí léi féin. Rinne sí socrú cinnte faoin rang Iodáilise. Idir sin agus an phéintéireacht, bhí súil aici dearmad a dhéanamh ar fhir uile an tsaoil seachas a hathair.

XI

Thug Giorgio faoina chuid oibre féin maidin lá arna mhárach tar éis dó oíche mhaith codlata a bheith aige. Bhí aiféala air nár oibrigh rudaí amach le hAdrienne, ach áthas air nach raibh sé tugtha faoi deara an oíche roimhe sin ag an duine sin a cheap sé a bhain leis an saol a bhí caite. Bheadh mná eile ann, mar a bhí roimhe seo, ach b'fhéidir nach raibh an ceann seo imithe den duán go huile is go hiomlán. Is chuig an Principe a thabharfadh sé í dá mbeadh sí sásta dul amach leis arís, a chuimhnigh sé agus é ag seoladh le luas i dtreo an aerfoirt.

Bhí aithne aige ar an lucht oibre san óstán sin agus ar an timpeallacht. Ba lú an seans go dtiocfadh duine eicínt aniar aduaidh air ann. Bhí tamall ann an oíche roimhe nuair nach raibh a fhios aige an mbeadh air fear na féasóige a mharú, ach bhí a fhios aige go mbeadh air é sin a dhéanamh dá n-aithneofaí é. Maraigh nó bí maraithe. Dlí na n-ainmhithe fiáine. Ní raibh aon rogha eile ann; bás nó beatha. Féinchosaint an chéad chloch ar a phaidrín.

Níor theastaigh uaidh aoinneach a mharú go deo arís. Ní bheadh air é a dhéanamh murach na rudaí a tharla ina thír dhúchais sular tháinig an tsíocháin i réim. B'fhurasta duine a mharú ach bhí deacrachtaí praiticiúla ag baint le corp a chur i bhfolach. Ní hé sin le rá nach raibh a chuid pleananna faoi réir i gcás mar sin dá dtarlódh sé. Bhí a bhád aige agus neart uisce ina thimpeall le corp a chur in áit nach bhfeicfí go deo é.

Thabharfadh blocanna coincréite go tóin poill é. Bhí a dhóthain foghlamtha aige anuas trí na blianta lena chinntiú nach mbeadh rian d'fhianaise DNA nó d'aon chineál eile fágtha ina dhiaidh. Shíl sé féin agus cuid de na hÓglaigh a bhíodh ar chúrsaí traenála leis gur caitheadh an iomarca ama agus gur cuireadh an iomarca béime ar shuíomhanna coiriúla a ghlanadh, ach thuig sé anois an chúis a bhí leis. Cé mhéad dá chomrádaithe a bhí saor, ag siúl na sráide ar nós chuile dhuine eile mar nach raibh aon fhianaise den sórt sin fágtha ina ndiaidh acu?

Ba í an fhírinne, ar ndóigh, ná gur de bharr Chomhaontú Aoine an Chéasta a bhí a bhformhór saor, cuid acu tofa mar theachtairí parlaiminte agus saol breá socair acu. Tuige nár chuimhnigh aoinneach ar a leithéid féin nuair a bhí na socruithe sin á ndéanamh? Rinne na ceannairí tréaniarracht an dream a mharaigh an bleachtaire i Luimneach a scaoileadh saor, ach ní raibh tásc ná tuairisc ar an dream a bhí imithe den saol, mar dhea. Ní raibh le déanamh ach a admháil gur tharla a leithéid mar chuid den chogadh agus go bhfaighidís na cearta céannna leo siúd a bhí ar a dteitheadh sa bPoblacht nó i Meiriceá nó san Astráil. An freagra a bhí ag na ceannairí ná go raibh ionannas nua acu siúd, agus pas acu dá réir, agus tuige nach siúlfaidís ar ais abhaile lá ar bith a thogróidís? Níor chuimhnigh siad gur lena mhuintir a fheiceáil a theastaigh uaidhsean agus le daoine eile sa gcás céanna leis a bheith saor le filleadh.

D'fhág Giorgio na smaointe sin ina dhiaidh nuair a shroich sé cé an aerfoirt. Bhí grúpa Seapánach ag iarraidh dul chomh fada le Gailearaí Guggenheim agus a bheith ar ais arís in am d'eitilt eile roimh thitim na hoíche. Shocraigh sé praghas maith leo mar go mbeadh air fanacht taobh amuigh den dánlann an fhad a bheidís istigh ann agus ag béile arís ina dhiaidh sin. D'fhágfadh sé sin nach mbeadh deis aige aon turas eile a dhéanamh i rith an lae. Thaitin lá oibre mar sin le

Giorgio, cé gur chuir an deifir a bhíodh ar a chuid turasóirí lae iontas air. Ní ag dul ó chathair go cathair ná ó bhaile go baile a bhíodar siúd ar nós turasóirí eile, ach ag eitilt ó thír go tír le bheith in ann a rá go raibh an domhan uile siúlta acu in aon choicís amháin. Is mó a d'fheicfidís ar an teilifís sa mbaile, ar sé leis féin, ach níl mise ag casaoid. Tá bó an airgid á bléan agam, agus tá sí ag tál a cuid bainne go croíúil.

Thosaigh Giorgio ag caint le cailín a raibh greim aici ar an ráille in aice leis. Bhí Béarla briotach aici ach thuigeadar a ndóthain de chaint a chéile. Ní raibh ach coicís saor aici óna cuid oibre in oifig stocmhargaidh, a dúirt sí, agus theastaigh uaithi an oiread den domhan agus ab fhéidir a fheiceáil i rith an ama sin.

"Feicfidh tú gach rud, ach ní fheicfidh tú tada," arsa Giorgio léi i mBéarla. Bhí air cúpla leagan a chur ar a chuid cainte sular thuig sí céard a bhí i gceist aige.

"Ba mhaith liom níos mó ama a bheith agam," a mhínigh sí le croitheadh dá cuid guaillí, "ach caithfidh mé glacadh leis an saol mar atá." Shín sí a lámh i dtreo na cathrach. "Nach bhfuil an méid seo á fheiceáil agam inniu? Nach mór is fiú é sin?"

Níor fhéad Giorgio ach aontú léi, ach dúirt sé an chéad rud a tháinig isteach ina chloigeann, an saghas ruda a déarfadh sé leis na cailíní uile a chastaí air:

"Ba cheart duit fanacht liomsa anseo agus taispeánfaidh mise an Veinéis duit."

"Cén fáth a ndéanfainn é sin? Táim anseo inniu, beidh mé i bPáras amárach, i Nua-Eabhrac an lá ina dhiaidh agus ar ais ag obair Dé Luain seo chugainn. Is breá an saol é."

"Beidh tú maraithe tuirseach," arsa Giorgio. "Fan liomsa agus feicfidh tú an chathair seo thar chúpla seachtain."

Rinne sí gáire.

"Chuala mé faoi fhir mar thusa," a dúirt sí. "Bean amháin

inniu, bean eile amárach, agus gan aon jab agamsa nuair a rachaidh mé abhaile."

"Tá níos mó ar an saol ná jabanna," arsa Giorgio, "mar níl againn ach aon saol amháin agus tá sé chomh maith dúinn an oiread taitnimh agus is féidir as bhaint as."

"Táimse sásta le mo shaol," a d'fhreagair sí.

"Tá tú óg, dathúil. Tá deis agat rud mór romásúil a dhéanamh, cruthú go bhfuil tú beo – "

"Ach an bhfuil tú sona sásta le do shaol?" a d'iarr sí sular fhéad sé a chaint a chríochnú.

"An bhfuil cosúlacht orm go bhfuil aon imní orm?"

"Táimse sona sásta freisin," a d'fhreagair sí. "Tá an domhan á fheiceáil agam ar mo chuid laethanta saoire agus tá post maith romham nuair a rachaidh mé abhaile."

"Post leadránach."

"Post spéisiúil."

Bhíodar ar an gcanáil lárnach faoin am seo agus mhínigh Giorgio go mbeadh air a aird iomlán a dhíriú ar cá raibh siad ag dul.

"Ach ba mhaith liom labhairt leat arís ar an mbealach ar ais," ar sí, cosúlacht uirthi go raibh sí lándáiríre in ainneoin an straois gháire a bhí ar a haghaidh.

Bhí a fhios ag Giorgio go maith nach mbeadh sí ag fanacht, ach, ach an oiread leis an nGobán Saor sa scéal a chuala sé ar scoil, bhí an bóthar, nó an turas farraige sa gcás seo, giorraithe ag an gcaint. Bhí trácht trom ar an uisce mar is ag an am sin is mó a tháinig na busanna ó Loch Garda agus na sléibhte ina thimpeall gach lá le hualach mór turasóirí. Chuadar siúd ar na báid fharantóireachta agus ar na *gondole*, leis an oiread agus ab fhéidir leo de ghrianghrafanna a ghlacadh le linn a dturais.

Bhí Giorgio sásta a scíth a ligint taobh amuigh de Ghailearaí Guggenheim an fhad is a bhí a chuid paisinéirí taobh istigh. D'fhág sé a thacsaí ceangailte ag an gcé agus chuaigh le caife agus *pizza* a fháil ó fhuinneog a bhí oscailte ar thaobh na sráide. Thaitin na háiteacha sin leis níos mó ná na bialanna agus na *trattoria* mar go raibh siad saor, agus an pizza go háirithe, réitithe ó thús go deireadh taobh istigh, murarbh ionann is na cócairí mar dhea a thóg ón gcuisneoir go díreach chuig an oigheann iad.

Ba í an cailín a bhí ag caint leis ar an mbealach ón aerfort an chéad duine ón ngrúpa a d'fhág an gailearaí. Tháinig sí chun cainte le Giorgio, a bhí suite ina thacsaí ag fanacht ar a chustaiméirí faoin am seo. Shuigh sí lena thaobh ar nós go raibh aithne aici air le fada.

"Bhuel, ar thaitin Picasso leat?" a d'iarr seisean. Ní raibh na pictiúir feicthe aige féin ach bhí a fhios aige gurbh é ba mhó a tharraing turasóirí chun na háite. Ag breathnú ar an gcailín dó, shíl sé go raibh sí ar nós mar a bheadh duine i Lourdes nó áit eicínt a raibh an Mhaighdean Bheannaithe feicthe aici. Bhí a cloigeann ag dul ó thaobh go taobh go mall agus í ag rá: "Níor mhothaigh mé aon rud chomh domhain riamh i mo shaol is a d'airigh mé ag breathnú ar phictiúr Phicasso." B'fhéidir nach mar sin go díreach a dúirt sí é, ach b'in an tuiscint a bhí ag Giorgio ar a cuid Béarla briste.

"Agus céard faoi na pictiúir eile?" a d'iarr sé go soiniciúil, cé nár thug sí é sin faoi deara de réir cosúlachta.

"B'fhiú iad sin a fheiceáil freisin, ach is é Picasso is ansa liom ar fad. A phictiúr a fheiceáil beo os mo chomhair go díreach mar a bhí an lá a phéinteáil sé é. Is ionann sin is na flaithis domsa."

Chuir Giorgio an cheist chruálach:

"An mar gheall ar a shloinne atá tú á rá sin, nó an bhfuil an pictiúr chomh maith sin i ndáiríre? Ní thaitníonn sé le chuile dhuine a thugaim anseo. "

Bhreathnaigh sí air ar nós go raibh sé tar éis leidhce san éadan a thabhairt di:

"An bhfaca tusa é?"

"Chonaic, agus go minic," ar sé go bréagach.

Bhí a dhá láimh amach roimpi agus iad á mbogadh suas is anuas aici ar nós go raibh sí ag iarraidh greim a fháil go fisiciúil ar a cuid mothúchán.

"Nár airigh tú rud iontach domhain nuair a bhreathnaigh tú air?"

"Shíl mé nach raibh sé thar mholadh beirte." Thóg sé tamall ar Giorgio an leagan cainte sin a mhíniú.

"Níor cheap tú go raibh sé go maith?" a d'fhiafraigh an cailín.

"Níor cheap mé go raibh sé iontach."

Bhreathnaigh sí air ar nós go raibh dhá chloigeann air, agus chroith sí a cloigeann.

Dúirt Giorgio, agus é ag breathnú ina dhá súil dhonna:

"Tá tú go hálainn nuair atá tú corraithe mar sin."

"Céard?" a d'iarr sí, ar nós gur peaca marfach athrú ó bheith ag caint ar Phicasso go bheith ag spraoi le cailín.

"Ba cheart duit dul ag breathnú ar Phicasso níos minicí," a d'fhreagair Giorgio le meangadh gáire. "Níl a fhios agam an bhfuil an fear mór le rá é féin freagrach a bheag ná a mhór as na mothúcháin a chorraíonn sé sna daoine, agus sna mná go háirithe." Shíl sé nár thuig sí céard a bhí i gceist aige ach rinne sí gáire leis mar sin féin. Ag an nóiméad sin cheap Giorgio gur mór an trua nach raibh sí ag fanacht. Ba bhreá leis póg a bhaint di agus dearmad a dhéanamh ar Adrienne agus ar chuile bhean agus cailín eile a casadh riamh air.

Ach bhí na turasóirí eile ag filleadh. Bhí obair le déanamh. Chuir sé an t-inneall ar siúl agus chabhraigh sé leis an gcuid ba shine de na Seapánaigh teacht ar bord. Labhair sé féin agus an cailín lena chéile arís nuair a bhain sé an fharraige leathan amach, ach ní raibh ann ach caitheamh ama, caitheamh aimsire. Bhí an splanc múchta.

XII

Sheas Adrienne siar ón gcanbhás. Bhí sí ar bís, bíogtha, a céad phictiúr péinteáilte aici le beagnach leathbhliain. Bhí páipéir nuachta ar fud an urláir leis an adhmad a chosaint, braillín ar an mbord, agus péint caite chuile áit. Theastódh stiúideo uaithi, a cheap sí, dá mbeadh sí le leanacht uirthi mar seo, ach ag an nóiméad sin ba chuma léi ach a bheith ar ais ag obair.

D'oibrigh sí gan stad gan staonadh le linn dá pósadh a bheith ag teip, agus nuair a bhí gach rud faoi réir don taispeántas, stop sí ar fad. Ag breathnú siar anois air shíl sí gur galar dubhach an drochmhisnigh a thit anuas uirthi, cé nár aithin sí é ag an am. Beatha i ndiaidh an bháis beagnach a mhothaigh sí anois agus í i mbun a ceirde arís. Bhí fonn uirthi dathanna a athrú anseo is ansiúd mar gur cheap sí gur tháinig an pictiúr seo rófhurasta di, ach bhí a fhios aici ina croí istigh nach bhféadfadh sí é a fheabhsú, ach a mhalairt, dá rachadh sí ag plé tuilleadh leis.

Shuigh sí siar óna pictiúr, cupán caife ina láimh dheis. Smaoinigh Adrienne go gcaithfeadh sé gur mar seo a bhreathnaigh máthair ar leanbh nuabheirthe. Ní raibh na mothúcháin sin aici féin, agus gach seans nach mbeadh go deo, ach thug an chruthaíocht láimhe blas beag di ar céard a chiallaigh sé beatha nua a thabhairt ar an saol. D'aireodh Patrick é agus d'aireodh Síle é gan mórán achair, ach bheadh sise fágtha dá uireasa. Gheall sí di féin nach ligfeadh sí dóibh siúd ná d'aoinneach eile í a tharraingt síos sa díog dhorcha inar chaith sí na míonna fada sin. Bhí sí ar ais ar a seanléim arís, agus ní raibh uaithi ach a céad phictiúr eile a thosú. Bhí fonn uirthi é sin a dhéanamh láithreach, ach níor thug sí cead di féin, ar fhaitíos go ndéanfadh sí praiseach de, de bharr a bheith ag iarraidh an iomarca a dhéanamh in éindí.

Bhíodh an cathú sin uirthi i gcónaí ó bhí sí beag. Níor theastaigh uaithi stopadh nuair a bhíodh ag éirí go maith léi, más ag marcaíocht ar chapall, ag casadh ar an bpianó nó ag tarraingt pictiúir a bhí sí. Ach nuair a stopadh sí, stopadh sí agus ní bhíodh fonn uirthi aon rud a dhéanamh go ceann tamaill gan brú óna hathair nó óna máthair. Rinne Adrienne meangadh beag gáire nuair a shamhlaigh sí go raibh laincis á cur uirthi ag a máthair ón saol eile ionas nach ndéanfadh sí an iomarca in aon iarraidh amháin agus éirí tuirseach den obair arís. Shiúil sí amach ar an mbalcóin leis an áit a thug inspioráid di a fheiceáil arís. Tháinig sí isteach agus bhreathnaigh sí ar a pictiúr. Ní raibh cosúlacht ar bith idir a raibh le feiceáil amuigh aici agus an pictiúr teibí ar an gcanbhás, ach bhí na mothúcháin chéanna ag baint leo, a cheap sí, go domhain ina croí.

Cé go raibh trosc ceannaithe aici agus é ar intinn aici é a réiteach san árasán an tráthnóna sin, thograigh Adrienne dul amach le haghaidh béile mar bhronntanas di féin as ucht a lá oibre. Bhí caifé beag ar thaobh na sráide le boird taobh amuigh de feicthe aici ar chúl na háite ina raibh sí ag fanacht. Beatha dheas shimplí a bhí ar fáil ann. *Gnocchi* a roghnaigh sí mar nár aithin sí cuid de na rudaí eile, a bhí scríofa san Iodáilis amháin. Ba léir nár thuig an fear freastail, arbh é an t-úinéir é freisin de réir cosúlachta, ach cúpla focal Béarla. Bhí sé cineálta agus thug sé deis di cúpla cineál fíona a bhlaiseadh sular roghnaigh sí céard a bhí uaithi. Shuigh sí ansin ag breathnú ar an saol mór ag dul thart, í iontach sásta inti féin de bharr a raibh bainte amach ó mhaidin aici.

Bhí an saol ag dul ar aghaidh thart timpeall uirthi, ach bhraith Adrienne ar nós nár bhain sí leis, nach raibh sí ann ar bhealach eicínt. Bhí gasúir ag teacht abhaile ón scoil, daoine ag filleadh óna gcuid oibre, turasóirí ag síorshiúl na sráide. Chuimhnigh sí ar an gcaoi ar mhothaigh sí uaireanta le linn a hóige: nach raibh ar an saol ach í féin, agus gur aisteoirí a bhí i chuile dhuine eile, iad ag ligint orthu go raibh siad i mbun a gcuid oibre ach iad ag coinneáil súile uirthi an t-am ar fad. Cheapfadh sí uaireanta eile gurbh é Dia a chuir ann iad ar mhaithe le triail a bhaint aisti, féachaint céard a dhéanfadh sí ina leithéid de seo nó de siúd de "cuir i gcás". A mhalairt a d'airigh sí anois: nach raibh sí ann, nó má bhí, nach raibh sí le feiceáil, agus chuile dhuine i mbun a gcuid oibre ina timpeall, ar nós nach raibh sí ar an saol a bheag ná a mhór. Ach táim beo, ar sí ina hintinn, beo ar bhealach nach raibh mé le fada, de bharr go raibh sí ag obair ar a cuid ealaíne arís.

D'fhan Adrienne ag piocadh ar an méid a bhí fágtha ar a pláta agus ag ól fíona go dtí gur beag nár iarr an freastalaí uirthi imeacht. Bhí a fhios aici gur theastaigh an bord a bhí aici uaidh, don scuaine custaiméirí a bhí ag fanacht ar áit suí. Ach theastaigh uaithi a scíth a ligint chomh maith, agus de réir mar a bhí an fear freastail á timpeallú, is é is mó a thograigh sí fanacht go dtí go raibh sí réidh le n-imeacht.

Lig an freastalaí osna nuair a thóg sí leabhar nótaí óna mála agus thosaigh sí ar sceitsí a tharraingt den tsráid agus na daoine a bhí ag teacht is ag imeacht. Ba bheag nár tharraing sé uaithi an chathaoir a bhí fúithi nuair a d'éirigh sí ina seasamh le n-imeacht ar deireadh.

Ar ais san árasán, thug sí léi an méid fíona a bhí fágtha ina buidéal agus amach léi ar an mbalcóin. Is ar éigean a bhí an áit sách leathan do chathaoir, ach shuigh sí ansin, a gloine fíona á ól aici agus í ag fanacht leis an ngrian a fheiceáil ag dul faoi.

Bhí a fhios aici láithreach an chéad phictiúr eile a tharraingneodh sí: bheadh éirí agus dul faoi na gréine faighte aici in aon lá amháin. Bhí a leabhar sceitsí lena taobh agus chuaigh sí ó leathanach go leathanach ag dathú go sciobtha de réir mar a bhí dathanna na spéire ag athrú. Thuig sí nach mbeadh na sceitsí ró-iontach sin de bharr a cuid fíona, ach ní pictiúir chruinne a theastaigh uaithi ach atmaisféar an tráthnóna. Thabharfadh sí faoin bpictiúr féin an chéad rud ar maidin lá arna mhárach.

Chuir sé iontas ar Adrienne nuair a thosaigh a fón póca ag clingeadh, agus ba mhó ná sin an t-iontas a bhí uirthi nuair a d'aithin sí guth Phatrick. Is amhlaidh go raibh Síle tugtha chun an ospidéil an tráthnóna sin le pianta agus le doirteadh beag fola. Ní raibh a fhios ag na dochtúirí fós, ar sé, an raibh a páiste i mbaol. Baineadh geit as Adrienne, í chomh sásta lena lá oibre agus lena saol nua go dtí sin nár smaoinigh sí ar rud ar bith eile. Ní raibh a fhios aici céard ba cheart di a rá:

"Tá brón orm é sin a chloisteáil. Cá fhad a mbeidh a fhios agaibh cén chaoi a bhfuil rudaí?"

"Tá na dochtúirí ag coinneáil súile uirthi. Cibé céard a chiallaíonn sé sin," a d'fhreagair Patrick go dubhach.

Rinne Adrienne iarracht misneach a tabhairt dó:

"Tá cúrsaí leighis níos fearr ná mar a bhí riamh, sa réimse a bhaineann le máthair agus leanaí go háirithe."

"Is measa a thagann daoine as na hospidéil ná mar a théann siad isteach iontu go minic," ar seisean. "Tá cuid acu ina ndiabhail uilig idir MRSA agus chuile shórt."

"Ní chloisfeá mórán faoi ghalar mar sin sna hospidéil mháithreachais," a dúirt Adrienne. "Cá bhfios nach mbeidh an páiste ar an saol as seo go maidin. Tá a fhios agam nach bhfuil an téarma ar fad istigh fós, ach mhairfeadh páiste gan aon stró tar éis ocht mí."

Ba léir óna chaint go raibh Patrick in ísle brí:

"Bhí a fhios agam go mbeadh mallacht orainn. De bharr gach ar tharla."

"Níor chuir mise mallacht ar aoinneach," a d'fhreagair Adrienne, ag ceapadh gur gá di í féin a chosaint. "Ní chreidim ina leithéid de rud. Ní iarrfainn é sin ar mo namhaid is mó."

"Is mise atá ciontach," arsa Patrick. "Mise a rinne praiseach de chuile rud. Ach níl sé seo tuillte ag an bpáiste."

"Níl baint ar bith ag na rudaí sin leis an scéal," arsa Adrienne go mífhoighdeach. "Is rud é a tharlaíonn i gcásanna áirithe. Táim cinnte go bhfuil míniú ag lucht leighis air."

"Airím uaim go mór thú," a dúirt Patrick go tobann.

"An bhfuil tusa ar meisce nó céard?" a d'iarr Adrienne.

"Bhí cúpla deoch agam nuair a cuireadh abhaile ón ospidéal mé," ar seisean. "Dúirt siad gur theastaigh a codladh ó Shíle agus nach raibh aon mhaith dom fanacht ann. Chuirfidís fios orm dá mbeinn ag teastáil. Níl an t-árasán ach leathuair ón ospidéal."

"Tá a fhios agam cá bhfuil sé." Sciorr an chaint sin ó Adrienne, cé nár theastaigh uaithi é a ghortú a thuilleadh. Bhí sórt bróid uirthi ar bhealach gur ghlaoigh sé uirthi nuair a bhí sé i dtrioblóid, ach bhí sí ag iarraidh a chur in iúl cá raibh a chuid dualgas i láthair na huaire: "Tá tú le Síle anois agus beidh do chuid tacaíochta ag teastáil uaithi. Caithfidh tú a bheith ann di agus don pháiste."

"Níl mé le Síle," arsa Patrick. "Sa gciall sin den fhocal. Tá sí ag fanacht lena hathair agus lena máthair."

Ní raibh a fhios ag Adrienne céard go díreach a bhí sí á cloisteáil.

"Ach tá tú ag glacadh freagracht as an bpáiste?" ar sí.

"Sin é an fáth a raibh mé ag an ospidéal, ar ndóigh. Ach nílimid inár gcónaí lena chéile ná níl caint againn ar phósadh ná tada."

"Tuige a bhfuil tú á rá sin liomsa, a Phatrick?"

"Mar gur cheap mé go mbeadh seans eile ag an mbeirt againne amach anseo," a d'fhreagair sé.

Labhair Adrienne go han-mhacánta:

"Éist liomsa, a Phatrick, tá an bheirt againne scartha, agus sin é tús agus deireadh an scéil. Ní bheimid ag dul ar ais lena chéile. Nílim á rá seo le tú a ghortú ar an oíche seo thar oíche ar bith, agus is maith liom gur ghlaoigh tú agus gur labhair muid lena chéile mar chairde, ach sin a bhfuil ann."

"Casadh fear eile ort?"

"Casadh neart acu orm, ach sin é an méid a rinne siad. Nílim ag iarraidh níos mó ná sin. Ag glacadh le briseadh ó fhir uile an tsaoil atá mé i láthair na huaire."

Bhí Patrick fós in ísle brí.

"Tá an saol ina dhiabhal."

"Beidh scéal eile agat ar maidin: do pháiste ar an saol, do chailín ina sláinte, an ghrian ag taitneamh."

"B'fhéidir."

"Cuir an claibín ar an mbuidéal agus téigh a chodladh," a dúirt Adrienne leis. "Ní bheidh aon mhaith agat do dhuine ar bith mar atá tú faoi láthair."

"Níl mé ach ag insint an chaoi a mothaím," a d'fhreagair Patrick. "Nach é sin a theastaigh uait nuair a bhíomar le chéile, an chaoi ar airigh mé a insint?"

Ní raibh a fhios ag Adrienne cén freagra ba cheart di a thabhairt air.

"Is le Síle agus le do pháiste a chaithfidh tú na rudaí sin a rá feasta," ar sí go cinnte.

"Nár dhúirt mé leat nach bhfuil tada idir mé agus Síle ach an páiste, agus b'fhéidir nach mbeidh sé sin ann ar maidin."

"Ná bí ag caint mar sin," a dúirt Adrienne. In ainneoin a dearcadh réalaíoch ar an saol bhí sórt pisreoga inti go dtarlódh an rud a bheadh ráite rómhinic. "Bí dearfach faoi, nó go gcloisfidh tú a mhalairt."

"B'fhéidir gurbh é an rud is fearr a d'fhéadfadh tarlú é."

"An bhfuil an buidéal uilig ólta agat?" a d'iarr Adrienne. "Níor chuala mé i ngiúmar mar seo thú riamh cheana."

"Dúradh riamh go dtugann an t-ól amach an rud atá istigh," an freagra a bhí ag Patrick.

"*Paranoia* is mó a thugann sé chun cinn," arsa Adrienne, "agus sin é atá á chloisteáil agamsa i láthair na huaire. Ná bí ag cuimhneamh ort féin chomh mór, ach ar do bhean is do pháiste."

"Nár dhúirt mé leat – "

Ghearr Adrienne isteach ar a fhreagra:

"Tá a fhios agam céard a dúirt tú liom, ach tá mise ag rá leatsa gurb í do bhean í go dtí go mbíonn an páiste sin aici, mar nach mbeadh sí ag súil leis an bpáiste céanna murach thusa. Glac freagracht as a bhfuil déanta agat, más go drogallach féin é."

"Níl a fhios agam cén fáth ar ghlaoigh mé ort a bheag ná a mhór," ar sé. "Ní raibh a fhios agam go raibh tú chomh crua, a Adrienne. Ní bhíodh tú mar sin . . ."

"An fhírinne atá á hinsint agam. Idir mise is tusa atá an chaint seo, agus ní chloisfear focal faoi arís. Téigh a chodladh anois. Abair paidir nó rud eicínt, má tá tú in ann, le go mbeidh gach rud ceart amárach."

Is mar sin a chríochnaigh siad ach ghoill an scéal ar fad ar Adrienne chomh mór sin gur ar éigean a chodail sí go dtí go raibh sé i bhfad amach san oíche. Bhí a fhios aici ina croí istigh gur beag péinteáil a dhéanfadh sí lá arna mhárach dá bharr. Níor chuala sí Patrick chomh híseal ann féin riamh cheana. Bhí súil aici go ndeachaigh sé a chodladh, ar fhaitíos go ndéanfadh sé dochar dó féin. Sin é an rud ba mheasa faoi a bheith chomh fada ó bhaile, a cheap sí, sular smaoinigh sí gurb é an áit ina raibh sí a baile i láthair na huaire.

XIII

Shíl Giorgio gurbh amhlaidh go raibh rud eicínt scríofa ar an tarpól a chlúdaigh a bhád nuair a tháinig sé i ngar di ar maidin. Shiúil sé ina threo go cúramach. D'airigh sé a chroí ag léim istigh ina bhrollach. Stop sé go tobann ar an mbealach agus bhreathnaigh sé ina thimpeall go bhfeicfeadh sé an raibh aoinneach ag faire air. Ní raibh, chomh fada is a bhí sé in ann a fheiceáil, ach cá bhfios cé a bhí taobh istigh den iliomad fuinneog a bhí thart ar an áit? B'ionann is scáthán chuile fhuinneog acu de bharr sholas na gréine.

Bhí sé leathchromtha le nach mbeadh an deis chéanna ag snípéir dá mba rud go raibh a leithéid ag faire air. B'éigean dó gáire a dhéanamh nuair a thug sé faoi deara céard a bhí ar an tarpól: cac éin, faoileán nó colúr nó ceann eile acu.

Bhí rudaí go dona, ar sé leis féin, nuair a bhí sé scanraithe ag cac éin. Gheall sé dó féin nach mbeadh sé chomh himníoch faoi bhagairtí nach raibh bun nó barr lena bhformhór. Má bhí rud le tarlú, tarlaíodh sé, ar sé ina intinn.

Bhí oíche dheas spraíúil aige an oíche roimhe sin lena chairde sa bPrincipe. D'ith sé béile leis féin agus chuaigh sé isteach leis an gceol a chloisteáil sa mbeár. Bhí ceann de na grúpaí sin ann ó long sa gcaladh, dream a bhí ag taisteal ar fud na háite, oíche anseo is oíche ansiúd acu go dtí nach raibh a fhios acu cá raibh siad ar deireadh. B'as Pittsburgh iad agus bhí siad aosta go maith. Togha na ndamhsóirí válsaí a bhí iontu.

Tharraing seanbhean acu Giorgio amach ar an urlár léi agus, ar ndóigh, bhí an chuid eile ag magadh faoina *toyboy*. Ach bhí spraoi agus spórt ag baint leo agus cheannaigh siad deochanna dá raibh sa teach. Bhí sé ag caint le fear amháin acu de bhunadh Acla, a bhí pósta le bean as ceantar an Mháma, ach níor lig Giorgio air féin nach Iodálach a bhí ann. Shíl sé go raibh sé sórt aisteach nár chuir sé aon iontas orthu de réir cosúlachta gur iarr sé orthu cén pháirt d'Éirinn arb as dóibh. Ach is dóigh gur cuireadh ceisteanna mar sin orthu go minic sna Stáit Aontaithe.

An t-aon rud a chuir as do Ghiorgio le linn na hoíche ná gur cheap sé go raibh fear amháin ag breathnú air an t-am ar fad. Bhraith sé neirbhíseach go dtí gur thug sé faoi deara bean ag cuidiú leis an bhfear dul i dtreo dhoras an leithris. Thuig sé ansin gur dall a bhí sa bhfear bocht agus nach raibh aon smacht aige ar a chuid súl. Ar an mbealach abhaile ón óstán smaoinigh sé cá raibh an Seapánach mná a bhí ag caint leis níos túisce sa lá faoin am sin. Go Páras a bhí sí ag dul a dúirt sí, agus smaoinigh sé gur faraor nach raibh sé ansin in éindí léi.

Lig sé Adrienne isteach ina smaointe ansin, rud nach ndearna sé ó d'fhág sé ag doras a hárasáin í den uair dheireanach. Bhí praiseach déanta aige den oíche sin de bharr chomh paranóideach is a bhí sé. Dá bhfaigheadh sé a sheans arís ba chuma leis dá mba é ceannaire an IRA féin a bheadh ag breathnú thar a ghualainn air agus gunna ina láimh aige. Ní raibh aige ach an t-aon saol amháin agus ní fhéadfadh sé é ar fad a chaitheamh ar a theitheadh. Thograigh sé ina intinn iarracht eile a dhéanamh casadh le hAdrienne. Céard é an rud ba mheasa a d'fhéadfadh sí a dhéanamh ach diúltú dó. Thit sé ina chodladh leis an smaoineamh sin, agus is leis an smaoineamh céanna a dhúisigh sé freisin. Ní raibh aon rud eile ina intinn ach iarracht a dhéanamh Adrienne a fheiceáil arís roimh dheireadh an lae, go dtí gur bhain cac na n-éan creathadh beag as nuair a chuaigh sé ar thóir a thacsaí uisce ar maidin.

Bhí lá oibre leagtha amach dó roimhe sin: an dream ó Phittsburgh a thabhairt ar ais go dtí a long, turas a dhéanamh go dtí an t-aerfort agus grúpa eile a thabhairt don ché is gaire do Chearnóg Naomh Marcas. Chaithfeadh an méid sin leath lae, agus bhraithfeadh an chuid eile den lá ar cé a bheadh ag iarraidh dul anseo nó ansiúd ina dhiaidh sin. Bhí sé ar intinn ag Giorgio breathnú ar ché in aice na mbialann le taobh an uisce, ag súil go bhfeicfeadh sé Adrienne agus go bhféadfadh sé ligint air gur de thimpiste a casadh air í. Mura n-oibreodh sé sin, rachadh sé chomh fada lena hárasán agus d'iarrfadh sé uirthi teacht amach in éindí leis. Bhí sé i gceist aige cúpla lá roimhe sin gan bacadh léi arís a bheag ná a mhór, ach ní raibh sé chomh héasca sin. Bhí rud eicínt faoi leith ag baint léi. Cé eile a labharfadh Gaeilge leis, mar shampla, nó Béarla ceart féin? Agus bhí sí tarraingteach ar bhealaí eile.

Ba léir go raibh maidin mhaith cheana ag lucht Phittsburgh nuair a tháinig siad ar bord: iad glórach, cainteach agus cúpla duine acu ag casadh amhrán. Ní den chéad uair, smaoinigh Giorgio ar an saol breá a bhí ag daoine aosta, go háirithe iad siúd a raibh airgead acu. Chuir sé i gcomparáid iad lena mhuintir féin, agus a mháthair go háirithe, nach bhfaca sé le fada. Gheall sé ina intinn go bhfaigheadh sé bealach cuairt a thabhairt ar an mbaile len í a fheiceáil arís lena beo. Má bhí sí beo. Tháinig an smaoineamh chuige go bhféadfadh sé dul go hÉirinn in éindí le hAdrienne dá mba rud é go raibh an bheirt acu mór lena chéile. Is lú aird a thabharfaí air ag aerfort nó calafort dá mba rud é go raibh bean ag taisteal leis. Ach bhraithfeadh sé sin ar fad ar an mbeadh sí sásta labhairt leis arís, gan trácht ar dul amach le haghaidh béile ina chuideachta.

Chuir sé na smaointe sin ar leataobh nuair a bhí sé in aice leis an soitheach mór millteach a bhí ar ancaire gar do bhéal an chuain. Ba bheag nach raibh drochthimpiste ann nuair a rinne an bhean a thug amach ag damhsa an oíche roimhe sin é iarracht léim beag a dhéanamh ó thaobh an bháid go dtí bun an staighre a bhí ligthe síos ó thaobh na loinge. Ní raibh i gceist ach troigh go leith nó mar sin ach, mar gheall go raibh an tacsaí ag éirí agus ag titim leis an taoille, sciorr sí, agus murach go raibh an fear is gaire sách láidir greim a choinneáil uirthi, bheadh sí tite idir na báid. Chuaigh a cosa faoi uisce, chaill sí bróg agus thosaigh sí ag béiceach is ag screadach, rud a chuir na paisinéirí eile trína chéile.

Is é Giorgio a bhí sásta nuair a bhíodar slán sábháilte ar bord na loinge agus é ag fáil réidh le haghaidh a thabhairt ar an aerfort.

Tuige a raibh an oiread ólta ag an óinseach chomh luath seo ar maidin? a d'fhiafraigh sé de féin agus é ag seoladh leis. Ní raibh sé chomh cinnte go bhfeilfeadh a leithéid de thuras dá mháthair is a bhí sé a cheapadh tamall roimhe sin. Bheadh sí níos mó ar a suaimhneas i Lourdes, ar sé leis féin.

Chuimhnigh sé ansin nach drochsmaoineamh a bheadh ansin: casadh lena mháthair i Lourdes nó Fatima nó Medjugorje. Cé a bheadh ag súil le hiarshnípéir a fheiceáil i gceann de na háiteacha sin? Ní bheadh an Mhaighdean Mhuire sásta, b'fhéidir ach, arís, cá bhfios nach mbeadh? Cén mhaith creideamh gan maithiúnas is trócaire? Ach céard a cheapfadh a mhuintir dá gcloisfidís go raibh sé beo? Bheadh áthas agus ríméad orthu, ar ndóigh. Ach an mbeidís in ann a rún a a choinneáil?

Gach seans go mbeadh, ar mhaithe lena fheiceáil beo beathach arís. Ach an gcuirfeadh sé i mbaol iad ar aon bhealach? An mbeadh dream a bheadh ag bagairt air ag bagairt orthu? Bhí a fhios ag Giorgio go raibh machnamh domhain le déanamh sula dtiocfadh sé ar chinneadh. Bhí an obair lae le déanamh ar dtús, ach bheadh go leor le smaoineamh air agus é ag taisteal ó áit go háit.

Bhí bealach an aerfoirt seolta aige chomh minic gur beag nach bhféadfadh Giorgio é a dhéanamh lena shúile dúnta. Thaitin leis i gcónaí an chanáil a fhágáil le go bhféadfadh sé scaoileadh leis an each-chumhacht san inneall. Scaoileadh sé léi go háirithe nuair nach mbíodh aoinneach ar bord ach é féin. Bhíodh formhór na dturasóirí sách scanraithe cheana nuair a thosaíodh an bád ag bogadh ar thonnta beaga nár theastaigh luas ar bith uathu. Is mó breosla a chaitheadh sí agus í ag imeacht go sciobtha, ach bhí sé sin le sábháilt arís ar an am, agus an obair bhreise a bhí ar fáil trí cheann cúrsa a bhaint amach roimh bháid eile. Smaoinigh Giorgio ar a leithéid de thacsaí uisce a bheith aige thart ar Chuan na Gaillimhe: turasóirí á thabhairt aige ón stáisiún traenach go Bóthar na Trá, mar shampla. Nó trasna an chuain go Cinn Mhara. Cá bhfios nach bhféadfadh sé tarlú in imeacht ama?

Bhí Giorgio ag iarraidh cuimhneamh ar bhealach a fháil lena chás agus cásanna daoine nach é a phlé leis an an Ard-Chomhairle, ach ní raibh a fhios aige an raibh a leithéid ann ar chor ar bith níos mó, ó rinneadh díchoimisiúnú ar an gcuid is mó de na hairm. Bhí gunna amháin ar a laghad nár cuireadh san áireamh mar ní raibh a fhios ag aoinneach eile cá raibh an raidhfil mór a bhíodh aige féin. Ach bhí a fhios aigesean agus ní raibh dearmad déanta aige cén chaoi len é a úsáid dá mba ghá.

B'aisteach an rud é, a cheap Giorgio, a bheith fágtha i liombó nuair a bhí liombó féin curtha ar ceal ag an Eaglais Chaitliceach. Ar cheart dó scríobh chuig duine de na ceannairí a bhí i mbun rialtais i láthair na huaire? An ndúiseodh sé sin taibhsí gurbh fhearr gan iad a dhúiseacht? B'fhéidir go ligfí leis dá bhfanfadh sé "marbh" ach gur bagairt a bheadh ann don dream in uachtar dá n-éireodh sé amach as an gcófra, gan trácht ar theacht ón gcónra.

Ní raibh radharc ar bith aige ar Adrienne agus é ag dul ó

thaobh go taobh na cathrach i rith an lae. Nuair a tháinig an tráthnóna chuir Giorgio air a chuid éadaigh is fearr agus thug sé a thacsaí chomh fada le hárasán Adrienne. Ní raibh a fhios aige cé acu de na ceithre árasán a raibh sí ann ach b'fhurasta a dhéanamh amach ó na sloinnte le taobh an chloig a bhí ann do chuile cheann acu. Bhrúigh sé an cnaipe agus d'inis cé hé féin. D'fhreagair Adrienne go mbeadh a doras oscailte.

"Tá brón orm faoin bpraiseach atá ar fud na háite," ar sí nuair a shroich sé an t-árasán, áit a raibh sí i mbun oibre, aprún mór uirthi lena cuid éadaigh a chosaint. "Ní raibh mé ag súil le cuairteoir ar bith."

"Ní raibh a fhios agam ar cheart dom fanacht glan ort ar fad," arsa Giorgio go cúthalach. "Ach, bhuel, shíl mé go ndeachaigh chuile rud amú orainn an oíche cheana."

"Tá fáilte romhat," ar sise. "Shíl mé nach bhfeicfinn go deo arís thú." Rinne sí gáire beag a thaitin leis. "Suigh síos nó beidh tú clúdaithe le péint chomh maith le chuile rud eile sa seomra."

XIV

D’fhan Giorgio ina shuí go ciúin tar éis d’Adrienne gloine fíona a thabhairt dó. Ba léir go raibh a hintinn dírithe ar a cuid oibre. Bhí sé ráite aici nach mbeadh sí i bhfad, ach mura gcríochnódh sí a pictiúr anois, b’fhéidir nach n-éireodh léi é a dhéanamh go deo. Sheasfadh sí siar ón gcanbhás a bhí iompaithe uaidh agus ansin chuirfeadh sí spota nó líne bheag leis an méid a bhí ann sula seasfadh sí siar arís, a cloigeann ar leataobh aici ar nós éinín fiosrach.

“Sin é,” a dúirt sí ar deireadh, a scuab á leagan uaithi aici agus í ag doirteadh gloine fíona amach di féin. “Cén chaoi a bhfuil tusa?”

D’fhreagair Giorgio a ceist le ceist eile:

“An bhfuil cead agam breathnú ar an bpictiúr?”

Shín Adrienne lámh i dtreo an chanbháis.

“Níl cead ag teastáil, an fhad is go n-insíonn tú an fhírinne faoi. Ní theastaíonn moladh bréagach ar bith uaim.”

Sheas Giorgio ag breathnú ar an bpictiúr ar feadh tamaill ach ní fhaca sé bun ná barr air. Níor thuig sé cén difríocht a dhéanfadh spota nó líne den sórt a chonaic sé Adrienne a chur leis ó tháinig sé don rud iomlán. Fad is a bhain sé leis, ní pictiúr a bhí ann ach roinnt dathanna le taobh a chéile. Thograigh sé ar an rud is sábháilte a rá a d’fhéadfadh sé:

“Tá na dathanna go deas.”

“Tá na dathanna go deas,” a dúirt Adrienne ina dhiaidh, ar nós gur ag caint le gasúir a bhí sí.

"Céard tá tú ag iarraidh orm a rá?"

"An dtaitníonn an pictiúr leat?" a d'iarr Adrienne.

"Taitníonn, ach ní thuigim céard faoi é. Ní fheicim bun ná barr leis i ndáiríre."

"Sin freagra macánta ar a laghad," ar sise, "fiú munarb é an rud atá mé ag iarraidh a chloisteáil é."

"Abair liom céard atá tú ag iarraidh a chloisteáil," ar seisean le meangadh gáire, "agus déarfaidh mé é. Déanta na fírinne, níl a fhios agam rud ar bith faoi chúrsaí ealaíne." D'inis sé faoina bheith ag caint leis an gcailín ón tSeapáin agus fiafraí an mar gheall ar shloinne an phéinteára nó ar a chuid pictiúr a bhí sí chomh tógtha le hobair Phicasso.

"Spéisiúil," a dúirt Adrienne, loinnir ina súile.

"Céard atá spéisiúil?" a d'iarr Giorgio.

"Go mbíonn cúrsaí ealaíne á bplé agat leis na cailíní Seapánacha," a d'fhreagair sí. "An mbíonn tú ag caint leis na seanchailleacha faoi chomh maith céanna?"

"Níl a ndóthain Béarla acu siúd," arsa Giorgio go héadrom, "agus má tá, tá siad bodhar, an chuid is mó acu ar chaoi ar bith. Labhraim leis na daoine a labhrann liom. Caitheann fear tacsaí a bheith go deas lena chuid custaiméirí."

"Tuige nach raibh tú go deas liomsa mar sin nuair a bhí mé mar chustaiméir agat an chéad oíche a shroich mé an chathair seo?" a d'fhiafraigh Adrienne go magúil.

"Céard a rinne mé ort?"

"Lig tú dom titim siar ar mo thóin le mo chosa san aer," a d'fhreagair sí.

"B'fhiú ar fad é, ar mhaithe leis an radharc."

"D'fhéadfainn a bheith gortaithe, agus na milliúin euro a fháil uait nó ó d'árachas," ar sise.

"Ní mór do dhuine greim a choinneáil ar rud eicínt," arsa Giorgio. "Shíl mé go raibh a fhios sin agat. Beidh a fhios agam níos fearr arís, go háirithe tar éis ar tharla ar maidin

inniu." D'inis sé faoin mbean a bhí i ngar do thimpiste a
bheith aici agus í ag dul ón tacsaí isteach sa long níos túisce sa
lá. "Seanchailleach a bhí inti sin ceart go leor," ar sé, ag gáire,
"cé go raibh sí géimiúil go maith agus í ag damhsa aréir.
B'fhéidir gur d'aon turas a rinne sí é le go mbéarfainn uirthi."

Bhraith Giorgio nach raibh Adrienne ag éisteacht leis.
D'éirigh sí óna cathaoir agus sheas sí ag breathnú ar a pictiúr
arís. Ansin thaispeáin sí dó ceann an lae roimhe sin a bhí
fágtha ag triomú aici sa seomra folctha.

"Céard a cheapann tú faoi na dathanna ar an gceann seo?"

"Is maith liom iad, ach ní fheicim mórán difríochta
eatarthu," an freagra a thug Giorgio.

"Níl de dhifríocht eatarthu ach an difríocht idir an ghrian
ag éirí ar maidin agus ag dul faoi tráthnóna."

"Ní fheicim grian ar bith iontu," arsa Giorgio.

"Ní hé an ghrian, ach solas na gréine atá i gceist."

"Nár dhúirt mé nach dtuigim ealaín? Tabhair buachaill
seanaimseartha nó ainm ar bith is mian leat orm, ach is maith
liom pictiúr a bhfeiceann tú rud eicínt ann, ar nós mar a
d'fheicfeá i ngrianghraf."

"Níl locht air sin," arsa Adrienne, "agus tá na mílte pictiúr
den sórt sin ar fud na cathrach seo, pictiúir chráifeacha den
chuid is mó."

"Ba mhaith liom foghlaim faoi na pictiúir nua-
aimseartha," a dúirt Giorgio go cúthalach, "dá mbeadh am
agat lá eicínt teacht liom go dtí an Guggenheim."

"Níl a fhios agam an rud é ar féidir a mhúineadh," a
d'fhreagair Adrienne, "ach tiocfaidh mé leat más maith leat.
Cén lá a mbeidh tú saor le dul ag breathnú orthu?"

Shocraigh siad ar an Domhnach dár gcionn, agus shuigh
siad tamall ag caint ar chúrsaí an tsaoil. D'iarr Giorgio ar
Adrienne ar mhaith léi dul amach le haghaidh béile. Dúirt sí
go raibh sí róthuirseach ach go raibh fonn uirthi béile a ordú
isteach.

"Tuirseach?" a d'iarr Giorgio go magúil. "Ní iontas ar bith é agus scuab ar iompar agat ar feadh an lae."

"Níor chodail mé go maith aréir," ar sí, "mar gheall ar scéal a chuala mé ó bhaile."

"Má táimse in ann aon chúnamh a thabhairt . . ." arsa Giorgio.

"Níl," a d'fhreagair Adrienne go borb. Chuaigh sí ag iarraidh biachláir a bhí faighte aici ó bhialann sráide cúpla lá roimhe sin. Thug sí do Ghiorgio é lena rogha a dhéanamh agus chuir sí glaoch orthu leis an ordú ansin. D'éirigh Giorgio agus dúirt go raibh sé le dul amach le buidéal fíona a fháil. Níor thug sé ceann leis, a dúirt sé, mar nach raibh a fhios aige an mbeadh aon fháilte roimhe.

"Tá tú ceart go leor. Tá buidéal anseo agam," arsa Adrienne. "An chéad uair eile, b'fhéidir."

Shuigh Giorgio arís.

"Ceart go leor. Is maith liom a chloisteáil go mbeidh uair eile ann."

"Nár shocraigh muid dul chuig an Guggenheim Dé Domhnaigh?" arsa Adrienne. "Lá amháin ag an am."

"Is leor sin domsa," ar seisean.

"Is strainséir chaon duine againn i bhfad ó bhaile. Tá an teanga chéanna againn. Níl fáth ar bith nach gcaithfimis beagán ama lena chéile," a dúirt Adrienne.

D'aontaigh Giorgio léi:

"Fáth ar bith," ar sé, cé gur mhaith leis go mbeadh níos mó ná sin i gceist. "An airíonn tú uait an baile?"

"Uaireanta," ar sise, "ach ní fada go mbeidh mé ag filleadh le haghaidh taispeántais i nGaillimh."

"Taispeántas de do chuid féin nó le duine eile?" a d'iarr Giorgio.

Mhínigh Adrienne gur obair a bhí déanta aici an bhliain roimhe sin agus a taispeánadh in óstán i gCill Mhantáin cheana:

"Tá an méid nár díoladh ansin á thabhairt siar," ar sí.

"Na glugair fágtha le haghaidh mhuintir an Iarthair," arsa Giorgio go magúil, ach tháinig aiféala air nuair a chonaic sé an chaoi ar bhreathnaigh Adrienne air. "Tá brón orm," ar sé. "Ag magadh a bhí mé."

"Is iad an chuid is fearr i mo thuairim nár ceannaíodh," ar sise, "mar go raibh praghas ró-ard orthu."

"Cé mhéad a bhainfeá amach ar cheann acu sin?" a d'iarr Giorgio, na pictiúir a bhí déanta le cúpla lá á chur in iúl aige le síneadh láimhe.

Ise a bhí ag magadh anois:

"Dá mbeadh duine sách amaideach len iad a cheannacht."

"Tú féin a dúirt é," arsa Giorgio.

"Míle, míle dhá chéad euro an ceann, b'fhéidir," arsa Adrienne le creathadh dá guaillí. "Braitheann sé ar an gceannaitheoir, ar nós rud ar bith eile atá ar díol."

Bhí iontas le brath ar ghuth Ghiorgio:

"An méid sin saothraithe in aon lá amháin. Is maith an cheird í."

"Ach níor tharraing mé pictiúr le sé mhí."

"Tuige?" a d'iarr Giorgio. "Tharraingeoinn ceann in aghaidh an lae dá mbeadh praghas mar sin orthu. D'fhéadfá leathmhilliún euro a fháil astu in aghaidh na bliana."

"Ní raibh aon inspioráid agam."

"Go dtí gur tháinig tú anseo?" a d'fhiafraigh Giorgio. "Nó go dtí gur casadh mise ort?"

"Sin é a rinne é, ar ndóigh," a dúirt Adrienne le gáire.

"Cá bhfios dom nach mé atá sna pictiúir?" a d'iarr seisean, "ach nach n-aithním mé féin."

"Mar a d'fheilfeadh do spiadóir," ar sise. "Níor thuig mé an oíche cheana céard a bhí i gceist agat. Tá tú ag obair don rialtas, nó do na póilíní nó rud eicínt?"

"Bréag a bhí ansin," a dúirt Giorgio le náire.

"Sin é a cheap mé," a dúirt Adrienne. "Ach bhí faitíos ort roimh dhuine nó dream eicínt? Thug mé faoi deara ó d'éadan go raibh tú scanraithe ceart."

"Scéal thar a bheith casta atá ann," ar seisean, "scéal nach mbaineann leat i ndáiríre."

"Ní féidir liom dul amach le duine nach bhfuil a fhios agam tada faoi," a d'fhreagair Adrienne.

"Ag magadh a bhí mé i ndáiríre faoin spiadóireacht," arsa Giorgio, "ag déanamh scéal mór d'easaontas beag suarach."

Theastaigh an fhírinne ó Adrienne.

"Bhí easaontas idir tú féin agus an fear féasógach úd sa *trattoria*? Easaontas faoi chéard?"

"Bhí easaontas agam le tiománaí tacsaí mar go ndeachaigh sé romham sa scuaine ag an aerfort. Shíl sé go bhféadfadh sé a rogha rud a dhéanamh mar gur Iodálach é."

"Sin é a bhí taobh thiar dínn sa *trattoria*?" a d'fhiafraigh Adrienne ar nós go raibh amhras uirthi.

"Níorbh é, ach shíl mé gurbh é. Bhí sé cosúil le mo dhuine."

"Teastaíonn cuimhne mhaith ó bhréagadóir," ar sise. "Deireadh mo mháthair é sin i gcónaí."

"Ní chreideann tú mé?" a d'iarr Giorgio.

"Ní chreideann tú thú féin ach an oiread, feictear dom. Nílim i m'óinseach chomh mór sin."

"Níor inis mé an fhírinne mar nár theastaigh uaim tú a chur i gcontúirt," an freagra a thug seisean.

"Tá an fhírinne ceaptha duine a scaoileadh saor," arsa Adrienne. "Nár dhúirt duine eicínt mór le rá é sin, murab é Íosa Críost é féin é."

"Ní scaoileann sé saor an té a bhí san IRA," arsa Giorgio go ciúin, "ach tarraingíonn sé trioblóid ar gach a bhaineann leis."

Rinne Adrienne gáire searbhasach.

"Tusa i measc an dream sin? Ní féidir!"

"Creid nó ná creid." Thaispeán sé tatú ar a bhrollach ar a raibh *Tiocfaidh ár Lá* scríofa. "D'fhéadfá a rá gur tháinig lá chuile dhuine ach mo lá-sa. Fágadh mise agus mo leithéid idir dhá shaol."

Bhreathnaigh Adrienne go géar air.

"Níl a fhios agam an féidir focal ar bith ó do bhéal a chreidiúint."

"An dteastaíonn uait an fhírinne a chloisteáil?"

"Abair leat, ach bréag amháin eile agus ní fheicfidh tú mise go deo arís," ar sise.

D'inis Giorgio faoina shaol mar Óglach agus mar shnípéir ar son na Poblachta mar ab fhacthas dó é. Ní raibh a fhios aige cén fáth ar inis sé rún a chroí chomh héasca sin di tar éis é a cheilt ar feadh i bhfad, ach bhí sé ar nós gur theastaigh faoistin de chineál eicínt uaidh agus go raibh muinín aige as an mbean seo. Chríochnaigh sé leis na focail "Creid nó ná creid, ach sin í an fhírinne."

Labhair Adrienne go mall:

"Is mó de bhlas na fírinne ar an scéal sin ná ar an gceann a d'inis tú an oíche cheana. Ach fós féin níl a fhios agam. Tuige nár dhúirt tú é sin i dtosach?"

"Ní raibh mé ag iarraidh tú a chur i gcontúirt."

"Contúirt?" a d'iarr Adrienne ar nós go raibh iontas uirthi. "Nach bhfuil an cogadh thart?"

"Ar thuig tú focal ar bith a dúirt mé?" a dúirt Giorgio. "Tá daoine sa tóir orm i gcónaí. Dream atá ag iarraidh mé a mharú. Má fheiceann said tusa in éindí liom . . ."

"Bheifeá faighte acu fadó riamh dá mba rud é gur theastaigh uathu fáil réidh leat," ar sise.

Tháinig meangadh beag thart ar bhéal Giorgio.

"B'fhéidir gur éirigh liom an dul amú a chur ar an dream atá sa tóir orm, go dtí seo . . ."

"Go dtí seo?" arsa Adrienne ina dhiaidh.

"Imeoidh mé ar an bpointe más maith leat," ar seisean, é ar tí éirí ina sheasamh.

"Fan go fóill," ar sise go ciúin. Labhair sí arís tar éis tamaill: "Tá tú tar éis a rá go bhféadfainnse a bheith i mbaol chomh maith leat?"

"Tá súil agam nach bhfuil ceachtar againn i mbaol," a d'fhreagair Giorgio. "Mar atá ráite agat, tá an cogadh thart anois, síocháin de chineál eicínt i réim, na sean-naimhde mór lena chéile."

"Tuige a bhfuil faitíos ort mar sin?"

"Mar nach bhfuil a fhios agam an bhfuil mé i mbaol nó nach bhfuil," ar seisean, "agus nach bhfuil aon bhealach agam le fáil amach an bhfuil nó nach bhfuil."

"A luaithe is a d'inis tú do scéal dom, bhí mise tarraingthe isteach ann," a dúirt Adrienne, ar nós nach raibh a fhios aici ar cheart fearg a bheith uirthi leis nó nár cheart.

"Sin é an fáth nár theastaigh uaim é a insint an oíche cheana," an freagra a bhí ag Giorgio. "Sin é an fáth ar inis mé bréag duit i dtosach anocht. Ní theastaíonn uaim tú a chur i mbaol."

"Dá mba rud é gur duine a bhí ar do thóir a bhí taobh thiar dínn sa *trattoria* sin an oíche cheana," a dúirt Adrienne, "bhí mise sa gcontúirt chéanna is a bhí tusa. Gan trácht ar chuile dhuine eile san áit."

"Urchar glan amháin a bheadh i gceist ag a leithéid siúd," ar seisean. "*Assassination*, mar atá feicthe i dtithe ósta agus i ngluaisteáin anuas trí na blianta."

"Cá fhad a raibh aiféala ar aoinneach acu siúd faoinar tháinig sa mbealach orthu," a d'iarr Adrienne. "Cé mhéad duine a mharaigh tú féin ar an mbealach sin mar go raibh siad san áit mhícheart ag an am mícheart?

"Duine ar bith," a d'fhreagair Giorgio. "Sin é an fáth a

raibh mé chomh maith: d'aimsigh mé an targaid chuile uair, gan damáiste *collateral* ar bith, mar a thugann siad air."

"An targaid," arsa Adrienne go searbhasach. "Ní duine daonna a bhí i gceist ar chor ar bith, ach targaid?"

"Go díreach é," a d'fhreagair Giorgio go calma. "Níl mé bródúil as, ach cogadh a bhí ann: cogadh ar son na hÉireann agus ar son ár muintire ó thuaidh a ndearnadh leatrom orthu."

"Céard faoin muintir eile a bhí dílis don Bhreatain?" a d'fhiafraigh Adrienne.

"Níl duine ar bith chomh sásta is atá mise go bhfuil síocháin déanta eadrainn tar éis na céadta bliain," an freagra a thug Giorgio air sin. "Ach an mbeadh an tsíocháin seo ann murach gach ar tharla roimhe?"

Níor fhreagair Adrienne a ceist. Shuigh sí ag breathnú san éadan ar Ghiorgio, agus, ar deireadh, dúirt sí:

"Is beag a cheap mé go mbeinn sa seomra céanna le fear a admhaíonn gur mharaigh sé daoine."

Bhí cnag ar an doras, na béilí tagtha. Níor dhúirt ceachtar acu mórán le linn dóibh a bheith ag ithe, ach lena raibh á ithe acu a mholadh.

"Ceist agam ort," arsa Adrienne nuair a bhí a béile críochnaithe aici. "An ndéanfá arís é?"

"Dá mbeinn ag an aois chéanna ag an am céanna, gach seans go ndéanfainn," arsa Giorgio. "Ach, ag an nóiméad seo, sílim nach fiú an tairbhe an trioblóid."

"An marófá arís?" a d'iarr Adrienne go díreach, í ag breathnú idir an dá shúil air.

Bhreathnaigh sé ar ais chomh díreach céanna.

"Dá mbeadh mo bheatha nó beatha an té is ansa liom i mbaol, cinnte mharóinn arís."

"Agus cé is ansa leat?"

Níor fhreagair Giorgio go ceann tamaillín.

"Tá mo mháthair agus daoine muinteartha liom sa mbaile

nach bhfaca mé le fada, nach bhfuil a fhios acu go bhfuil mé beo. Seachas sin, is mise is ansa liom."

"An rud is measa faoi," a dúirt Adrienne i ndiaidh tost beag, "ná gur maith liomsa thú. Ní féidir liom a rá go bhfuil aithne agam ort, ach taitníonn tú liom ar bhealach eicínt."

"Is maith liomsa tusa —"

Níor thug Adrienne cead dó a ráiteas a chríochnú:

"Ní gá duit é a rá mar gur dhúirt mise é."

"Tuige ar tháinig mé anseo tráthnóna?"

"Céard a dhéanfaimid anois?" a d'iarr Adrienne.

"Ar mhaith leat dul chuig an Guggenheim Dé Domhnaigh mar a bhí socraithe againn?" a d'iarr Giorgio.

"Ní dhéanfadh sé aon dochar, is dóigh."

"Má tá tú scanraithe nó murar féidir leat déileáil le céard atá déanta agam . . ."

"Má tá sean-naimhde in ann suí le taobh a chéile i Stormont, in ainneoin na staire . . . Ach marú, dúnmharú, níl a fhios agam. Caithfidh mé smaoineamh air," arsa Adrienne.

"Más aon mhaith é a rá," ar seisean, "tá aiféala orm, go háirithe faoi na mná agus páistí a fágadh gan céile nó gan athair, ach níl aon bhealach agam len iad a thabhairt ar ais."

"Céard a thug ort tosú air?" a d'iarr Adrienne ar ball.

"Tuigim an fáth a dtéann Moslamaigh óga amach le buamaí ceangailte ina dtimpeall," arsa Giorgio. "Idéalachas. Idéalachas bréagach. Mar go bhfuil siad óg, idéalach agus tá daoine sách soiniciúil iad a sheoladh chun cogaidh."

"B'fhéidir nach soiniciúil atá an seandream iad féin ach an oiread, ach idéalach freisin," arsa Adrienne go ciúin. "Aisteach go leor, sin é an rud is mó a thaitníonn liom fút. Mar nach bhfuil tú ar nós fhormhór na ndaoine, nach bhfuil spéis acu ach i rachmas, in airgead a shaothrú, brabús a dhéanamh, tithe a dhíol agus a cheannacht."

"Bímse ag iarraidh corr-euro a shaothrú chomh maith le chuile dhuine," arsa Giorgio.

"Ach níl do shaol ar fad dírithe air, agus ní raibh riamh, nó ní bheifeá sa trioblóid ina bhfuil tú anois."

"Is dóigh gur naomh ó na flaithis atá ionat féin," a dúirt Giorgio nuair a bhí an chéad bhuidéal fíona ólta acu agus an claibín bainte de cheann eile. "Tá mo pheacaí ar fad inste agamsa, ach níl a fhios agam tada fútsa ach gur ealaíontóir thú."

"Níor mharaigh mé aoinneach, fós ar chaoi ar bith." Rinne sí meangadh gáire. "Ach bí cúramach." Stop sí ag caint ar feadh soicind. "Ní ag iarraidh beag is fiú a dhéanamh den mhéid a dúirt tú liom a bhí mé," arsa Adrienne, "ach bhain sé creathadh asam." D'inis sí faoina saol, faoi bhás a máthar, faoi Phatrick, Síle a bheith ag iompar, scaradh óna chéile, an colscaradh a raibh sí ag súil leis. "Gnáthshaol na mban Éireannach tar éis deich mbliana nó mar sin den mhílaois seo," a chríochnaigh sí.

"Tá a fhios agam anois cén fáth ar mhaith leat marú a dhéanamh," a dúirt Giorgio tar éis dó a chloisteáil faoi Phatrick agus Síle.

Níor aontaigh Adrienne leis:

"Is measa colscaradh nó marú fad a bhaineann sé le Patrick."

"Ghortaigh sé go mór thú?"

"Ní dhearna mé aon obair go dtí an lá inné," a d'fhreagair Adrienne. "Bhí mo mhisneach uile caillte agam."

"Tá súil agam nach ngoillfidh ar inis mise duit rómhór ort," arsa Giorgio. "Ach shíl mé go raibh sé chomh maith dom an fhírinne ghlan a insint."

"Ní dóigh liom go ngoillfidh rud ar bith orm níos mó," arsa Adrienne go cinnte, "mar ní thabharfaidh mé cead d'aon rud ná d'aon duine mé a ghortú feasta."

Bhuail a guthán ansin. Níor bhac sí leis an gclingeadh agus dúirt le Giorgio nach raibh sí ag iarraidh é a fhreagairt.

D'fhreagair sí nuair a lean sé air ar nós uan ag méileach. Síle a bhí ann, thar dhuine ar bith ar domhan, fad a bhain sé le hAdrienne. Rinne sí iarracht a bheith cineálta:

"Síle! Cén chaoi a bhfuil tú?" Sheas Giorgio, é ar intinn an seomra a fhágáil ionas go mbeadh príobháideachas aici, ach rinne Adrienne comhartha láimhe leis fanacht san áit a raibh sé. Shuigh sé siar beagán ón áit a raibh sí ach chuala sé an chaint ar fad mar go raibh torann an teileafóin casta suas ag Adrienne níos túisce sa lá, le go bhféadfadh sí a bheith ag caint ar an bhfón agus í ag obair ar an gcanbhás.

Níor bhac Síle le beannú ar bith:

"An bhfuil a fhios agatsa cá bhfuil Patrick?" a d'iarr sí.

"Níl a fhios. An bhfuil sé ar iarraidh?" D'airigh Adrienne fuarallas ar chúl a cinn, agus a muineál.

"Níor tháinig sé isteach tráthnóna."

"Isteach chuig an ospidéal?" a d'iarr Adrienne.

"An raibh sé ag caint leatsa?"

"Ghlaoigh sé aréir. Bhí imní air fútsa agus faoin bpáiste. Dála an scéil, cén chaoi a bhfuil na cúrsaí sin?"

"Ceart go leor, is cosúil. Tá siad ag coinneáil súile ar gach rud. Sin é an méid atá siad sásta a rá. Bhí cosúlacht ar an scéal go raibh gach rud ceart go dtí go ndeachaigh sé féin amú."

"An bhfuil a fhios agat an raibh Patrick ag an obair inniu?" a d'fhiafraigh Adrienne, í ag cuimhneamh ar an drochmhisneach a bhí air an oíche roimhe sin, agus an faitíos a bhí uirthi go ndéanfadh sé dochar dó féin.

"Bhí mé ag caint leis ón oifig, ach dúirt sé go mbeadh sé ag teacht isteach anseo i ndiaidh na hoibre."

"B'fhéidir gur stop sé le deoch a ól."

"Ar feadh ceithre huaire an chloig?" a d'iarr Síle, a guth ag éirí lena hiontas agus imní. "Ní alcólach é."

"Bhí go leor ólta aige aréir," arsa Adrienne. "Agus bhí

drochmhisneach air. Bhí sé an-dubhach i ndáiríre. Ní dóigh liom go nglaofadh sé ormsa murach go raibh."

"Is mór an t-ionadh nach nglaonn sé ort níos minicí, mar go mbíonn sé síoraí seasta ag caint fút." Bhí déistin Shíle le tabhairt faoi deara.

"Tá mo shaolsa imithe ar aghaidh," a d'fhreagair Adrienne. "Tá an chuid sin de mo shaol thart. Níl mé ag rá nach n-airím uaim é tar éis na mblianta a raibh muid le chéile, ach ní bheimid ag dul ar ais lena chéile."

"Faraor nach bhfuil a fhios sin ag Patrick."

"Tá sé ráite agamsa leis míle uair, agus dúirt mé leis arís aréir é gur ortsa agus ar an bpáiste is ceart dó a aird iomlán a dhíriú as seo ar aghaidh."

"Ó, tá sé anseo anois," arsa Síle agus chroch sí an fón.

Sheas Adrienne ag breathnú ar a teileafón féin, agus dúirt:

"Imithe gan sea ná ní hea, gan slán ná go raibh maith agat. Níl a fhios agam céard a fheiceann sé inti."

"Áilleacht, dúil agus dáir anuraidh," a dúirt Giorgio go réidh, "trioblóid i mbliana – scéal an duine daonna."

"Nach tú an fealsamh," arsa Adrienne. "Is dóigh gur mar sin a bhreathnaíonn tú ar chuile bhean? Trioblóid, nuair atá do chuid faighte agat i dtús báire?"

"Ní mar sin a bhreathnaím ortsa," ar sé, "ach áilleacht inniu, áilleacht amárach, agus áilleacht chuile lá."

"A leithéid de phlámás seafóideach!"

"Ní raibh mé ag iarraidh éisteacht," a dúirt Giorgio, "ach chuala mé chuile fhocal. An bhfuil gach rud ceart anois?"

"An mbíonn aoinneach in ann an saol atá caite a fhágáil ina ndiaidh?" a d'iarr Adrienne i gceist nach raibh ag súil le freagra.

"Nach faoi sin a bhíomar ag caint ar feadh na hoíche ar bhealach?" a d'fhreagair Giorgio. "Faoi nach féidir linn an saol atá caite a fhágáil inár ndiaidh. Iompraíonn muid ár stair ar ár ndroim mar a dhéanann an seilimide."

D'éirigh sé agus dúirt go raibh sé thar am aige a bheith ag dul abhaile.

"Deoch an dorais?" a d'iarr Adrienne, ag breith ar an mbuidéal agus á shíneadh ina threo.

"Ní bheidh tú in ann aon obair a dhéanamh amárach," arsa Giorgio ach shín sé amach a ghloine mar sin féin.

"Ní bheidh mise ach ag slabáil thart le péint," a dúirt Adrienne, "ach beidh ortsa an bád sin a thiomáint ar fud na cathrach."

"Beidh mé ceart go leor tar éis codladh na hoíche."

"An bhfuil baol ar bith go gcuirfí *breathalyser* ort anocht?" a d'iarr Adrienne.

"Tá, ach cuirfidh mé fios ar chara le mé a thabhairt abhaile. Sé sin má tá sé ceart go leor an bád a fhágáil ceangailte taobh amuigh den áit seo ar feadh na hoíche."

"Cuirfidh sé le mo cháil," arsa Adrienne, ag gáire. "Bheadh sé níos fearr arís dá mba *gondola* a bheadh agat. Nach dtaitneodh na fir bhreátha románsúla sin leis na geansaithe straidhpeáilte le bean ar bith?"

"Caithfidh mé geansaí den sórt sin a cheannacht dom féin mar sin," a dúirt Giorgio. "Bíonn siad ar fáil in éineacht leis na mascanna i bhformhór na siopaí."

"Ní hé an geansaí a dhéanann an fear, faraor."

"Tá tú féin agus d'fear chéile, Patrick, nach ea, sách mór lena chéile i gcónaí?" a d'iarr Giorgio.

Cheartaigh Adrienne é:

"Ní hé m'fhear é níos mó, ach ní féidir deich mbliana de do shaol a chaitheamh ar an gcarn aoiligh. Caithfidh mé a rá gur tháinig imní orm nuair a chuala mé go raibh sé ar iarraidh. Ní raibh sé ar iarraidh ar ndóigh ach i gcloigeann an fhéileacáin éadroim sin Síle. Is dóigh gur cheap sí go raibh sé tagtha amach anseo le bheith in éineacht liomsa. Bheadh sé sách maith aici."

"Tá fearg ort i gcónaí?"

"Tuige nach mbeadh? Dá mbeadh sibhialtacht féin ag baint léi. Níl sí in ann *hello* féin a rá, ach 'cá bhfuil sé?'."

"An bpósfaidh siad?" a d'iarr Giorgio.

"Níl a fhios agam, agus is cuma liom. Ní bheidh mise ag dul ar ais chuig Patrick, cibé céard a iarrann sé. Ach bheadh sé sách amaideach ise a phósadh. Sin é an sórt duine é, soineanta ar bhealach. Phósfadh sé í ar mhaithe leis an ngasúr."

"D'iarr sé ort dul ar ais chuige?"

"D'iarr aréir," a d'fhreagair Adrienne, "nuair a bhí sé óltach agus uaigneach agus imní air fúithi féin agus a bpáiste. Ach dúirt mé glan amach é go bhfuil saol nua tosaithe anois agam dá uireasa."

"Tá bagáiste ag chuile dhuine againn."

Go tobann thosaigh Adrienne ag gáire.

"Ní bheadh Patrick róshásta go dtabharfaí bagáiste air. Ach is fíor duit. Táimid ar nós na seilimide, ár saol ar iompar ar ár ndroim againn."

Nuair a thograigh Giorgio imeacht arís, scaoil Adrienne leis. Ba bhreá leis dá ndéarfadh sí leis fanacht, ach bheadh sé róluath, a cheap sí, tar éis a raibh cloiste uaidh i rith an tráthnóna. Rinne sé leathiarracht póg a thabhairt di, agus d'iompaigh sí leiceann le nach bpógfadh sé ar an mbéal í.

XV

Níor bhac Giorgio le fios a chur ar a chara teacht faoina dhéin taobh amuigh d'árasán Adrienne. Chuaigh sé abhaile ina thacsaí féin. Níor mhothaigh sé óltach cé go raibh a fhios aige go raibh níos mó ná buidéal fíona ar bord aige. D'imigh sé ón gcanáil lárnach an chéad deis a fuair sé. Mar go raibh eolas aige ar an gcathair, d'éirigh leis dul abhaile ar na cúlbhealaí. Ní raibh a thacsaí ach ceangailte aige nuair a chuaigh bád de chuid na *carabinieri* thar an áit a raibh sé le luas. Ba chuma leis an fhad is a bhí a chosa ar thalamh tirim, ach bhí sé sásta nár rugadh air agus an méid sin óil déanta aige.

An rud deiridh a theastaigh uaidh ná a cheadúnas a chailleadh, gan trácht ar na ceisteanna eile a bheadh le freagairt. Dá ndéanfaí scrúdú sách géar ar a phas, bheadh a fhios acu nach ceann dáiríre a bhí ann in ainneoin chomh maith is a bhí sé déanta. Chuir sé fainic air féin gan dul sa tseans mar sin arís. An bealach is fearr le trioblóid a sheachaint, ar sé leis féin, ná fanacht glan ar rud ar bith a d'fhéadfadh aird na n-údarás a tharraingt.

Rith imeachtaí na hoíche trí intinn Giorgio in áit an chodlata a raibh sé ag súil leis nuair a shín sé é féin ar a leaba. Bhí sé sásta go raibh an fhírinne inste aige d'Adrienne, ach bhí faitíos air go mb'fhéidir go raibh chaon duine acu curtha i mbaol aige. An mbeadh sí in ann a béal a choinneáil dúnta faoin Éireannach seo a casadh uirthi i bhfad ó bhaile? Céard faoi nuair a bheadh sí i mbun cúlchainte lena cairde nuair a rachadh sí abhaile i gcomhair an taispeántais sin? Go háirithe dá mbeadh sé féin is í féin le chéile go hoifigiúil faoin am sin agus na mná eile ag fiafraí cén saghas duine é. An raibh seans ar bith go bhféadfadh sé dul ar ais go hÉirinn in éindí léi? Ní ar mhaithe le casadh lena mhuintir féin an uair seo, b'fhéidir, cé gur bhreá leis é sin a dhéanamh, ach lena thír dhúchais agus a bhaile a fheiceáil arís. Ní thógfadh sé i bhfad air a fháil amach ar an mbealach sin cé chomh mór is a bhí sé i mbaol anois go raibh síocháin déanta. Nó an imní gan bhrí a bhí air an t-am ar fad?

Dhúisigh Giorgio de gheit. Bhí sé ar nós go raibh coiscéimeanna cloiste aige agus gur stop siad taobh amuigh de dhoras a árasáin. Chuala sé ansin mar a bheadh caint íseal agus shíl sé go raibh cúpla duine taobh amuigh ag barr an staighre agus iad ag fáil réidh le briseadh isteach ina sheomra. Thóg sé amach an gunna láimhe, a bhí faoin bpiliúr gach oíche, agus é faoi réir le caitheamh. Sheas sé siar ar leataobh le nach bhfeicfí é. Bhí sé ar bís agus é ag iarraidh éisteacht leis an gcaint íseal a bhí ag leanacht ar aghaidh taobh amuigh.

Leag Giorgio a ghunna ar an leaba agus tharraing sé air a bhríste agus bróga. Chuaigh sé chomh fada leis an doras, agus lena ghunna crochta ina láimh dheis d'oscail sé an doras go mall lena láimh chlé. Bhí a cholainn cosanta ag an gcoincréit le taobh an dorais an t-am ar fad. Chuir sé an gunna as amharc nuair a thug sé faoi deara cé a bhí taobh amuigh. Ba é fear an phoist a bhí ann agus é ag breathnú sa treo eile agus é ag caint ar fhón póca. Chas sé ina thimpeall nuair a chuala sé doras árasán Giorgio ag oscailt. Bheannaigh Giorgio dó agus dhún a dhoras. Bhreathnaigh sé ar a uaireadóir. Bhí sé beagnach a seacht a chlog ar maidin, é in am aige éirí i gcomhair na hoibre.

Bhí áthas ar Giorgio nach raibh a ghunna feicthe ag an

bhfear eile. Gach seans go n-inseodh sé do na *carabinieri* go raibh an buachaill bó seo ina chónaí i gceann de na hárasáin. Tuilleadh ceisteanna a tharraingeodh sé sin.

Chuir sé air a chuid éadaigh le go mbeadh fáil air i gcás go mbeadh glaoch ar thacsaí. Shín sé é féin siar ar a leaba agus níor dhúisigh sé go dtí thart ar a dó dhéag nuair a tháinig glaoch ón bPrincipe ag iarraidh air grúpa a thabhairt chomh fada le Cearnóg Naomh Marcas.

Bhraith Giorgio breá dúisithe nuair a bhí sé amuigh faoin aer agus a bhád á threorú aige in aghaidh na gaoithe. Bhí air dul ó thaobh go taobh le dul amach as bealach na *vaporetti* agus na *gondole*. B'as Sasana an dream a bhí ar bord an tacsaí leis, ollúna as Oxford de réir an méid eolais a fuair sé uathu. Ba mhór an difríocht idir iad agus na Meiriceánaigh ghlóracha agus na Seapánaigh dheifreacha.

Ní raibh fonn cainte orthu agus bhí Giorgio sásta go maith leis sin. Smaoinigh sé go bhféadfadh sé go raibh mac le duine acu ina shaighdiúir, é maraithe aige na blianta roimhe sin, a thuismitheoirí i ngan fhios gurb é a dtiománaí an snípéir a chuir den saol é. Ní raibh aon rud aige in aghaidh na Sasanach fad is a d'fhan siad amach as a thír féin. Smaoinigh sé ar rudaí a léigh sé i leabhar Ernie O'Malley *On Another Man's Wound*, faoi shoinéid Shakespeare a bheith á léamh ag an údar lá amháin agus saighdiúirí de chuid na tíre as ar eascair an drámadóir clúiteach sin a bheith á marú aige an lá dár gcionn.

B'ionann sin is a rá "Ní rud pearsanta atá anseo, ach tá sibh sa tír mhícheart. Bailígí libh agus beimid sásta libh. Is maith linn bhur bhfilíocht agus ndrámaí. Is maith linn bhur bhfoirne sacair, ach is maith linn a bheith saor ag an am céanna." Is mar sin a d'airigh sé féin le linn a chuid snípéireachta. Bhí jab le déanamh, cogadh le buachan, agus go bhfóire Dia ar an té a tháinig i do bhealach de thimpiste.

Bhí Giorgio ag tnúth leis an lá a mbeadh sé féin agus

Adrienne ag dul go dtí an Guggenheim. Bhreathnaigh sé ar an ngailearaí agus é ag dul thairis, daoine amuigh ar na céimeanna chun tosaigh ag breathnú ar na deilbh a bhí ansin. Cibé céard eile a tharlódh eatarthu, a smaoinigh sé, ní bheadh aon dochar tuiscint níos fearr a fháil ar chúrsaí ealaíne, go háirithe na pictiúir theibí sin nach bhfaca sé bun ná barr, ciall ná réasún iontu.

Chuimhnigh sé ar an Máilleach arís, Ernie, ag foghlaim faoin ealaín tar éis a bhlianta mar shaighdiúir poblachtach. Bhí saol ann i ndiaidh an chogaidh, cibé faoi i ndiaidh an tsaoil ar an talamh. Ba bhreá leis féin dul le snoíodóireacht nó le dealbhóireacht, a cheap sé, ach an deis sin a bheith aige. Ní bheadh meáchan ar bith ar dhuine na cúrsaí sin a thuiscint níos fearr. Cén mhaith a bheith i mbaile na n-ealaíon agus gan tuilleadh a fhoghlaim faoi?

Suite ina bhád ag iarraidh an t-am a chur thart an fhad a bhí sé ag fanacht ar thurasóirí Oxford, chuaigh Giorgio siar ar bhóithríní na smaointe. Ní Giorgio a bhí air ach Pól agus bhí sé thíos faoi Aill na bPéist ag piocadh faochan lena dhearthháir Murcha. Tháinig siad ar chnámha idir na clocha nach raibh a fhios acu ar le duine nó ainmhí iad. Is beag ciall a bhí acu mar thosaigh siad ar na cnámha a chaitheamh lena chéile. Chuadar siar is aniar an trá le cuid de na cnámha is faide á úsáid mar chlaimhte acu, rud a rinne siad go minic cheana le slata mara.

Bhí na slata bog agus na cnámha crua. Bualadh é féin ar thaobh an chloiginn agus shíl sé gur fágadh gan mhothú é ar feadh tamaill. Bhí Murcha an-bhuartha mar go raibh taobh a chloiginn ataithe. Dúirt siad sa mbaile gurbh amhlaidh gur thit sé agus gur bhuail sé a chloigeann faoi chloch. Níor chuimhnigh sé riamh go bhféadfadh sé gur cnámha daonna a bhí iontu go dtí go raibh brionglóidí aisteacha aige ina dhiaidh sin. Bhí sé mar a bheadh a chosa greamaithe in eangach a bhí lán d'éisc. Bhí sé ag snámh agus ag snámh ach níor éirigh leis barr uisce a bhaint amach agus é rite amach as anáil.

Bhí Giorgio cinnte ansin gur cnámha daonna a bhí in úsáid mar chlaimhte acu ar an gcladach an lá sin fadó. Bhí faitíos air é a insint sa mbaile mar go raibh na cnámha scaipthe ar fud na háite acu. Dúirt sé le Murcha é agus chuadar ar ais chuig an áit a rabhadar, ach ní raibh cnámh le fáil in áit ar bith, cé gur tháinig siad ar phíosa eangaí stróicthe. Blianta ina dhiaidh sin, chuala sé Murcha ag insint an scéil sin i dteach ósta nuair a bhí braon maith ólta aige. An rud a ghoill air féin ná gur dhúirt a dheartháir gur aige féin a bhí na brionglóidí aisteacha. Ní raibh a fhios aige cén fáth a ndearna sé féin rud chomh mór de, ach chuimhnigh sé go raibh sé ar buile faoi. Thug sé faoi Mhurcha lá arna mhárach de bharr gur ghoid sé a scéal uaidh. Ba leis féin an scéal. Bhí a fhios aige gur aigesean a bhí na brionglóidí, agus chreid sé nach raibh cead ag duine ar bith a scéal a thógáil uaidh.

Rinne Giorgio iontas nach raibh brionglóideacht den chineál céanna aige faoi na saighdiúirí agus lucht drugaí a mharaigh sé. Níor tháinig duine ar bith acu ar ais len é a scanrú san oíche, agus níor theastaigh uaidh go dtiocfadh. Ba chuimhin leis coinneal a lasadh sa séipéal na blianta fada sin ó shin ar mhaithe leis an mairnéalach a bádh. Más rud é gur bádh é, a smaoinigh sé. Níor tháinig siad ar bhlaosc ar bith. Cá bhfios nach le seanbhó nó asal na cnámha céanna agus nach raibh baint ná páirt ag an mbrionglóideacht lena fhaitíos gur cnámha daonna iad.

Aisteach go leor, is ar na cnámha sin ar an gcladach a smaoinigh Giorgio gach uair a thug sé a bhád thar an *Cimitero*, an t-oileán ar ar adlacadh muintir na Veinéise. San Michele a bhí ar an áit i ndáiríre, ach is é an t-ainm eile, ainm na reilige, a bhí ar an gcé bheag ag ar stop na *vaporetto* agus báid eile. Chuir sé iontas an domhain air an chéad lá a sheas sé isteach ar an oileán sin: uaigheanna ar fud na háite agus boscaí os cionn a chéile inar coinníodh cnámha na ndaoine a tógadh as an talamh le spás a dhéanamh do choirp nua. Lena gceart a thabhairt do mhuintir na marbh, thug siad aire mhaith don reilig, agus bhí bláthanna ar fud na háite.

Dhúisigh a chuid turasóirí óna bhrionglóid lae é. Bhí sé ar nós gur chuir a dturas ar shéipéal mór Mharcais brí agus anam iontu. Bhí siad cainteach, cairdiúil ar an mbealach ar ais go dtí an t-óstán, iad ag magadh faoi chomrádaí leo ar chac ceann de na colúir ar a ghualainn. *"Where there's muck, there's luck,"* arsa Giorgio, leagan cainte nár chuala an dream eile cheana agus a raibh iontas orthu é a chloisteáil ó Iodálach. D'fhág Giorgio ar an aineolas iad, é ag rá leis an té ar thit an cac air, sa mBéarla briotach a chleacht sé nuair a d'fheil sé dó, ticéad *lotto* a cheannacht an tráthnóna sin.

XVI

Chomh luath is a d'fhág Giorgio a hárasán, chuir Adrienne glaoch ar Phatrick, rud nár mhaith léi a dhéanamh nuair a bhí Giorgio sa seomra. Ba bheag nár iarr sí air fanacht, ach thuig sí ina croí istigh go raibh sé sin róluath. Bhí machnamh le déanamh aici faoinar inis sé di níos túisce. Ní raibh sí lánchinnte an raibh an méid a d'inis sé di fíor fiú. B'fhéidir go raibh sé ar dhuine acu sin a d'inis scéalta gaisce nach raibh bun ná barr leo. Ach mhothaigh sí ag an am céanna go raibh a scéal fíor agus gur duine sách macánta é, ach bheadh uirthi dianmhachnamh a dhéanamh air.

Bhí a fhios aici go raibh sé deireanach, ach tar éis a comhrá ar an bhfón le Síle níos túisce san oíche, bhí imní uirthi faoi Phatrick. Ní mó ná sásta a bhí seisean gur dúisíodh é, ag rá nach bhfreagródh sé an fón a bheag ná a mhór murach gur cheap sé gur scéal faoin bpáiste a bheadh ann.

"Tá brón orm a bheith chomh deireanach," a dúirt Adrienne, "ach bhí imní orm fút ó ghlaoigh Síle."

Ba é sin an chéad rud a bhí cloiste ag Patrick faoi sin.

"Ghlaoigh Síle ortsa? Tuige?"

"Mar gur cheap sí go mb'fhéidir go mbeadh a fhios agam cá raibh tú ós rud é nach ndeachaigh tú go dtí an t-ospidéal mar a bhí geallta agat tráthnóna i ndiaidh na hoibre."

"Chuaigh mé go dtí an t-ospidéal," a d'fhreagair sé.

"I bhfad níos deireanaí ná mar a dúirt tú."

"Tá a fhios agatsa níos mó faoina bhfuil ag tarlú sa tír seo ná mise," ar sé.

"Céard a tharla duit?" a d'iarr Adrienne.

"An mbaineann sé leat?" a d'fhiafraigh sé ar ais. "Is tú a deir nach bhfuil tú ag iarraidh baint ná páirt a bheith agat liom."

"Is tusa is túisce a ghlaoigh ormsa," ar sise.

"Míthuiscint a bhí ann inniu," a dúirt Patrick. "Bhí cruinnithe tábhachtachta agam tráthnóna, agus ní raibh m'fhón póca casta air go dtí go mbeidís thart."

"Is mór an trua nár inis tú é sin do Shíle."

"D'inis, bhuel, chuir mé téacs chuici, ach is cosúil nár léigh sí é."

Níor fhéad Adrienne gan sáiteán a chur sa mbean a tháinig idir í agus a fear céile:

"Ó, tá léamh agus scríobh aici?"

"Tá Síle an-mheabhrach."

"Níos meabhraí ná mise atá tú a rá?" arsa Adrienne idir mhagadh agus dáiríre.

"Níl coimhlint eadraibh," a dúirt Patrick, ar mhaithe le síocháin. "Tá sibh ar comhchéim, sa réimse sin den saol."

"Meas tú?"

"Nach aisteach gur fhág tú chomh deireanach seo é le glaoch a chur orm?" a d'fhiafraigh Patrick.

"Shíl mé nach mbeifeá ar ais ón ospidéal go dtí anois."

"Thug siad bata agus bóthar dom fadó anocht, mar theastaigh a codladh ó Shíle, dar leo."

"Ní dhéanfadh sé aon dochar di," arsa Adrienne. "Tá a *beauty sleep* ag teastáil go géar uaithi."

Scaoil Patrick an chaint sin thairis.

"Seans ar bith gur uaigneach atá tú?" a d'iarr sé.

"Is í an fhírinne í go raibh dinnéar agam, agus nár imigh mo chomhluadar go dtí anois. Níl uaigneas orm," arsa Adrienne, "ach a mhalairt ar fad."

"Comhluadar fir, nó cuideachta mná?" a d'fhiafraigh Patrick ar nós cuma liom.

"Ní bhaineann sé leat," ar sise go héadrom, "mar a dúirt tú féin faoi rud eicínt ar ball."

"Is cuma liomsa cén comhluadar atá agat," a dúirt Patrick, "ach ní hiontas ar bith é go mbeinn fiosrach."

"Ná cuireadh sé as duit ar bhealach ar bith."

"Ná cuireadh sé, a dúirt tú? Fear a bhí ann?"

"Ní raibh ann ach caitheamh aimsire," ar sise, "béile beag, buidéal fíona. Tá a fhios agat féin."

"Ach tá sé imithe abhaile anois, déarfainn," a dúirt Patrick, "nó ní bheifeá ag glaoch orm."

"É sin nó tá sé chomh traochta tuirseach tar éis na hoíche nach ndúiseodh rud ar bith é."

"Cá bhfios dom nach ag cumadh scéil atá tú agus uaigneas atá ort i ndáiríre?" a d'iarr Patrick.

"Creid nó ná creid," ar sise, "is cuma liomsa cé acu. Níl uaigneas orm. Déanta na fírinne, ní raibh mé chomh sona sásta le fada. Táim i mbun oibre arís, cúpla pictiúr nua cruthaithe agam le cúpla lá. Fear nua i mo shaol. Céard eile a bheadh uaim?"

"Inis dom faoin bhfear nua seo."

"Bhuel, tá sé cúpla bliain nó trí níos sine ná mé, thart ar an dá scór, b'fhéidir. Ard, tanaí, slachtmhar, stuama, gruaig réasúnta fada, faiseanta liath. Tá sé láidir, cróga . . ."

"An ar an saol seo a fuair tú é, nó an aingeal ó na flaithis atá faighte agat?" a d'fhiafraigh Patrick. "An bhfuil sciatháin droma air, mar a d'fheicfeá ar aingeal sna pictiúir?"

"Ní chreideann tú go bhféadfainn fear ar bith a fháil?"

"Is bean aon fhear amháin tusa," ar seisean. "Bhí a fhios sin agam ón gcéad lá ar casadh ar a chéile sinn."

"Agus is tusa an t-aon fhear amháin sin, is dóigh?" a d'iarr Adrienne go searbhasach.

"Chuirfinn geall nach raibh tú ach le fear amháin fós i do shaol," a dúirt Patrick le cinnteacht. "Céim an-mhór a bheadh ann duitse é sin a athrú, mar tá a fhios agam gur cailín seanaimseartha thú. Nach fíor dom é?"

"Ceapann tú go bhfuil sár-aithne agat orm," a dúirt Adrienne, iontas uirthi ag an am céanna go raibh aithne chomh maith sin aige uirthi. "Ach fan go bhfeicfidh tú."

"Níl an cath caillte fós," ar seisean.

"Creid do rogha rud," arsa Adrienne. "Lean ort ag maireachtáil sa saol nach bhfuil réadúlacht ag baint leis."

Bhí cosúlacht ar Phatrick go raibh sé ag éirí rómhuiníneach:

"Ní bheifeá ag glaoch orm i lár na hoíche, ná ní bheinn ag fanacht i mo dhúiseacht le thú a fhreagairt murach go bhfuil seans fós againn a bheith ar ais lena chéile arís."

D'inis Adrienne glan na fírinne:

"Níor ghlaoigh mé ach mar go raibh faitíos orm go gcuirfeá lámh i do bhás féin an oíche cheana. Is beag nár thug mé d'uimhir do na Samaritans."

"Mise?" a d'iarr Patrick, ar nós gurb é an rud deiridh é a gcuimhneodh sé air. "Ná tabhair m'uimhir d'aoinneach gan cead a fháil uaimse i dtosach."

"Bhí tú dubh dorcha le drochmhisneach," ar sise.

"Bhí beagán an iomarca ólta agam. Sin an méid."

"Is maith liom gur tháinig tú as," a dúirt Adrienne, "ach chuir tú an-imní orm. Bhí cosúlacht ort nach raibh i Síle agus a páiste ach meáchan thart ar do mhuineál."

"Ní raibh mé i bhfad ón marc mar sin. Botún a bhí ann, botún a gcaithfidh mé íoc as an chuid eile de mo shaol. Cé mhéad uair a chaithfeas mé a rá go bhfuil aiféala orm?"

Thug Adrienne foláireamh:

"Ná cloiseadh an páiste sin botún tugtha air go deo ina shaol."

"Nuair a cheap mé go raibh an bás ar an bpáiste céanna an lá cheana, shíl mé go raibh Dia ann, go raibh an rud ceart le tarlú, ach nuair a chuimhnigh mé i gceart air, bhí a fhios agam go mbeadh an-aiféala orm dá dtarlódh tada dó."

"B'fhéidir gurb é sin do dhia, an rud atá in easnamh i do shaol, an páiste sin, dia beag a chuir tú féin ar an saol."

"Faraor nach raibh gasúir ag an mbeirt againn," a dúirt Patrick. "Ach níl muid ródheireanach fós."

"Faraor nach raibh, ach níor theastaigh siad uaitse ag an tús."

"Bhíomar beo bocht ag an am. Cén sórt saoil a bheadh ag gasúir ag teacht ar an saol mar sin?"

"Is fada ó bhíomar beo bocht. Bhí neart aigid againn le cúig bliana anuas, agus níos mó."

"D'fhan tusa ar an b*pill*," arsa Patrick.

"Mar go raibh tusa ag rá fanacht tamall eile. Níor thóg sé i bhfad ort í siúd a chur suas an *spout* nuair a thograigh tú é," a dúirt Adrienne go nimhneach.

Bhí Patrick ag éirí míchompordach agus mífhoighdeach:

"An bhfuil gá leis an gcomhrá seo i lár na hoíche nuair atá lá oibre romham ar maidin? Ní hionann is tusa ar féidir leat éirí ag do rogha am."

Thug Adrienne sáiteán eile dó:

"Níor chreid tú riamh go ndéanann bean obair ar bith."

"Nílim ag rá nach n-oibríonn tú," a d'fhreagair Patrick, "ach gur féidir leat tosú ag péinteáil ag am a roghnaíonn tú féin."

"Nach maith an lá gur scaramar óna chéile, mar ní aontaíonn muid faoi rud ar bith," arsa Adrienne.

"Ach maireann an grá, in ainneoin na n-argóintí."

"Go dtí go gcuireann mídhílseacht deireadh leis," ar sise.

Leag Adrienne uaithi an fón, í ar buile léi féin gur ghlaoigh sí ar Phatrick a bheag ná a mhór. Ag iarraidh a bheith cineálta a bhí sí, agus is trína chéile a chríochnaigh sí. Thuig sí gur beag codladh a bheadh aici ina dhiaidh sin agus an méid a bhí cloiste aici ó Ghiorgio ag tús na hoíche. Bhí a hintinn ina cíor thuathail. Sheas sí amach ar an mbalcóin agus bhreathnaigh sí ar an gcathair nach raibh ina codladh, ach an oiread léi féin. Bhí báid fós ag gluaiseacht, daoine ar na sráideanna agus na lánaí, madraí ag tafann, éin i mbun a gcuid ceoil féin.

Tuige nach raibh sise in ann fear stuama staidéarach, gan aon bhagáiste, a fháil di féin? a smaoinigh sí.

Rinne Adrienne meangadh gáire agus í fós ag cuimhneamh ar an gcineál fir a thaitneodh léi nuair a bhí giúmar mar sin uirthi: aclaí, dea-dhéanta, balbh, iontach i mbun gnéis. Den chéad uair ó scar sí féin agus Patrick, d'airigh sí uaithi an grá fisiciúil, agus an pléisiúr agus an sásamh a d'fhág sé sin ina dhiaidh. Gháir sí arís agus í ag ceapadh: "Stail a bheadh uaim a d'fhéadfainn a sheoladh ar ais chun an stábla nuair a bheinn réidh leis."

Is ar ócáidí mar sin a d'airigh Adrienne uaithi na toitíní. Ba bhreá léi agus í ina seasamh ag breathnú amach ar an gcathair leoithne ghaoithe trína cuid gruaige, dá mbeadh toitín ina láimh aici, í ag análú an deataigh agus á scaoileadh amach trína béal agus a polláirí. Thabharfadh sé sin suaimhneas di. Mar go raibh an toitín in easnamh, tharraing sí anáil mar a dhéanfadh sí nuair a bhí tobac á chaitheamh aici agus scaoil sí amach go mall réidh arís é. Mhothaigh sí i bhfad níos fearr tar éis tamaill gan smaoineamh ar Phatrick ná Giorgio ná Síle, ná duine ar bith eile. Dhírigh sí a haird ar an gcéad phictiúr eile a dtabharfadh sí faoi: pictiúr a léireodh atmaisféar na cathrach i lár na hoíche. "Radharcanna ón mbalcóin" a bheadh mar theideal ar a céad taispeántas eile. Bhí a fhios aici ansin go raibh sí réidh le dul a chodladh.

XVII

Bhí sceitimíní arís ina bholg ag Giorgio ar maidin Dé Domhnaigh agus é ag fáil faoi réir le dul chuig gailearaí Guggenheim le hAdrienne. Nuair a bhí a chuid éadaigh is fearr á gcur air aige, smaoinigh sé ar a bheith ag réiteach d'aifreann an Domhnaigh fadó: a mháthair ag cinntiú go raibh snas ar a chuid bróg agus a chuid éadaigh coinnithe glan sách fada le go mbeadh an séipéal bainte amach acu ar a laghad. Ba mhó arís ná sin an réiteach a theastaigh nuair a bhí sé ina fhreastalaí aifrinn: an mála lena chuid éadaigh réitithe ó thráthnóna Dé Sathairn. Bhí ráiteas ag a mháthair go mbíodh cuid den tSatharn tirim i gcónaí "le haghaidh léine an tsagairt a thríomú".

B'fhíor di freisin, mar níor chuimhnigh sé ar Shatharn ar bith a bhí fliuch ó mhaidin go faoithin, cibé faoi lá ar bith eile den tseachtain. An rud is mó a chuir iontas air ag an am ná nach raibh an sagart in acmhainn an dara léine a cheannacht in ainneoin gur cuireadh ciseán thart ar fud an tséipéil chuile Dhomhnach le hairgead a bhailiú dó. Ní hiontas ar bith go mbíodh boladh stáirse óna chuid éadaigh dubha, chomh maith le boladh a thug meascán de dheatach tobac agus túis altóra chun cuimhne. Boladh naofa a thug sé air sin ina intinn féin ag an am.

Ach ba mhór idir an lá inné agus an lá inniu, mar nach raibh sé i dteampall nó séipéal ach amháin le breathnú ar phictiúir sa séipéal ar choirnéal na cearnóige móire ó d'fhág sé an baile. Ba é an t-aifreann deireanach a raibh aon bhaint aige leis ná aifreann a shochraide féin, ag a raibh sé ceaptha a bheith sa gcónra. Bhí málaí gainimh mar bhallasta ina áit. Nuair a bhí sé óg, is beag a cheap sé go bhféadfadh saol gan chreideamh a bheith aige agus nach n-aireodh sé rud ar bith a bhain leis uaidh, ach an ceol corruair, b'fhéidir, chomh maith le boladh na túise.

Chreid Giorgio gur bhásaigh rud eicínt istigh ina chroí agus ina anam an lá a mharaigh sé a chéad saighdiúir. Shíl sé roimh ré go mbeadh áthas agus gliondar air, ní de bharr duine a mharú, ach as an targaid a aimsiú, an tasc a chríochnú. Déanta na fírinne, níor mhothaigh sé ach déistin leis féin ina dhiaidh. Bhí sé ráite ag ceannaire na nÓglach a bhí mar threoraí acu go n-imeodh na mothúcháin sin de réir a chéile, agus nach mbeadh i namhaid a chaitheamh ach mar a bheadh sionnach a mharú a bhí i ndiaidh na gcaorach. B'fhíor dó.

Chruaigh a chroí de réir a chéile, agus bhain sé úsáid as na huafáis a rinne an taobh eile lena choinsias a shásamh maidir leis an tsnípéireacht. Ní bheadh le cloisteáil aige ach faoin drochíde a thugadh saighdiúirí nó póilíní do ghnáthdhaoine a ghabh siad, nó go mbeadh fonn air a chéad targaid eile a aimsiú. Ní éisteadh sé leis an raidió ar feadh seachtaine ina dhiaidh ach lena fháil amach ar bhain a urchar ceann cúrsa amach.

Bhí an ghráin aige ar lucht eaglasta agus stáit a chloisteáil i mbun cáinte ar lucht poblachtach. Níor thuig siad gur cogadh a bhí ar bun, agus gur saighdiúirí a bhí sna hÓglaigh chomh maith le hArm na Breataine. Bhí an eaglais sásta saighdiúirí a bheannú ar a mbealach chun cogaidh i Vítneam nó san Iaráic, ach ní raibh caint ar bith ar dhream a bhí ag troid ar mhaithe lena gcine agus lena gcreideamh a chosaint, a bheannú. Ní hiontas ar bith é gur chaill sé a mhuinín ar fad san eaglais agus sa gcreideamh.

Is mar sin a bhí riamh agus a bheas go deo, a cheap

Giorgio. Ní rómholta a bhí na hÓglaigh aimsir an Éirí Amach i 1916 agus ina dhiaidh, ach tháinig an lá a glacadh leo agus tugadh ardmholadh dóibh. Bhí leacht le taobh na haltóra san áit ar rugadh is ar tógadh é féin ag rá gurbh iad an IRA a d'íoc as ráillí an tséipéil nuair ar éigean a ligfí isteach sa teampall féin iad leathchéad bliain roimhe sin. Ní raibh cead brat na Poblachta a chur ar a chónra féin le linn a shochraide sa séipéal céanna – ba chuma, bhí an chónra folamh. Ach an mhaidin Dé Domhnaigh seo, ní comaoineach a bhí mar chuspóir anois aige ach caidreamh le bean. Chuimhnigh sé gur ar an lá inniu a ba cheart dó a bheith ag machnamh agus ní ar an am a bhí caite. Bhí bean óg álainn chun an lá a chaitheamh ina chuideachta agus is ar chogadh agus cathanna a bhí a intinn.

Scaoil leis an aimsir agus leis an saol atá caite, ar sé leis féin.

Shíl Giorgio go raibh Adrienne ag breathnú go hálainn i ngúna éadrom gorm. Bhí bróga ísle den dath céanna ar a cosa, cosúlacht uirthi gur ag gluaiseacht ar aer a bhí sí. Lá breá gréine a bhí ann, an sórt aimsire a d'ardaigh croí chuile dhuine go hiondúil. Rug sé ar láimh ar Adrienne le nach mbeidís scartha óna chéile i measc na sluaite, agus choinnigh sí greim daingean ar an láimh sin. Ní raibh a bhád tugtha leis ag Giorgio, le sos a fháil ón obair agus gach ar bhain léi.

Chuadar ar *vaporetto* tríd an gcathair, faoi na droichid mhóra go dtí gur tháinig siad chuig an gcé ba ghaire don Guggenheim. Ba mhó daoine a bhí ar na sráideanna agus sna háiteacha poiblí ar an Domhnach ná lá ar bith eile den tseachtain, muintir na háite amuigh ag siúl chomh maith leis na turasóirí. Bhí scuaine rompu ar an mbealach isteach. Bhí na freastalaithe mall mar go raibh orthu málaí na ndaoine a thógáil uathu agus a chur in áit shábháilte, ar fhaitíos buamaí. Bhí an ceacht sin foghlamtha ag Adrienne mar gheall ar a taithí ar áiteacha den chineál céanna, agus ní raibh mála ar bith tugtha léi aici.

"Céard a tharlós má bhíonn ort smidiú a chur ort féin arís?" a d'iarr Giorgio go magúil. "Is ar éigean a fheictear bean ar bith ag dul thart gan mála ar iompar aici."

"Ní chaithim péint nó plástar den sórt sin a bheag ná a mhór," an freagra a fuair sé. "Níl an méid sin féin tugtha faoi deara fós agat? Is fada ó bhotox a tógadh mise."

"Ní ar an éadan amháin a bhí mé ag breathnú go dtí seo, ach ar an mbean ina hiomláine," ar seisean go plámásach. "Tá sé soiléir nach bhfuil a leithéid ag teastáil."

"Níl tú ag breathnú anois ach an oiread," arsa Adrienne, méaracha á gcur chun a súl, áit a raibh roicne beaga. "Ach is cuma liom sa diabhal. Ní féidir an aois a sheachaint."

"Tá sé déanta agamsa," a dúirt Giorgio go gaisciúil, mar dhea. "Nach gceapann tú go bhfuil cosúlacht an leaid óig orm? Fear óg nár phós riamh, mar a deir siad sa mbaile."

Rinne Adrienne gáire.

"Cosúlacht an leaid, ceart go leor, na leaideanna a ólann lágar agus a chaitheann go dona le cailíní mar nach bhfuil aon mheas acu orthu."

"Céard atá tú a rá? Ní leaid den sórt sin mise. Is maith liomsa mná," arsa Giorgio.

"Is maith leat iad le hoíche a chaitheamh leo agus le do phléisiúr a fháil," a dúirt Adrienne.

"Nach raibh mé i do chuideachta an oíche cheana agus níor smaoinigh mé ar a leithéid?"

"Tá rud eicínt mícheart leat murar smaoinigh," a dúirt Adrienne, ag gáire.

"Is air sin a bhí tusa ag smaoineamh?" a d'iarr seisean, ar nós go raibh iontas air. "Tuige nár dhúirt tú liom é?"

"Bíonn mná difriúil," ar sise, "*ladies* go háirithe. Ní smaoiníonn muid ach ar na rudaí is deise agus is uaisle."

Deamhan rud níos deise ná é sin," arsa Giorgio. "Má táim in ann cuimhneamh i gceart air."

"Ní dóigh liom go mbíonn tú i bhfad gan cuideachta na mban," arsa Adrienne.

"Níl spéis agam ach i mbean amháin ag an nóiméad seo."

"Bean amháin ag an am," a d'fhreagair Adrienne, "agus bean amháin eile agat lá arna mhárach."

"Céard faoi *ladettes*?" a d'iarr Giorgio. "Nach é sin a thugann siad anois orthu? Mná a bhfuil dearcadh ar nós na bhfear acu."

"Cá bhfios duit céard a thugann siad orthu," a d'iarr Adrienne, "agus tú i bhfad ó bhaile?"

"Bíonn páipéir Shasana le fáil ar an mbaile seo chomh maith le chuile bhaile eile ar domhan," a d'fhreagair Giorgio. "Agus tá an t-idirlíon ann, ar ndóigh."

Bhí an scuaine ag dul ar aghaidh go mall, cuid de na daoine ag éirí mífhoighdeach agus ag imeacht leo, rud a thug deis d'Adrienne agus Giorgio cúpla céim eile a thógáil chun tosaigh.

"Is dóigh go bhfuil tusa tuirseach ag teacht anseo," a d'iarr Giorgio ar ball. "An bhfuil na hionaid ealaíne uilig sa gcathair siúlta agat faoin am seo?"

"Roinnt acu, ach tá go leor le siúl fós, go háirithe na gailearaithe beaga sráide ina bhfuil an obair is nua ar fáil."

"Pictiúir nua-aimseartha is dóigh, chomh maith le bheith nuadhéanta?" a d'fhiafraigh Giorgio.

"Tháinig mé ar cheann acu an lá cheana, le péintéir as Sasana. Pictiúir de mhná den chuid is mó, dathanna áilne. Thaitneoidís go mór leatsa," a dúirt Adrienne.

"Tuige?" a d'iarr Giorgio. "Mar nach bhfuil siad teibí?"

"Mar go bhfuil neart feola agus craicinn le feiceáil iontu, gan trácht ar chíocha móra."

"Cá bhfios go n-aithneoinn iad sin ach an oiread? Is fear óg gan aon urchóid mé, as áit iargúlta."

"An as sin a thug tú leat an béal bocht?"

"Ní hé mo bhéal amháin atá bocht, ach mo phóca chomh maith," a dúirt Giorgio.

"Tar éis an méid bancanna a robáil sibh," a dúirt Adrienne.

Ní raibh Giorgio ag gáire an uair seo. Bhreathnaigh sé ina thimpeall ach ní raibh cosúlacht ar aoinneach gur chuala siad focal.

"Céard sa diabhal atá ort?" ar sé go feargach. "Tuige nach bhfógraíonn tú ar an raidió agus an teilifís agus ar an idirlíon é?"

"Gabh mo leithscéal," a dúirt Adrienne, cloigeann fúithi le náire.

"Seachain caint den sórt sin." Dúirt Giorgio na focail "Más é do thoil é" go híseal ach go han-soiléir.

Tar éis d'Adrienne a rá go raibh aiféala uirthi arís, is beag eile a dúirt ceachtar acu go raibh siad taobh istigh den ghailearaí. Fuair siad gléas le cur ar a gcluasa le go gcloisfí cur síos ar na pictiúir agus na píosaí eile ealaíne ina rogha teanga. Nuair a rinne Adrienne iarracht pictiúir Picasso agus Braque a phlé le Giorgio shín sé a mhéar i dtreo an ghléis ar a chluasa, ar nós go raibh a dhóthain eolais ar fáil ansin. Bhí a fhios ag Adrienne gur pus a bhí air, agus bhí sé ar intinn aici é a fhágáil ansin agus siúl léi dá leanfadh sé air ar an gcaoi sin. Níor bhain *L'angelo della citta* aon gháire amach an uair seo, mar a tharla an uair dheireanach a bhí Adrienne san áit. Bhí cosúlacht ar Giorgio go raibh sé chomh tógtha leis an méid a bhí sé a chloisteáil ina chluaisíní nach raibh suim aige in aon rud eile.

"An mbeidh pus ort anois ar feadh an lae?" a d'fhiafraigh Adrienne de nuair a bhí siad suite ag ól caife ar thaobh na sráide tar éis dóibh an dánlann a fhágáil.

"Pus?" arsa Giorgio ar nós go raibh iontas air.

"Tá brón orm," ar sise. "Ní dhéanfaidh mé tagairt go deo arís dó, tá a fhios agat féin."

"Ceist bás nó beatha a d'fhéadfadh a bheith ann," a dúirt Giorgio agus é lándáiríre. "Tá brón orm gur mar sin atá, agus thuigfinn do chás mura dteastaíonn uait mé a fheiceáil arís."

"Botún a bhí ann," ar sise. "Ní raibh mé ag cuimhneamh i gceart." Shín Adrienne a lámh trasna an bhoird. "Cairde?" a d'iarr sí.

Rug Giorgio ar láimh uirthi agus bhreathnaigh isteach ina súile gan aon rud a rá ar feadh tamaill. Dúirt sé ar ball:

"Is maith liomsa thú, ach níl mé ag iarraidh trioblóid a tharraingt ort. Ná ar cheachtar againn."

Sheas Adrienne agus dúirt: "Ba mhaith liom dul ar ais go dtí an t-árasán anois."

"Más é sin atá uait," a dúirt Giorgio, díomá le tabhairt faoi deara ina guth. "Ní fheicfidh mé arís thú mar sin?"

"An bhfuil tusa dúr nó céard?" a d'fhreagair Adrienne, ag breith ar láimh air go mífhoighdeach. "Mura dtuigeann tú céard atá i gceist agam, fan san áit a bhfuil tú."

Cé is moite den am a chaith siad ar an *vaporetto* ag pógadh a chéile, is ag rith is mó a bhí Adrienne agus Giorgio. Stop siad ar an staighre le pógadh arís, agus chomh luath is a bhíodar taobh istigh den doras, bhíodar ag baint na n-éadaí dá chéile. Is ar an urlár i lár an tseomra suite a chríochnaigh siad, lomnocht, i bhfostú ina chéile.

Bhí sé thart beagnach chomh luath is a thosaigh sé, náire ar Giorgio nach raibh sé in ann leanacht ar aghaidh.

"Tá brón orm. Tá náire an domhain orm," a dúirt sé.

Thug Adrienne an phóg is milse a bhí ar a cumas dó.

"Bhí sé iontach. Bhí sé thar cionn."

"Bhí sé ina phraiseach," ar seisean, agus chorraigh sé ón áit a raibh sé, ag iarraidh sásamh a thabhairt d'Adrienne lena theanga.

"Ná bac leis," ar sí, a lámha á bhfáisceadh aici ina thimpeall ag iarraidh é a tharraingt níos gaire di, dá mb'fhéidir léi. "Nach bhfuil an lá ar fad againn lena aghaidh sin? Beir ar an nóiméad. Bain taitneamh as a bhfuil againn i láthair na huaire. Is fada ó bhraith mé na mothúcháin atá istigh ionam anois."

"Bhí an iomarca deifre orainn."

"Ní raibh. Bhí an deifir agus an rith agus an turas ar an mbád ina chuid de. Bhí sé iontach ar fad."

Rinne Giorgio gáire beag.

"Má tá sé chomh furasta sin thú a shásamh . . ." a dúirt sé.

"Ní mar a chéile a tharlaíonn rudaí ó lá go lá, ach fad a bhaineann sé liomsa bhí sé sin foirfe. Bhí chaon duine réidh ag an am céanna, agus is é an rud céanna a bhí uainn."

"Is tú a thosaigh é," arsa Giorgio. "Is amhlaidh a cheap mise go raibh tú ar tí bata is bóthar a thabhairt dom."

"Níl mé ag rá nár chuimhnigh mé air nuair a bhí pus ort istigh sa ngailearaí, ach nuair a bhreathnaigh mé ort, bhí cosúlacht an bhuachalla óig neamhurchóidigh ort."

"Caithfidh mé an chuma sin a chur orm níos minicí," a dúirt Giorgio.

Phóg Adrienne ar an mbéal é. Bhreathnaigh sí isteach ina shúile agus dúirt:

"Níl a fhios agam céard atá i ndán dúinn. Tá a fhios agam na deacrachtaí, ach is in éineacht leatsa thar dhuine ar bith ar an saol ba mhaith liom a bheith ag an nóiméad seo."

Scaoil Giorgio an greim láimhe a bhí ag Adrienne ina thimpeall agus lig sé a mheáchan anuas ar a uillinn.

"Ba mhaith liomsa an lá seo agus chuile lá de mo shaol a chaitheamh i mbun grá leatsa," a dúirt sé. "Leanacht orainn mar a thosaíomar."

"Gabh i leith," arsa Adrienne. "Tá an leaba níos compordaí ná an áit seo. Chuadar chomh fada leis an leaba agus thógadar go réidh é. Ní raibh cúis náire ar bith ag Giorgio an uair seo, agus thit sé ina chodladh ar an toirt nuair a chríochnaigh sé.

D'fhan Adrienne i ngreim ann go ceann i bhfad i lár na leapa agus bhrúigh sí í féin ar leataobh ansin le go bhfeadfadh sí breathnú ar a aghaidh agus é ina chodladh. Bhí sé ráite aici go minic le Patrick go raibh a bpósadh thart ach bhí a fhios aici anois go raibh i ndáiríre. Is beag a cheap a fear céile, a smaoinigh sí, nuair a dúirt sé nach mbeadh sí le fear ar bith eile gur ag an nóiméad sin a thograigh sí a bheith le Giorgio. Ní hé gur chreid sí gurb é Giorgio grá a saoil ach ag an nóiméad seo ba é. Bhí sí saor ón seansaol. Bhí an ceangal deiridh briste.

Ina luí ansin ag breathnú ar a leannán, chuimhnigh Adrienne nach raibh aon iarracht déanta acu gin a sheachaint, agus níor theastaigh uaithi go ndéanfaí. Chuirfeadh sí fáilte roimh pháiste, fiú dá gcaithfeadh sí é a thógáil léi féin. Ní raibh sí ag iarraidh aon rud ón bhfear seo ach cuideachta agus comhluadar agus a raibh acu i rith an lae sin. Ba leor sin. Bliain ó shin bhí sí pósta agus réasúnta sásta ina saol. Is beag a cheap sí ag an am go mbeadh a pósadh scriosta agus bean eile ag súil le páiste a fir chéile agus í lonnaithe i saol nua ar fad i bhfad ó bhaile. Ní bheadh aici ach aon saol amháin agus bhí sé ar intinn aici chuile lá den saol sin a chaitheamh go huile is go hiomlán.

Bhí Giorgio ag srannadh agus bhí diabhlaíocht ag borradh i gcroí Adrienne agus í ag breathnú air. Is ar éigean a bhí gnéas aici féin agus ag Patrick faoi thrí in aghaidh na míosa sna blianta deireanacha. Bhí a fhios aici cén fáth nuair a fuair sí amach faoi Shíle. Bhí sí ag smaoineamh anois é a bheith aici faoi thrí in aon thráthnóna amháin.

"An bhfuil tú ar *viagra* nó céard?" a d'iarr sí ar ball nuair a bhí sí thíos faoi agus é fós ag tabhairt pléisiúir gan staonadh di.

"Bhí mé ag rá liom féin an chéad uair gur faraor nach raibh," a d'fhreagair sé.

"Tá ag éirí thar cionn leat ar chuile bhealach dá huireasa," arsa Adrienne ag gáire. Cibé céard a rinne an gáire leo, scaoil Giorgio leis an méid a bhí ag brúchtáil istigh ann, agus luigh ar a thaobh ar nós go raibh sé leathmharaithe. Phóg Adrienne ar an mbéal é arís is arís eile.

Chodail siad an chuid is mó den tráthnóna. Thart ar a seacht a chlog, d'éirigh Adrienne agus chuir sí fios ar *phizza* mór millteach. D'ith siad an *pizza* sa leaba, píosaí á dtabhairt acu dá chéile ar nós gur sórt comaoineach a bhí ann. Thiteadar ina gcodladh arís i mbruscar agus smionagar an *phizza*. Dhúisigh siad faoi dhó le linn na hoíche agus leanadar leis an bpaisean agus pléisiúr a bhí acu níos túisce.

Thug Giorgio caife d'Adrienne sa leaba ag a seacht a chlog ar maidin lá arna mhárach.

"Go raibh maith agat, a stór," a dúirt sí, a caife á ól go mall aici. "Fanfaidh tú liom ar feadh an lae?"

Bhreathnaigh Giorgio ar a uaireadóir. "Beifear ag cur fios orm go dtí an t-aerfort agus chuile áit."

"Abair leo go bhfuil tú tinn. Le tinneas an ghrá. Ach ná habair an dara cuid den ráiteas sin leo," arsa Adrienne.

"Is fada ó bheith tinn atá mé. Ní raibh mé chomh sláintiúil riamh i mo shaol," ar sé, "rud atá cruthaithe agam cúpla uair nó trí, más ceadmhach dom é a rá."

"Ach níl a fhios acu é sin sna hóstáin nó ag an aerfort. Abair leo go bhfuil tú traochta tuirseach, ach ná habair leo cén fáth."

"Caithfidh mé leath lae a dhéanamh ar a laghad," a d'fhreagair Giorgio, "nó beidh mé i dtrioblóid leis an bPrincipe."

"Ná bí rófhada, agus beidh mise ag fanacht leat nuair a fhillfeas tú," arsa Adrienne, ag éirí sa leaba le póg a bhaint de.

"Agus ná bí ag déanamh an iomarca cainte leis na mná óga Seapánacha."

"Ní bheidh ar m'intinn ach an t-aon bhean amháin."

"Giorgio," a d'iarr Adrienne, "cén t-ainm a baisteadh ort?"

"Pól a thug siad orm sa mbaile," ar seisean.

"Ba mhaith liom an t-ainm sin a thabhairt ort," ar sise, ag séideadh póg chuige agus é ag siúl i dtreo an dorais.

XVIII

Chuaigh Pól ar ais go dtí a árasán féin le heochracha a bháid a fháil sula dtosódh sé ar a lá oibre. Bhí imeachtaí an lae agus na hoíche roimhe sin chomh mór sin ina intinn nár ghlac sé leis an bhfoláireamh a fuair sé ina chuid mothúchán nuair a bhraith sé nach raibh an glas ar an doras mar a bhí go hiondúil. Bhí air an eochair a chorraí sular oibrigh sí. Ní mórán a bhí ann ach chuirfeadh sé fainic air lá ar bith eile. Chomh luath is a bhí a dhoras oscailte aige fuair sé boladh: boladh daonna agus boladh na contúirte ag an am céanna. Chuir sé ar bís é, ach bhí sé ródheireanach. Bhí bairille fuar gunna lena mhuineál agus bhí fear sé troithe go leith ar airde ag teacht amach ón seomra folctha.

"Cá bhfuil an t-airgead?" a d'iarr an fear ard go séimh i mBéarla, ar nós gur ag caint ar an aimsir a bhí sé. Canúint Bhaile Átha Cliath a bhí aige. Ghlac Pól leis go mbeadh sé marbh cheana dá mba lucht na Gluaiseachta a bhí iontu. Lucht drugaí, a smaoinigh sé. Bhí naimhde aige ina measc siúd chomh maith.

In Iodáilis a labhair Pól, ar nós nár thuig sé focal.

"Ní chuirfidh tú dallamullóg ar bith orainne," arsa an fear mór go héadrom. "A Phóil, a Ghiorgio, cibé acu is fearr leat. Níor fhreagair tú mo cheist: Cá bhfuil an t-airgead?"

D'fhreagair Pól a cheist le ceist eile:

"Cén t-airgead?"

"Ní gá a bheith cúthalach linne," a dúirt an fear ar a

aghaidh amach ar nós gurb é an cara is fearr a bhí aige é. "Tá a fhios againn chuile rud fút."

"Níl aon airgead agam ach mo phá tacsaí," a d'fhreagair Pól. Téigh ag cuardach más maith libh."

"Ná habair go gcaithfidh mé é a bhualadh asat."

Bhreathnaigh an fear mór ar dhorn a dheisláimhe, ar nós go gcuirfeadh sé seo pian níos mó air féin ná ar Phól. Brúdh an gunna isteach i gcúl a chinn. Shíl Pól go raibh caolseans aige teacht slán an fhad is gur cheap siad go raibh airgead aige. Bheidís fágtha dá uireasa dá gcuirfí chun báis é. Den chéad uair ina shaol, bhí súil aige úsáid a bhaint as an traenáil a tugadh dó nuair a chuaigh sé sna hÓglaigh i dtosach báire. Bhí an ráiteas "Ná tabhair aon eolas nach bhfuil gá leis" ina chuid thábhachtach den traenáil sin. D'fhreagair sé:

"Tá an fear mícheart agaibh, déarfainn. Níl a fhios agam cén t-airgead atá i gceist agaibh, a bhuachaillí."

Fuair Pól leidhce san éadan ón bhfear mór.

"Ná tabhair buachaill ar mo chailín. Ach ní bheadh a fhios sin agat, ar ndóigh, mar go bhfuil taobh thiar díot. Ach tá a fhios aici leis an ngunna sin a úsáid."

"Tá brón orm," arsa Pól, chomh dána le rud ar bith, ar nós nach raibh aiféala ar bith air i ndáiríre. "Ní raibh a fhios agam."

D'fhiafraigh an fear mór:

"Ní raibh a fhios agat gur cailín í, nó ní raibh a fhios agat go dtiocfaimis sa tóir ar ár gcuid airgid?"

"Níor ghoid mise airgead ó dhuine ar bith," an freagra a thug Pól. "Ní naomh mé, ach ní gadaí mé ach an oiread."

"Cuimhnigh, cuimhnigh." Bhuail mo dhuine Pól ar an dá leiceann go sciobtha i ndiaidh a chéile. "Céard a rinne tú le hairgead an Mhajor? Cár chuir tú i bhfolach é?"

Bhí a fhios ag Pól cé hé an Major, ceannaire lucht drugaí. Ba é a chuir an Major céanna chun báis, ceart go leor, le hurchar ó thrí chéad slat isteach i dtaobh a chloiginn agus é ina shuí ina ghluaisteán. Nuair a iarradh air an jab a dhéanamh i dtosach, shíl sé gurbh é John Major, Príomh-Aire na Breataine ag an am, a bhí i gceist. Ach fuair sé amach cérbh é an Major eile agus an dochar a bhí á dhéanamh aige mar mhangaire drugaí. Rinne sé staidéar ar a chuid gluaiseachtaí ar feadh coicíse le go mbeadh deis aige scaoileadh leis ó achar réasúnta fada. D'éirigh leis.

"Ní raibh mé i bhfoisceacht cúpla céad slat don Mhajor riamh. Sin í an fhírinne," a d'fhreagair Pól go cinnte. Shíl sé nach raibh aon mhaith séanadh gurbh é a chuir chun báis é, mar go raibh a fhios ag madraí an bhaile é.

"Cá ndeachaigh a chuid airgid murar tusa a thóg é?" a d'iarr an fear mór go bagrach.

D'inis Pól an fhírinne:

"Ní raibh a fhios agam go raibh aon airgead ar iompar aige."

Labhair an cailín ar a chúl de chéaduair:

"Bhí an t-airgead sa gcarr aige, cúig chéad míle den sean-airgead."

"Bheadh a fhios ag Sandra," arsa an fear mór, "mar is í a iníon í, agus níl sí ag iarraidh ach a bhfuil ag dul di."

"Tharla sé seo blianta fada ó shin," a dúirt Pól. "Tuige nach ndeachaigh sibh sa tóir air go dtí seo?"

"Mar go raibh tusa ar shlí na fírinne, mar dhea," a dúirt an fear mór. "Go dtí gur aithin duine muinteartha linn thú ar an mbealach ón aerfort roinnt seachtainí ó shin. B'ionann sin is an *lotto* a bhuachan fad a bhaineann sé le Sandra."

"Díoltas atá uaithi?" a d'iarr Pól.

An fear mór a d'fhreagair:

"Uacht a hathar atá uaithi: leathchéad míle punt, cibé céard é sin sna euros? Cuir boilsciú san áireamh. Abair deich míle san iomlán. Tabhair é sin dúinn agus beimid imithe ar nós na gaoithe."

"Cibé cé a thóg an t-airgead, ní mise é," a dúirt Pól. "Chaith mé an t-urchar, mar gurbh é sin an t-ordú a tugadh dom, ach d'fhág mé an láthair ar an bpointe. Ní dheachaigh mé i ngar don ghluaisteán, mar is ag iarraidh contúirt a sheachaint a bhí mé."

"An bhfuil tú ag rá gurbh iad na Gardaí a thóg é?" a d'iarr an fear mór.

"Cá bhfios domsa nach *gurrier* beag de ghasúr a thóg é?" an cheist a chuir Pól ar ais.

Fuair sé leidhce eile san éadan. Bhraith Pól go raibh a shrón briste. Bhí fuil ag rith síos ina bhéal. Sa mbolg a fuair sé an chéad bhuille eile.

"Stopfaidh sé seo nuair a inseos tú an fhírinne," a dúirt an fear mór, ar nós dochtúra ag cur comhairle air.

Labhair an cailín:

"Nach agam a bheas an sásamh, cloigeann an té a chaith mo Dheaide a shéideadh."

"Déan anois é, agus faigh réidh liom," a deir Pól, fios aige gurbh é an cárta is fearr a bhí aige ná gur cheap siadsan fós go raibh a gcuid airgid aige. Thug sé leide beag:

"An scaoilfeadh sibh saor mé dá mbeinn in ann airgead a fháil?"

"Anois atá tú ag caint," arsa an fear. "An té a dúirt nár thóg sé airgead ar bith . . ."

"Níor thóg ach an oiread," a d'fhreagair Pól. "Ach tá a fhios agam cá bhfuil fáil ar airgead. Nach cuma libhse cá bhfuair mé é."

"Cé mhéad?" a d'iarr an cailín.

"Cá bhfuil sé?" a d'iarr an fear.

"Thart ar thrí chéad míle, nó gar go maith dó" a dúirt Pól. "Ach níl sé agam anseo."

Labhair an fear mór ar nós go raibh sé foighdeach ach thug sé buille eile san éadan do Phól ag an am céanna agus é ag rá go híseal trína chuid fiacla:

"Ní leor sin."

"Sin a bhfuil agam," arsa Pól. "Ní féidir airgead a bhaint as tornapa, mar a deireadh mo mháthair fadó."

"Fág do mháthair as," arsa an fear. "Cá bhfuil an t-airgead?"

"Caithfimid dul amach sa mbád len é a fháil."

"Banc na farraige," ar seisean go searbhasach, ag tabhairt buille eile do Phól sna heasnacha.

"Níl tú ag ceapadh go mbeadh sé sa mbanc agam? Tá sé in áit atá i bhfad níos sábháilte. Tá sé ceangailte faoin uisce i bpota gliomaigh," arsa Pól.

"Cá bhfuil an bád seo?" a d'iarr an cailín.

"Tá sí ceangailte thíos ag an doras."

"Gabh i leith uait," a dúirt an fear. "Tabhair ann muid."

Thaispeáin Pól an fhuil ar a lámha agus ar a aghaidh.

"Beidh chuile dhuine ag breathnú má théim amach mar seo."

"Cleas," a dúirt an cailín.

Dhoirt an fear mór uisce as an gciteal isteach i mbáisín agus d'ordaigh sé do Phól é féin a ghlanadh. Rinne Pól leathghlanadh ar a aghaidh le tuaille garbh. Thóg Sandra léine a bhí ar chúl cathaoireach agus chaith chuige é.

"Cuir ort é sin."

Chuir siad iachall ar Phól siúl rompu chomh fada leis an mbád, an gunna i bhfolach faoina cóta ag an gcailín.

"Más cleas atá anseo," arsa an fear, "íocfaidh tú go daor as."

"Fan soicind," a dúirt Pól nuair a bhíodar leath bealaigh síos an staighre. Tháinig gunna Sandra aníos agus dhírigh sí ar a dhroim é, a cóta os a chionn:

"Céard atá anois ort?" ar sí.

"B'fhearr fanacht go titim na hoíche," a dúirt Pól.

D'iarr an fear mór cén fáth agus mhínigh Pól go bhfeicfí an triúr acu sa mbád le chéile, agus gurbh é sin an chéad rud a d'inseofaí do na póilíní dá bhfaighfí a chorp amuigh sa gcuan.

"Ná bíodh aon imní ort," a dúirt an fear. "Tiocfaidh tú ar ais chuig talamh tirim cibé céard a tharlós ina dhiaidh sin. Beidh tú ag teastáil leis an mbád a láimhseáil."

"Nach mbreathnóidh sé aisteach a bheith ag tarraingt potaí gliomach as tacsaí uisce amuigh sa gcuan i lár an lae?" a d'iarr Pól.

Bhreathnaigh an bheirt eile ar a chéile. Rug an fear mór ar ghualainn Phóil agus thiomáin sé ar ais go dtí an t-árasán é. "Más cleasaíocht atá ar bun agat . . ."

Bhreathnaigh Sandra ar a huaireadóir.

"Is dóigh go bhfuil an ceart aige," ar sí lena compánach. "Ach tá an lá fada."

"Má tá sibh ag iarraidh bhur gcuid airgid . . ."

Dhún an fear mór béal Phóil le buille láimhe.

"Cé a chuir ceist ortsa?" Dúirt sé le Sandra an gunna a choinneáil ar Phól go dtí go bhfaigheadh sé rud eicínt len é a cheangal. Thóg sé an bheilt ó fhallaing sheomra agus cheangail sé a lámha le taobh amháin agus a chosa leis an taobh eile agus d'fhág ceangailte é, ina luí go leataobhach ar an leaba.

"Is féidir caife a dhéanamh nó tae," arsa Pól. "Cibé acu is fearr libh."

Bhí sé ráite le linn a thraenála leanacht air ag caint i gcás mar sin, cé nár thuig sé cén fáth i ndáiríre. "Fiú amháin má bhuailtear go dona thú," a dúradh leo, "coinnigh ort ag caint." Bhain sé le daoine a chur trína chéile nó a n-aird a thógáil óna gcuid pleananna nó rud eicínt. Bheadh sé níos deacra duine a raibh caidreamh agat leis a chur chun báis freisin.

Níor fhreagair ceachtar den bheirt eile é, ach réitigh Sandra caife dóibh agus d'itheadar cuid den arán a bhí sa gcuisneoir gan aon rud a rá leis. Bhíodar ag caint lena chéile go híseal agus thaitin sé le Pól a cheapadh nach raibh siad ag réiteach go huile is go hiomlán lena chéile.

Ina luí dó ar an leaba, smaoinigh Pól ar an leaba dheireanach ar luigh sé inti agus ar an bpléisiúr a bhí aige féin agus Adrienne. Bhraith sé go raibh a sháith den seanchaitliceach ann féin mar gur cheap sé go raibh díoltas Dé nó rud eicínt ag baint leis an difríocht idir an lá inniu agus an lá inné. Bhí sé ag íoc go daor as a phléisiúr. Ach ba í Adrienne an chúis is mó gur theastaigh uaidh teacht slán ón trioblóid ina raibh sé.

Thosaigh fón ag bualadh istigh ina phóca. Tháinig an fear mór anall. Rug sé ar an bhfón agus chaith sé ar an urlár é. Lean clingeadh. Bhrúigh sé sáil a bhróige anuas sa mullach air agus rinne smidiríní de.

"Ní chuirfidh tú glaoch ar chabhair leis sin ar chaoi ar bith," a dúirt sé go sásta.

"Níl sé furasta glaoch a dhéanamh le mo lámha ceangailte," a d'fhreagair Pól, fios aige go mbuailfí arís é dá bharr. Buaileadh agus thosaigh fuil ag sileadh óna shrón arís. "Go raibh maith agat," ar sé leis an bhfear a chur ar buile tuilleadh. "Déan arís é. Is breá liom a bheith buailte. Ar chuala tú trácht riamh ar *sadomasochism*?"

Fuair sé buille eile.

"Éist do bhéal, a rud brocach. Tá bean sa gcomhluadar."

"Tá beirt agaibh ann fad a fheicimse," a dúirt Pól.

"Céard atá i gceist agat?" a d'iarr an fear mór, é réidh le buille eile a thabhairt do Phól.

"Nílim ag tabhairt cothrom na féinne do na mná," an freagra a thug Pól ón áit a raibh sé ceangailte ar an leaba.

"Abair amach céard atá tú ag iarraidh a rá," arsa an fear mór, a dhorn réidh le buille eile a thabhairt.

Lean Pól air ag spochadh as:

"Ní bheadh bean sásta fear a bhí ceangailte a bhualadh, déarfainn."

"Déanfaidh mise mo rogha rud." Thug sé cic do Phól chomh gar do na magairlí is a d'fhéad sé.

"Tá misneach ag teastáil lena leithéid sin a dhéanamh. Nach tú an gaiscíoch!"

"Éist leis," a dúirt Sandra, toitíní á lasadh aici don bheirt acu. "Ní bhfaighfimid an t-airgead dá uireasa. Déan do rogha rud leis ina dhiaidh sin. Ar mhaithe le m'athair."

Chuir an fear mór barr a thoitín lasta i bhfoisceacht leathorlaigh do shúile Phóil.

"Murach go bhfuil radharc do shúil ag teastáil le muid a thabhairt chomh fada leis an airgead, dhéanfainn *toast* de do dhá shúil."

"Suigh síos," a dúirt Sandra leis agus shuíodar ag an mbord, ag argóint i gcogar. Ansin d'eirigh Sandra agus thosaigh sí ag oscailt cófraí ar nós go raibh sí sa tóir ar rud faoi leith.

Rinne Pól iarracht leanacht lena spochadh:

"Cén fáth nach dtéann sibh suas ar a chéile leis an am a chaitheamh as seo go tráthnóna?" a d'iarr sé chomh hard agus a d'fhéad sé.

D'éirigh an fear mór de léim, chuaigh sé trasna an tseomra agus thug sé cic eile do Phól, sna heasnacha an uair seo.

"Dún do bhéal nó dúnfaidh mise duit é!"

"Ná tabhair aird ar bith air," a dúirt an cailín. "Nach bhfeiceann tú go bhfuil sé ag iarraidh go gcaillfidh tú do chloigeann?"

"Caillfidh seisean a chloigeann," a d'fhreagair sé, "agus caillfidh sé níos mó ná a chloigeann má deireann sé rud ar bith mar sin linn arís. Coillfidh mé an bastard."

"An é an chaoi nach bhfuil tú in ann é a chur ina sheasamh?" a d'iarr Pól, fios aige go mbeadh air fulaingt dá bharr, ach go raibh ag éirí leis an fear mór a chur dá threoir. Rug an cailín air sula raibh deis aige éirí ina sheasamh. Dúirt leis arís gan aird a thabhairt ar sheafóid Phóil:

"Ní bheidh sé beo i bhfad eile," a dúirt sí. "Lig leis. Ní dhéanfaidh a chuid rámhaillí aon dochar dúinn."

"Céard a dhéanfas sibh leis an airgead?" a d'iarr Pól, é ag iarraidh an chaint a choinneáil ag imeacht. "Tuilleadh drugaí a cheannacht?"

Ní bhfuair sé freagra.

"An é nach bhfuil sibh mór liom níos mó?" a d'iarr sé. "Tar éis daoibh mo bhricfeasta a ithe is chuile shórt."

Lean an bheirt eile ag caint eatarthu féin. Shíl Pól go raibh a cheacht foghlamtha ag an bhfear mór, mar nach raibh sé i mbun argóna leis an gcailín a thuilleadh. Ní raibh sé ag tabhairt aird ar bith ar an méid a bhí á rá aigesean ach an oiread. Smaoinigh sé go raibh rud amháin a dhúiseodh iad, b'fhéidir:

"Tá súil agam go bhfuil an t-airgead sin san áit ar fhág mé é," ar seisean. "D'fhéadfadh sé a bheith ite ag na portáin nó ag na péiste faoi seo."

"Ná tabhair aon aird air," a dúirt Sandra. "Tá sé ag iarraidh aighneas a chothú eadrainn."

Tháinig an fear mór anall, a dhorn réidh arís.

"Más ag magadh fúinne atá tusa . . ."

"Céard a dhéanfas sibh?" a d'iarr Pól. "Mé a mharú? Nach bhfuil sé i gceist agaibh é sin a dhéanamh ar aon chaoi? Céard atá le cailleadh agam? Níl a fhios agam an inseoidh mé daoibh cá bhfuil sé a bheag ná a mhór. Braitheann sé ar an ngiúmar a bheas orm."

Thaispeáin an fear a dhorn arís dó.

"Táimse sa ngiúmar an cac a bhualadh asat."

"Scaoilfimid saor thú má fhaigheann tú an t-airgead dúinn," a dúirt Sandra. "Nach fíor dom é?" ar sí leis an bhfear.

"Tuige ar chaoch tú do shúil leis agus tú á rá sin leis?" a d'iarr Pól ón áit ina raibh sé ceangailte.

"Cá bhfios duit?" Bhí sé ráite aici sular chuimhnigh sí i gceart uirthi féin. "Cén chaoi a mbeadh a fhios agatsa agus tú casta sa treo eile?" a d'iarr sí.

"Tá súile ar chúl mo chinn agam. Gan trácht ar *hindsight*. Sin súil i mo thóin, mura bhfuil a fhios agaibh é. Níl súil ag teastáil le caint bhréagach a thabhairt faoi deara."

"Faigh an t-airgead dúinn," ar sise, "agus féachfaimid."

"Thuigfinn cén fáth nach mbeifeá mór liom, a Sandra," a dúirt Pól, "tar éis dom d'athair a mharú. Ach an *gorilla* anseo? Níl údar ar bith aigesean le bheith ag troid liom."

Spréach an fear mór arís.

"Cé air a bhfuil tusa ag tabhairt *gorilla*?"

Rug an cailín ar láimh air agus tharraing anall chuig an mbord é.

"Nach bhfeiceann tú gurb in atá uaidh? Ná habair tada leis as seo go tráthnóna, is cuma céard a déarfas sé." Chuaigh sí anonn chuig Pól agus d'iarr sí cén t-am a raibh sé ar intinn aige iad a thabhairt amach sa mbád.

"Le titim na hoíche," ar seisean. "Le clapsholas. Ní thabharfar tada faoi deara i gceart an uair sin."

"Nach mbeidh sé ródhorcha an t-airgead a aimsiú ag an am sin?" a d'iarr sí.

"Tá sé marcáilte agam ar an radar," a d'fhreagair sé, súil aige nach dtuigfidís tada faoin teicneolaíocht sin. Chuir sé i gcuimhne dó an scéal i leabhar an tSeabhaic, *Jimín Mháire Thaidhg,* inar cuireadh marc ar thrasnán na naomhóige le go mbeadh a fhios acu an chéad uair eile cá raibh fáil ar na héisc.

Bhí téip den chineál lena gceanglaítear boscaí faighte ag Sandra i gceann de na cófraí. Ghreamaigh sí de bhéal Phóil é agus d'imigh sí ar ais chuig an mbord ag gáire léi féin.

XIX

Bhí idir fhearg agus imní ag teacht ar Adrienne de réir mar a bhí an lá ag imeacht. Níor tháinig Giorgio ar ais tráthnóna mar a gheall sé agus ní raibh sé ag freagairt a fhóin phóca. Níor ghlac an fón le teachtaireachtaí fiú amháin, mar a tharla go hiondúil nuair a bhí an chumhacht múchta. Is fada ó bhí sí chomh sona sásta is a bhí sí nuair a dhúisigh sí beagnach i lár an lae, í ag ceapadh nárbh fhada go mbeadh a grá geal ar ais sa mbaile arís.

Ach tháinig a haon a chlog, a dó, agus a trí, agus ní raibh amharc ar bith air ag a ceathair ach an oiread. D'éirigh sí, d'ól sí caife, bhí cith aici, chuir sí uirthi a cuid éadaigh, í ag súil an t-am ar fad go siúlfadh sé isteach an doras nóiméad ar bith. Sheas sí amach ar an mbalcóin féachaint an raibh an tacsaí tagtha go bun an staighre. Ní raibh radharc ar an mbád ansin, ná amuigh ar an gcanáil ach an oiread. Smaoinigh sí go gcaithfeadh sí glacadh leis nach mbeadh sé ag teacht ar ais.

"Fir," arsa Adrienne léi féin. "Cén fáth ar chuir mé . . . Cén fáth ar chuir aon bhean riamh a muinín iontu?"

Bhí an ceart ar fad ag cibé a dúirt de chéaduair nach raibh uathu ach aon rud amháin, a cheap Adrienne. É sin faighte acu, chuaigh siad sa tóir air ó bhean eicínt eile. Bhíodar ar fad mar a chéile: Patrick, é seo, cibé cén t-ainm ceart a bhí air, Giorgio, Pól, nó ainm eicínt eile. Ní raibh a fhios aici tada faoi i ndáiríre, a cheap sí. Ach bhí a fhios aici cén t-ainm a thabharfadh sí air. Ní raibh aithne chomh mór sin aici ar fhir eile, ach bhí a dóthain cloiste aici ar feadh a saoil. Ba mar a chéile iad na fir uilig, chuile dhuine beo acu. Lucht seilge a bhí iontu. Chomh luath is a fuair siad an rud a raibh siad sa tóir air, chuadar ag fiach arís. Ní raibh tuiscint ar bith acu ar dhílseacht ná ar ghrá.

Dá mba rud é go raibh muid ag troid, arsa Adrienne léi féin, thuigfeá é. Ach tar éis oíche chomh hálainn agus chomh taitneamhach is a bhí againn . . . Tá súil agam nár tharla tada dó.

Den chéad uair an tráthnóna sin, d'airigh sí imní domhain ag teacht uirthi in áit na feirge. Bhí sé mar a bheadh snaidhm ina bolg nó ina broinn, nó sa dá áit in éindí. B'fhéidir go raibh fáth ann nár tháinig sé ar ais, nach raibh sé in ann. Bhí a dóthain cloiste aici uaidh faoin gcontúirt ina mbeadh sé dá bhfaigheadh daoine áirithe amach go raibh sé ina bheatha. Ach céard d'fhéadfadh sí a dhéanamh? Ní róshásta a bheadh sé dá gcuirfeadh sí fios ar na *carabinieri* agus é beo beathach ag seoladh thart ina thacsaí uisce. Gach seans gur mar sin a bhí: go bhfuair sé tuilleadh oibre ar phraghas nach bhféadfadh sé a dhiúltú agus go mbeadh sé ar ais tráthnóna le buidéal fíona agus bláthanna. B'fhada léi go dtiocfadh sé. Bhreathnaigh sí ón mbalcóin arís, fios aici ina croí istigh gur am amú a bhí ann.

D'fhéadfadh sí béile a réiteach dó nuair a d'fhillfeadh sé. Smaoinigh sí ansin ar na himpleachtaí: arbh ionann sin agus a rá go raibh sé ceart go leor teacht ar ais ag am ar bith a thogródh sé, cé go raibh am áirithe socraithe? An mbeadh sí ag cur in iúl gur bean shocair thraidisiúnta í a mbeadh béile ar an mbord dá fear chuile oíche aici, is cuma cá mbeadh sé nó cén fhad a bheadh sé imithe? Chuir sí na smaointe sin as a hintinn.

Ní raibh siad pósta fós ná baol orthu. Níor tháinig siad le chéile ceart go dtí an lá roimhe sin. Agus nach mbeidh greim le n-ithe ag teastáil uaithi féin chomh maith? Rug sí ar a mála leis an tsiopadóireacht a dhéanamh.

Shocraigh Adrienne ina hintinn iasc úr a cheannacht don dinnéar. Rachadh sí chomh fada le hóstán an Principe i dtosach le tuairisc a chur. Bhí a fhios aici go dtéadh Giorgio isteach ann go minic agus gur chuir na hoibrithe ann obair ina threo. Bheadh a fhios acu sin an raibh turas fada le déanamh aige a choinnigh moill air ar feadh an lae. Bheadh míniú simplí air. Ach tuige nach raibh sé de chúirtéis aige glaoch a chur uirthi?

Bhí Adrienne ar tí dul amach an dorais, nuair a ghlaoigh Patrick.

"Céard atá uait?" a d'fhreagair sí go borb.

"Agus cén chaoi a bhfuil tusa i gcathair an uisce agus an ghrá?" a d'fhreagair sé, ardghiúmar air de réir cosúlachta.

"Bhí an páiste ag Síle?" a dúirt Adrienne.

"Cá bhfios duit?"

"Mar go bhfuil tusa ar nós buachalla óig le bréagán úr faighte aige. Buachaill nó cailín?"

"Buachaill, a deirtear liom, cé nár bhreathnaigh mé ach ar a éadan fós," an freagra a thug Patrick.

"Comhghairdeas," a dúirt Adrienne, ag iarraidh a croí a chur isteach ann, ach bhraith sí gur theip uirthi é sin a dhéanamh. Dúirt sí léi féin a bheith cróga, nárbh é a fear céile ní ba mhó é, gurbh ise a scaoil leis, ach ní raibh sé furasta.

Níor thug Patrick tada faoi deara.

"Go raibh maith agat as an dea-thoil a thaispeáin tú. Tá a fhios agam nárbh iad na conníollacha ab fhearr iad, ach shíl mé gur cheart duit é a chloisteáil uaimse seachas duine eicínt eile."

"Níl mórán ar an mbaile seo ag cur suime sna himeachtaí suaracha a tharlaíonn in Éirinn," ar sise. "Drochsheans go mbeadh an báicéir nó fear an éisc ag cur in iúl dom go raibh páiste agaibh."

"Ach b'fhéidir go mbeadh do chuid cairde ar an bhfón."

"Ní bheidís ag iarraidh a bheith ar an gcéad duine le scéal mar sin," a d'fhreagair Adrienne.

"Tá a fhios agam nach dtaitníonn sé leat."

"Is cuma liom sa diabhal faoi i ndáiríre," a dúirt Adrienne chomh héadrom is ar fhéad sí. "Bain taitneamh as na *nappies* agus an mhúisc agus chuile rud eile a bhaineann leis."

Bhí Patrick ar nós go raibh sé ag caint leis féin:

"Is beag a cheap mé —" a thosaigh sé, ach tháinig Adrienne roimhe:

"An bhfuil Síle ceart go leor?"

"Tá sí thar cionn," arsa Patrick. "Beidh an leanbh faoi chúram ar feadh tamaill mar go raibh sé roimh am, ach beidh sé ag feabhsú in aghaidh an lae, le cúnamh Dé."

"Feicim go bhfuair tú Jesus chomh maith leis an bpáiste," a dúirt Adrienne.

"Ní ghabhfainn chomh fada sin," a d'fhreagair Patrick, "ach bheifeá ag iarraidh an rud is fearr don chréatúr bocht."

"Tá a fhios agam," arsa Adrienne agus chuir sí deireadh leis an gcomhrá: "Abair le Síle gur chuir mé gach dea-ghuí uirthi féin agus ar an bpáiste." Bhí an fón crochta aici sula raibh am ag Patrick aon rud eile a rá, ar fhaitíos go dtosódh sí ag caoineadh.

Chas Adrienne seanrá timpeall ina hintinn: Ní osclaíonn Dia doras amháin gan ceann a dhúnadh in éadan duine eile. Féach ise a bhí ar mhuin na muice an lá roimhe, agus Patrick mar sin inniu. Níl a fhios ag aoinneach céard a tharlóidh ó lá go lá.

Is beag eolas a thug an fear beag tanaí ag an deasc galánta sa bPrincipe d'Adrienne. Ní fhaca sé Giorgio ó mhaidin agus ní raibh turas ar bith chun an aerfoirt ná in aon áit eile curtha in áirithe ag turasóirí ó mhaidin ach an oiread. "*Vaporetto, vaporetto,*" ar sé, ag tabhairt le fios gur sa modh sin taistil a sheol turasóirí an lae sin. Chroith Johnny sa mbeár a chloigeann ó thaobh go taobh agus dúirt nach bhfaca sé Giorgio le cúpla lá. Thug sé le fios freisin nach ise an t-aon bhean amháin a bhíodh sa tóir air ó am go ham:

"*Giorgio: many women, much love,*" ar sé le meangadh mór fiaclach gáire.

Ghlac Adrienne leis ón méid sin nach bhfeicfeadh sí Giorgio arís. Ní urchar a bhí curtha inti de réir cosúlachta ach saighead Chupid.

Cá bhfios di nach sa mbaile lena bhean agus a chlann a bhí sé? ar sí léi féin. Gach seans gur bréaga ar fad a bhí sa méid a d'inis sé di. Ach bhí a fhios aici go raibh blas na fírinne air mar sin féin.

Bhí iasc úr ar bharr a liosta ag Adrienne ach thuig sí tar éis tamaill nach é an Luan an lá is fearr san Iodáil le hearraí úra a fháil. Cheannaigh sí muiríní agus ribí róibéis, cé nár thuig sí i gceart an úr a bhí siad nó reoite. Níor thuig an díoltóir a cuid ceisteanna, nó lig sé air nár thuig. Bhí a lámha san aer agus a chloigeann ag dul ó thaobh go taobh agus é ag caint le luas ar nós go raibh sí tar éis é a mhaslú, nó a chuid earraí a lochtú, trí cheist ar bith a chur. Is fearr a thuig an cailín sa stór fíona céard a bhí uaithi: fíon bán a bhí sách tirim ach nach raibh ar nós fínéagair. Gheall an siopadóir go bhfeilfeadh an fíon a phioc sí do na héisc a bhí ceannaithe ag Adrienne. Chaoch sí súil agus dúirt rud eicínt faoi go dtaitneodh an fíon lena páirtí freisin.

Bhraith sise níos fearr de bharr a bheith ag caint le duine a bhí cineálta léi. Ní hé go raibh locht ar an bhfear eile. Chaith sé léi mar a chaith sé le mná na háite, ach nuair a bhí duine i bhfad ó bhaile agus ag iarraidh cumarsáid a dhéanamh i dteanga iasachta, b'fhurasta a bhraith go raibh tú aonarach uaigneach.

Cá bhfios nach mbeidh Pól sa mbaile roimpi agus míniú nár chuimhnigh sí air a bheag ná a mhór aige? Smaoinigh sí nach raibh aon údar aici ach a bheith dearfach go dtí sin ar chaoi ar bith, ach amháin nach raibh a fear, mar a bhí sí a thabhairt air, sa mbaile ag an am a gheall sé. Ní liom é, ar sí léi féin, agus tá cead aige a rogha rud a dhéanamh.

"Georgio?" a dúirt sí nuair a d'oscail sí doras a hárasáin, ach bhí a fhios aici go raibh sí ag súil leis an iomarca. Ach an oiread le rudaí eile nár oibrigh ina saol, chaithfeadh sí é seo a chur taobh thiar di agus é a ruaigeadh as a hintinn. Céard a rinne sí nuair a scar sí féin agus Patrick? D'fhreagair Adrienne a ceist féin: d'oibrigh sí go crua agus go dícheallach. Sin é a dhéanfadh sí an uair seo freisin, ach níorbh ionann scaradh le fear aon oíche agus scaradh le fear a bhí pósta léi leis na blianta. Ní thógfadh sé i bhfad uirthi, a gheall sí di féin, an scabhaitéir seo a fhágáil ina diaidh agus dearmad glan a dhéanamh air.

Bhain Adrienne úsáid as na dathanna is dorcha a bhí aici lena dúlagar a chur in iúl, ach chuir sí spota ar nós na gréine ar thaobh na láimhe deise in uachtar an chanbháis. Thabharfadh sé sin le fios, a cheap sí, go raibh díomá uirthi ach nach raibh sí gan dóchas. Sheas sí siar agus bhreathnaigh sí ar an bpictiúr beag a bhí críochnaithe aici taobh istigh d'uair an chloig. Bhíodar ann a déarfadh go raibh sé aisteach suas le míle euro a iarraidh nó a fháil ar a leithéid: uair an chloig oibre. Ach bhí i bhfad níos mó ná sin ann. Bhí brón an tsaoil ann chomh maith leis an mbeagán dóchais. Agus bhí laethanta go leor ann, ar ndóigh, nuair nár shaothraigh sí pingin rua. Ach b'fhada cúrsaí airgid óna hintinn ag an uair sin.

Ghlan Adrienne an t-aon scuab amháin a d'úsáid sí ar an bpictiúr agus leag sí uaithi é, ar fhaitíos go ndéanfadh sí teangmháil arís leis an méid a bhí déanta aici. Bhí sé chomh maith le ceann ar bith a rinne sí cheana. Bhraith sí nach ndeachaigh aon am ná aon mhothúchán amú. Bheadh Pól nó Giorgio, mar a thug sé air féin, imithe leis ina thacsaí uisce, é ag ceapadh go raibh an-lá agus oíche go deo aige leis an óinseach de phéintéir. Ach ní bheadh a fhios ag an amadán bradach go raibh luach míle euro agus níos mó, b'fhéidir, saothraithe aici as an gcaidreamh gearr a bhí eatarthu. Is aici a bheadh an gáire deireanach, cé go mb'fhearr léi an fear é féin a bheith ina cuideachta.

XX

B'iníon a hathar í Sandra, cinnte, a cheap Pól, nuair a ghreamaigh sí an téip dá bhéal. Bhí sé cinnte go bplúchfaí é, go háirithe mar go raibh a shrón briste agus an fhuil ag sileadh síos a sceadamán agus isteach ina bholg. Ní raibh trócaire ar bith ag baint leis an mbitseach. Ní dhéanfadh sé dearmad air sin dá mbeadh slí éalaithe aige ar ball. Nuair a d'éirigh leis é féin a shíneadh ar bhealach ina mbeadh ar a chumas a anáil a tharraingt trína pholláirí, thograigh sé ar dul a chodladh ar feadh tamaill.

Ba chuid den traenáil a tugadh dó mar Óglach a bhí ansin freisin: glacadh le pé nóiméad codlata a d'fhéadfadh duine a fháil. Thabharfadh sé sin buntáiste don té a bhí ina ghiall, mar bheadh ar dhuine amháin ar a laghad den dream a bhí ag faire fanacht ina dhúiseacht. Tar éis chomh gortaithe is a bhí Pól ón mbualadh a thug an fear mór dó, agus an easpa codlata a bhí air ón oíche roimhe, bhraith sé go raibh sé ar a aire nuair a dhúisigh sé. Níor thaitin sé leis go raibh sé san áit a raibh sé, ach bhí a fhios aige go gcaithfeadh sé go raibh an bheirt eile tuirseach faoin am sin. Chomh fada is a thuig sé, ba bheag eolas a bhí acu ar bháid, agus ba mhór an buntáiste é sin dó.

Nuair a ghearr an fear mór an bheilt a bhí á cheangal le titim na hoíche, tharraing sé an téip óna bhéal in aon iarraidh gharbh amháin, rud a chuir arraing péine trí chorp Phóil. Ach is beag a thug Pól le fios. Thosaigh sé ag spochadh as a lucht faire ar an bpointe:

"Is fada ó chodail mé chomh maith i leaba liom féin. Agus táthar ann a bhaineann taitneamh as a bheith ceangailte. Ar bhain sibh féin triail as an gceangal agus na fuipeanna riamh?"

"Dún do bhéal, a bhastaird," arsa an fear mór go tobann, "nó dúnfaidh mise duit é."

"An bhfuil macalla san áit seo?" a d'iarr Pól, ag breathnú ina thimpeall. "Shíl mé gur chuala mé an chaint sin cheana inniu. *Gorilla* a bhí ag béiceach sa gcrann, b'fhéidir."

Fuair sé cic sa tóin dá bharr.

"Lean ort leis an ealaín sin agus is lú an seans go mairfidh tú i bhfad."

"Ní raibh a fhios agam go raibh seans ar bith agam," an freagra éadrom a thug Pól.

"Murach an t-airgead sin, bheifeá ag snámh leis na héisc cheana," a dúirt an cailín, "mar dhíoltas ar bhás m'athar."

"Déarfainn go raibh sibh ag breathnú ar an iomarca scannán de chuid an mafia," a dúirt Pól. "An mó is cosúil sibh le muintir Corleone sa *Godfather*, nó leis na Sopranos?"

Rug an fear mór ar ghualainn Phóil.

"Nár dhúirt mé leat do bhéal a dhúnadh? Ar aghaidh leat anois go dtí an bád."

D'fhág siad an t-árasán ar nós mar a rinneadar cheana: an gunna faoina cóta ag an gcailín, an fear mór i ngreim ar ghualainn an phríosúnaigh.

"Ní ag pleidhcíocht atá mé nuair a deirim seo," a dúirt Pól nuair a bhíodar le taobh an bháid. "Is rud tábhachtach é."

"Abair leat," a dúirt an cailín.

"Beidh ar dhuine agaibh an rópa a tharraingt nuair a thiocfas muid chomh fada leis an áit a bhfuil an t-airgead," a dúirt Pól. "Ní féidir liomsa a bheith ar an stiúir agus ag tarraingt pota ag an am céanna."

Thaispeáin an fear mór nach raibh a fhios aige mórán faoi chúrsaí farraige:

"Cén saghas pota?"

"An pota óir," a d'fhreagair Pól. "Níl ann ach cliabhán le haghaidh éisc, ach tá meáchan ann. B'fhéidir go mbeidh an bheirt agaibh ag teastáil len é a tharraingt."

Dhírigh an cailín an gunna air.

"Más cleas atá anseo . . ."

"An bhfuil sibh ag iarraidh an t-airgead nó nach bhfuil?" an freagra a thug Pól. "Cuir oraibh bhur seaicéad tarrthála."

"Céard?" a d'iarr an fear mór.

"D'fhéadfadh duine ar bith titim isteach san uisce," a dúirt Pól, ar nós go raibh suim aige ina gcuid sábháilteachta ar an bhfarraige. "An bhfuil snámh agaibh?"

Bhreathnaigh siad ar a chéile ach níor fhreagair siad.

Shín Pól a mhéar chuig bosca faoi na suíocháin sa gcábán.

"Má théim chuig an mbosca sin, is leis na seaicéid a fháil daoibh é, agus dom féin chomh maith. Ní cleas ar bith é."

"Tóg go réidh é," a dúirt an cailín. Choinnigh sí an gunna dírithe ar a dhroim an fhad is a bhí na seaicéid tharrthála á bhfáil ag Pól. Roghnaigh sé péire don bheirt eile nach raibh ainm a bháid orthu agus thug dóibh iad. Ghlac an fear leis an ngunna an fhad is a bhí a seaicéad á cur uirthi ag an gcailín agus thug ar ais é lena cheann féin a chur air. Níor thug siad cead do Phól ceann a chur air féin, rud a chinntigh dó go raibh sé ar intinn acu é a mharú amuigh ar an bhfarraige.

Thug Pól an tacsaí go mall thar na *vaporetti* agus na *gondole* i dtreo bhéal an chuain. D'fhág sé na soilse múchta taobh istigh den bhád le nach dtabharfaí le fios cé a bhí ann ná cé mhéad duine. Bhreathnaigh sé ar na foirgnimh mhóra agus ar na droichid ar nós gur seanchairde iad ar dóigh leis nach bhfeicfeadh sé arís iad. Ní hé nár cheap sé go raibh an lámh in uachtar aige ar an mbeirt seo, ach d'fhéadfadh sé go raibh siad níos glice ná mar a cheap sé.

B'fhéidir go raibh plean dá gcuid féin acusan: nárbh é an t-airgead ar chor a bith a bhí uathu, ach é ar intinn acu é a mharú agus é a chaitheamh thar bord i lár an chuain. Ach an mbeidís in ann an bád a sheoladh ar ais? Drochsheans, de réir mar a bhí feicthe aigesean. B'fhacthas dósan nach raibh aon phlean acu ach a gcuid airgid a fháil agus fáil réidh leisean ar bhealach eicínt. Ní raibh gairmiúlacht ar bith ag baint leo i gcomparáid le lucht drugaí eile a bhí feicthe aige. Shíl sé gurbh fhearr dó díriú ar a phlean féin agus déileáil ar an bpointe le rud ar bith eile a tharlódh nach raibh súil leis.

Bhain Pól creathadh as an mbeirt a bhí leis nuair a shroich siad an fharraige oscailte agus scaoil sé leis an mbád in aghaidh na dtonnta. Bhí na maidhmeanna sin íseal go maith ach scanrúil don té nach mbeadh taithí aige ar an bhfarraige. Bhí an tacsaí ag bualadh ó cheann go ceann acu agus ba léir go raibh scanradh ar a phaisinéirí. Bhí an fear mór ag béiceach air dul níos moille, Pól ag ligint air nach raibh sé in ann é a chloisteáil thar torann an innill. Ghlac an fear an gunna ó Sandra agus chuir sé le cloigeann Phóil é agus d'fhógair air stopadh. Ghéill seisean, ar fhaitíos go scaoilfí an gunna i ngan fhios de bharr go raibh an bád ag preabadh. Bhí an tacsaí ag éirí agus ag titim ar na maidhmeanna gan smacht ar bith de bharr an t-inneall a bheith stoptha.

"Sin é an chaoi a bhfuil rudaí amuigh ar an bhfarraige," a dúirt Pól. "Níl aon neart agamsa air. Níl aon neart agamsa ar na maidhmeanna. Tá siad ann ón nádúr."

"Ach ní gá dul chomh sciobtha?" a d'iarr an cailín.

"An bhfuil sibh ag iarraidh an oíche a chaitheamh ar an bhfarraige?" a d'fhiafraigh Pól ar ais.

D'iarr an fear mór air, ar bhealach níos réasúnta ná mar a labhair sé le fada:

"Cé chomh fada is a thógfaidh sé an t-airgead a fháil?"

"Uair an chloig eile ar a laghad," a d'fhreagair Pól, é ag iarraidh iad a thabhairt chomh fada agus ab fhéidir leis ón gcathair. Dá mbeidís sách fada amach ón tír, bhí a fhios aige go dtabharfadh an taoille níos faide ó dheas coirp nó rud ar bith eile a thitfeadh nó a chaithfí sa bhfarraige. Ba lú an seans go dtiocfadh aon rud i dtír i ngar don Veinéis.

"Níl aon deifir orainn," a dúirt an fear mór. "Is cuma linn ach an t-airgead a fháil. Ach táimid ag iarraidh a bheith ar ais roimh mhaidin. Bhfuil do dhóthain breosla agat?"

"Tá sí beagnach lán," arsa Pól.

"Lean ort," a dúirt an fear mór. "Go mall."

"Caithfidh mé beagán siúil a dhéanamh," a mhínigh Pól, "mar go bhfuilimid i gcoinne na gaoithe agus na taoille. Má théim rómhall ní dhéanfaimid dul chun cinn go brách."

"Lean ort," a dúirt an cailín. Chuaigh Pól ar aghaidh leis an luas céanna a bhí aige níos túisce, agus níorbh fhada go raibh an fear mór tinn sa gcábán.

"Tuige nár chuir tú amach thar an taobh?" a d'iarr Pól go feargach. "Beidh orm é sin a ghlanadh sula nglacfaidh mé le paisinéirí."

"Nach mór an trua thú," a dúirt an fear mór, ach bhí dath an bháis air tar éis dó a bheith tinn.

"Tá tinneas mar sin tógálach," a dúirt Giorgio, "go háirithe nuair atá daoine suite istigh san áit a bhfuil an mhúisc."

Sheas Sandra amach chun tosaigh agus rug ar an ráille le taobh Phóil, an gunna ina láimh eile aici. D'airigh Pól go raibh tinneas tagtha arís ar an bhfear mór taobh istigh. Thapaigh sé a dheis nuair a bhí an bheirt eile scaipthe óna chéile:

"Thall ansin atá an t-airgead," a dúirt sé, lámh á shíneadh amach aige ar thaobh na láimhe deise.

"Cén áit?" ar sise, ag breathnú amach. Bhrúigh Pól ar a droim í agus chuir sé amach thar taobh an bháid í. Chuala an fear mór a béic agus tháinig sé as an gcábán faoi dheifir.

"Cá bhfuil Sandra?" a d'iarr sé.

"Deamhan a fhios agam," an freagra a thug Pól, ag

breathnú siar ina ndiaidh. "Bhí m'aird dírithe ar an bhfarraige."

"Bhí sí ansin le do thaobh soicind ó shin," arsa an fear mór, imní le brath uaidh. "Cá ndeachaigh sí?"

"B'fhéidir gur chaill sí a greim," a dúirt Pól. "Caithfidh mé í seo a chasadh timpeall. Breathnaigh amach go bhfeicfidh tú cá bhfuil sí."

Sheas an fear mór, a dhá láimh ar an transam aige agus é ag féachaint amach. Thug Pól lánchumhacht don inneall agus léim an tacsaí chun cinn. Bhí súil ag Pól go dtitfeadh an fear thar chúl a chinn amach san uisce, ach chuaigh a chos dheis i bhfastó i rópa a choinnigh ar bord é, a ghéaga ag dul ó thaobh go taobh agus a cholainn ag preabadh mar a bheadh breac a mbeadh iascaire tar éis é a tharraingt i dtír. Ba bheag nár sciorr sé amach thar an taobh nuair a rinne sé iarracht éirí ina sheasamh, an tacsaí ag casadh ar dheis agus ar chlé ag Pól ag iarraidh an fear eile a leagan. Bhí sé idir dhá chomhairle an t-inneall a stopadh le hiarracht a dhéanamh é a chaitheamh amach sa bhfarraige, nó leanacht mar a bhí sé le go dtitfeadh sé amach as a místuamacht féin.

Bhraith Pól gur aige féin a bhí an smacht agus an chumhacht an fhad is a d'fhan sé ag an stiúir ach thug sé faoi deara ansin go raibh an gunna láimhe a bhí ag an gcailín ar urlár an chábáin. Ba léir gur thit sé uaithi sula ndeachaigh sí amach thar an taobh. Is cosúil gur thug an fear mór an rud céanna faoi deara mar, in ainneoin chomh místuama leis, is i dtreo an ghunna a bhí sé ag dul. D'fhág Pól an t-inneall neodrach agus d'éirigh leis a sháil a bhualadh ar láimh a namhaid go díreach agus é ag breith ar an ngunna. Sciorr an *revolver* siar chomh fada leis an transam.

Rug an fear mór ar chois Phóil nuair a bhí sé ag iarraidh dul thairis le breith ar an ngunna. Leagadh é ach d'éirigh leis cic san éadan a thabhairt ar ais agus é ag titim. Chuir an fear mór a lámha lena éadan nuair a tháinig fuil shróna air ag an bpointe, ach ní raibh a ngortú ag cur as do cheachtar acu faoin am seo nuair ba é bás nó beatha a bhí i gceist. Sheas siad siar óna chéile, an bád ag preabadh ar na tonnta. Bhíodar leathchromtha, an fear beag agus an fear mór, Dáiví agus Góla ó Ghat faoi réir don ionsaí. Lig an fathach béic mhór mhillteach agus chuaigh sé i dtreo Phóil go mall ach go cumhachtach.

Sheas Pól as a bhealach ag an nóiméad deireanach ag súil go dtabharfadh an fuinneamh a bhí faoin bhfear mór amach thar ráillí an bháid é. Ach rug sé ar thaobh an bháid go díreach nuair a bhí sé i mbaol dul tharstu. Rug Pól ar chois air agus rinne iarracht é a bhrú thar an taobh. Ach bhí an fear mór i ngreim ina sheaicéad, cosúlacht air go rachadh an bheirt thar bord le chéile. Bhíodar ag iomrascáil mar sin ar feadh tamaill go dtí gur thapaigh Pól an deis cic sa rúitín a thabhairt dá chéile comhraic ar an gcois is mó a raibh a mheáchan. Lúb a chos faoi agus scaoil Pól lena sheaicéad. Chuaigh an fathach bunoscionn isteach sa sáile gan focal as.

Níor bhreathnaigh Pól siar ina dhiaidh agus ní dhearna sé aon iarracht ceachtar acu a shábháil. Níor chuir sé glaoch ar lucht tarrthála ná níor chuir sé SOS ar an raidió. D'iompaigh sé thart tar éis tamaill agus chinntigh sé nach ndeachaigh sé i ngar don áit ar thiteadar sa bhfarraige. Thug sé aghaidh ar ais ar an gcathair. Nuair a shroich sé an t-uisce ciúin tharraing sé cúpla buicéad sáile agus dhoirt sé amach sa gcábán iad. Ghlan sé an áit chomh maith is a bhí ar a chumas le ceimicí, ionas nach mbeadh lorg méire ar bith fágtha. Is ar éigean a bhí sé in ann obair ar bith a dhéanamh leis an bpian a bhí air. Bhí áthas air a bheith beo nuair a bhí a bhád ceangailte aige agus é ag siúl chomh maith is a bhí ar a chumas i dtreo árasán Adrienne.

XXI

Bhí Adrienne á réiteach féin le dul a chodladh nuair a buaileadh cnag ar a doras. D'iarr sí cé a bhí ann agus tháinig an freagra:

"Pól."

"Cá bhfuil tú ag dul an t-am seo d'oíche?" a d'iarr sí. Bhí a cuid feirge leis maolaithe de réir mar a bhí an tráthnóna ag imeacht, ach tháinig a cuthach ar ais anois nuair a chuala sí é ag caint.

"Bhí mé ag iarraidh thú a fheiceáil," a dúirt sé tríd an doras.

Shíl Adrienne gur ar meisce a bhí sé nuair a chuala sí a ghuth:

"Ní féidir leat siúl isteach anseo am ar bith a thograíonn tú," a d'fhreagair sí. "Cá raibh tú ar feadh an lae? Bhí tú ceaptha a bheith ar ais anseo tráthnóna"

"Is scéal fada é sin," arsa Pól. Scaoil isteach mé, le do thoil, agus inseoidh mé duit é."

"Is scéal é nach bhfuil mise ag iarraidh a chloisteáil faoi láthair," ar sise. "Tar ar ais nuair nach bhfuil tú óltach."

"Níl ól ar bith déanta agam. Sin í an fhírinne. Ní gá éisteacht leis an scéal," a dúirt Pól. "Ach tabhair cúnamh dom, le do thoil. Tá mé gortaithe go dona."

D'oscail Adrienne an doras.

"Go dtarrthaí Mac dílis Dé sinn," ar sí nuair a chonaic sí an fhuil triomaithe ar a éadan, agus chomh bataráilte is a bhreathnaigh sé. "Céard a tharla duit? An ag troid a bhí tú? Nó an raibh timpiste agat leis an mbád?"

D'inis sé an scéal de réir a chéile nuair a bhí sé ina luí sa bhfolcadán, a chuid créachtaí á nglanadh ag Adrienne le huisce. Dhiúltaigh sé fios a chur ar dhochtúir ná dul go dtí ospidéal.

"Má tá mo chuid easnacha briste féin," ar sé, "beidh siad i gceart i gceann trí seachtainí. Tá a fhios agam ón am a mbínn ag imirt peile."

"D'fhág tú ansin i lár na farraige iad?" a d'iarr Adrienne faoin mbeirt a tháinig sa tóir air, nuair a chríochnaigh Pól a scéal.

Ní raibh trua ar bith ag Pól dóibh:

"Idir mise agus iadsan a bhí sé, scéal bás nó beatha."

"Ach is ionann sin agus dúnmharú," a dúirt Adrienne.

"Tá seaicéid tharrthála orthu. D'fhéadfaidís teacht slán. Má bhíonn an t-ádh leo."

"Ádh an-mhór. Is beag an seans atá acu amuigh ansin i lár an uisce, gan solas ná tada acu," ar sise.

"Arbh fhearr leat go mbeinnse maraithe acu?" a d'iarr Pól, ina luí siar sa bhfolcadán.

"Tá a fhios agat nárbh fhearr." Thug sí póg dó ach ghortaigh sé sin a chuid liopaí, agus ghabh sí leithscéal. "Ach i gcogadh mór féin tugtar deis do Chumann na Croise Deirge nó lucht an Chorráin Dheirg teacht i gcabhair ar dhream atá gortaithe."

"Is mise a bhí gortaithe," arsa Pól, "gortaithe ag an diabhal d'fhear mór sin agus an bualadh a thug sé dom, agus an gceapfá go raibh siadsan le teacht i gcabhair ormsa sa gcás céanna?"

"Tá a fhios agam," a d'fhreagair Adrienne, "ach is tusa an té atá ceaptha sibhialtacht a bheith ag baint leis."

"Agus cé a cheap é sin? Is mar shaighdiúir a chaith mé an chuid is mó de mo shaol, fiú murar saighdiúir oifigiúil de chuid an stáit mé. Níl na gnáthmhothúcháin liobrálacha agamsa atá ag formhór na ndaoine. Ní bheinn beo dá mbeadh. Cén rogha atá agam ach mé féin a chosaint má theastaíonn ó dhaoine mé a mharú?"

"Is dóigh," a dúirt Adrienne, cé gur léir go raibh sí míchompordach leis an dearcadh sin ar an saol. Ní dhearnadar a thuilleadh cainte faoi. Chuaigh Pól a chodladh go luath, a thaobh ceangailte chomh maith is a d'fhéad sí ag Adrienne, le braillíní stróicthe. Thóg sé glaic piollaí a bhí ag Adrienne leis an bpian a bhí air a mhaolú. Shuigh sise tamall maith ag breathnú air sa leaba, a ceisteanna doimhne féin ag dul trína hintinn.

An lena aghaidh seo a d'fhág sí Patrick agus a thug sí a haghaidh ar shaol nua i bhfad ó bhaile? Bhí sí níos sáite agus níos sáite i dtrioblóid ó casadh an fear seo uirthi. Ní amháin gur admhaigh sé gur mharaigh sé daoine le linn a chuid ama sa nGluaiseacht, ach bhí beirt maraithe ó mhaidin aige. Ní hé gur mharaigh sé amach is amach iad, ach d'fhág sé iad le bás a fháil gan trócaire amuigh i lár na farraige. Bhí sise chomh ciontach is a bhí seisean, ó thaobh moráltachta de, agus ó thaobh an dlí chomh maith, mar gur thug sí fóirthint dó. D'fhéadfadh sí an chuid eile dá saol a chaitheamh i bpríosún. Bhí sé ródheireanach aon rud a dhéanamh faoi anois mar go raibh sé ansin ina seomra codlata. B'fhéidir go raibh a saol le Patrick leadránach go maith, a cheap Adrienne, ach a mhalairt ar fad a bhí anseo.

Luigh Adrienne isteach sa leaba le taobh Phóil thart ar mheán oíche. Bhí sí an-chúramach agus chinntigh sí nár bhrúigh sí ina choinne mar bhí a fhios aici chomh gortaithe is a bhí sé. D'fhan sí tamall maith ag smaoineamh ar Shíle ina luí san ospidéal, mac a fir chéile i gcliabhán nó in *incubator* lena taobh. Ach cá bhfios nach mbeadh a páiste aici féin chomh maith, lá eicínt? B'fhéidir go raibh síol amháin den mhéid a chuaigh inti an lá roimhe sin ar a bhealach cheana féin i dtreo na huibhe a bhí taobh istigh inti. Dá mbeadh gin, duine, pearsa ann in imeacht ama – mac nó iníon leis an bhfear seo a bhí sách crua beirt dhaonna a fhágáil amuigh idir beo is beatha i lár na farraige – an mbeadh sí ag iarraidh an pháiste sin? Is dóigh go mbeadh.

Dhúisigh Pól am eicínt i lár na hoíche le dul go dtí an leithreas. Bhí sé trína chéile de bharr na ndrugaí a bhí tógtha aige i gcomhair na bpianta, agus is go dtí doras an árasáin a chuaigh sé i dtosach. Chuidigh Adrienne leis agus sheas lena thaobh, lámh amháin dá cuid leagtha ar a gualainn nuair a bhí a chuid uisce á dhéanamh aige. Ghabh sé leithscéal as an easpa dínite a bhain leis an eachtra.

"Ná bíodh aon imní ort," a dúirt Adrienne, "tá an bheirt againn sa rud seo le chéile."

Thug sí a bhricfeasta dó ar maidin, agus d'éirigh leis leite a ithe ar nós páiste, mar go raibh a bhéal chomh buailte.

"Cas air an nuacht go beo," a dúirt Pól, "go gcloisfidh mé an bhfuil aon scéal ann faoin oíche aréir."

Thóg sé tamall ar Adrienne stáisiún áitiúil a fháil, mar is ag éisteacht le cláracha ón mbaile is mó a bhíodh sí ó tháinig sí chun na Veinéise, ar an idirlíon, nó ag éisteacht laethanta eile le seirbhís domhanda an BBC. Níor thuig sí focal ón nuacht san Iodáilis ach ba léir go raibh Pól sásta leis an méid nach raibh air nuair a bhí sé thart.

"Ní bhfuair siad tada go fóill ar chaoi ar bith. Gach seans go bhfuil na coirp sin imithe ó dheas leis an taoille."

"Tá tú an-chinnte gur coirp atá iontu?" a d'iarr Adrienne.

"Má bhí siad amuigh ansin ar feadh na hoíche . . ."

Chroith Adrienne a cloigeann.

"Ná bí ag súil go ndéarfaidh mé go bhfuil aiféala orm má tá siad báite nó básaithe. Idir mise agus iadsan a bhí sé, agus táimse anseo."

"B'fhéidir go mbeidh siad i do dhiaidh arís amárach."

"Ní dóigh liom é. Déarfainn go bhfuil ceacht foghlamtha ag an dream sin. Tá sé foghlamtha acu féin agus ag a muintir agus a gcomhghleacaithe gur ag piocadh ar an duine mícheart a bhíodar. Beidh a fhios sin acu má théann siad abhaile beo nó marbh, agus go speisialta mura dtéann siad abhaile go deo."

"Beidh fiosrúchán ann má thagann siad i dtír in áit eicínt, nó má chríochnaíonn siad in eangach iascaigh," a dúirt Adrienne.

"Ceapfaidh siad gur thit siad ó bhád farantóireachta nó ó luamh, b'fhéidir. Nuair a fhaigheann siad amach gur lucht drugaí a bhí iontu, ní mórán trócaire a bheas ann dóibh. Is mó a thaitneos sé leis na húdaráis iad a bheith marbh ná beo."

"Tá an dlí ann ar mhaithe leis an rógaire chomh maith leis an té atá ceaptha a bheith sibhialta," a dúirt Adrienne.

"Ná habair go gcreideann tú é sin. An gceapann tú nach raibh áthas ar na húdaráis anuas trí na blianta faoi chuile dhuine den IRA a maraíodh, a bheith imithe den saol? Bhí siad breá sásta le mo bhás-sa, mar ab fhacthas dóibh é, mar shampla. Tá an rud céanna fíor faoi lucht drugaí sa lá atá inniu ann. Níl rud níos mó a chuireann áthas ar an dream i gceannas ná iad a fheiceáil ag marú a chéile. Luíonn sé le réasún agus leis an nádúr. Chuile namhaid atá imithe is namhaid eile é nach gá dul i ngleic leis."

"Tá dearcadh an-soiniciúil agat," arsa Adrienne.

"Dearcadh réadúil," an freagra a thug Pól. Níor labhair ceachtar acu ar feadh i bhfad. D'fhiafraigh sé ansin: "Cén fáth a bhfuil tú ag breathnú orm mar sin?"

"Ba mhaith liom do phictiúr a tharraingt," ar sí.

"Agus mé ag breathnú briste brúite mar atá mé?"

"Go díreach. Cuireann tú pictiúr de Chríost céasta i gcuimhne dom," a dúirt Adrienne.

Phléasc a gháire ar Phól, ach bhí air lámh a chur chuig a bhéal mar gheall ar an bpian.

"Sin í an chéad uair ar cuireadh mise i gcomparáid le Mac Dé."

"Tá cuid den ealaín is fearr ar domhan bunaithe air," arsa Adrienne. "An mbeidh tú sásta fanacht i do shuí ansin agus ligint liom do phortráid a phéinteáil?"

"Is dóigh nach mbeidh mé le n-aithneachtáil sa gcineál pictiúir a tharraingíonn tusa ar aon chaoi."

"Féadfaidh tú é a dhó mura bhfuil tú sásta leis," ar sise.

"Ceart go leor mar sin. Ní fhéadfaidh tú mé a dhéanamh níos measa ná mar atá mé."

"Fan go bhfeicfidh tú," arsa Adrienne.

Níor thug sí cead dó féachaint ar an obair fad is a bhí sí ar siúl, í ag dul ó thaobh go taobh agus ag breathnú go géar air. Chas sí an canbhás ina threo ar deireadh agus d'iarr: "Céard a cheapann tú faoi do phictiúr?"

"An é sin mise?"

Chroith Adrienne a guaillí:

"Mo phictiúr díot," ar sí.

"Tá neart fola ann, cinnte," a dúirt Pól, "más é sin atá i gceist leis an méid sin den dath dearg."

"Ní féidir liomsa é a mhíniú," a dúirt Adrienne. "Ní bhaineann na dathanna le réalachas."

"Siombalach atá siad mar sin?" a d'iarr Pól.

Chuir Adrienne a cloigeann beagán ar leataobh agus í ag breathnú ar an bpictiúr a bhí díreach tarraingthe aici.

"Tá beagán de sin ann, ach tá neart agus crógacht agus pian, gan trácht ar chruálachas de bharr an tsaoil a bhí, agus atá, agat go dtí seo."

"Cruálachas?" a d'fhiafraigh Pól, ar nós gur ghortaigh an téarma sin go mór é.

"Shíl mé go raibh an rud a rinne tú inné thar a bheith

cruálach," ar sise, "gan trácht ar chuid de na rudaí eile a d'inis tú dom fúthu an lá cheana."

"Ní raibh an dara rogha agam."

Labhair Adrienne go mall, í ag iarraidh teacht ar na focail chearta.

"Tuigim é sin, go háirithe nuair a bhí do bheatha féin i mbaol. Déanta na fírinne, níl a fhios agam cé acu ba chruálaí: an bheirt sin a mharú ar an toirt nó an dara seans a thug tú dóibh san uisce, nach seans ar bith a bhí ann i ndáiríre."

"Tiocfaidh imeachtaí an lae inné idir muid go deo," arsa Pól.

"Ní gá go dtiocfadh. Níl siad tagtha eadrainn fós mar go bhfuil tusa liom anseo. Ach táim ar mo mhíle dícheall ag iarraidh thú a thuiscint. Tabhair cúnamh dom."

"Céard is féidir liom a rá?"

"An marófá mise?" a d'iarr Adrienne.

"Dá gcaithfinn," a dúirt sé amach go díreach.

"Tá a fhios agam cá seasaim anois. Ach tuige an gcaithfeá mé a mharú?"

"Dá mba rud é go raibh gunna i do láimh agat, nó scian, agus é ar intinn agat mé a mharú."

"Is beag an baol go dtarlóidh sé sin."

"Ní fada ó bhí bean amach ar m'aghaidh agus gunna aici," a dúirt Pól. "Níor theastaigh uaim í a mharú, ach cén rogha a bhí agam?"

Ní dhearna Adrienne aon iarracht an cheist sin a fhreagairt. Bhí míle freagra ina hintinn aici, ach ní raibh sí ansin nuair a bhí daoine á bhualadh is á ghortú agus ag bagairt báis air. Smaoinigh sí ar rud praiticiúil:

"An bhfuil gá scéala a chur chuig duine eicínt nach bhfuil do thacsaí ar fáil na laethanta seo?" a d'iarr sí.

"B'fhéidir go scríofá fógra ar an ríomhaire dom le crochadh sa bPrincipe," a d'fhreagair Pól.

Chrom Adrienne go magúil ar nós aisteora roimhe.

"Ní túisce iarrtha ach déanta, a mháistir." Nuair a bhí an fógra réitithe scríobh seisean cúpla nóta láimhe le fágáil ag an deasc agus ag Johnny, fear an bheáir, ag rá go raibh timpiste aige. Bheadh sé i mbun oibre arís chomh luath is a bheadh sé ina shláinte.

Shín Pól siar ar an leaba an fhad is a bhí Adrienne imithe leis na teachtaireachtaí. Dhúisigh sé de gheit tar éis tamaill, geit a bhí pianmhar fad is a bhain sé lena chuid easnacha. Bhí sé ag brionglóideacht faoi dhuine á bhá. Bhí sé mar a bheadh sé ag cinneadh air anáil a tharraingt cé narbh é a bhí faoi uisce. Ní raibh a fhios aige ar bhain a thromluí leis an mbeirt a d'fhág sé amuigh sa bhfarraige, nó leis an mairnéalach a raibh sé féin agus a dhearthaír ag spraoi lena chnámha na blianta fada roimhe sin. Cibé acu é, bhí sé buíoch a bheith ina dhúiseacht agus ina bheo.

B'fhéidir nach raibh sé chomh crua is a cheap sé, ar sé leis féin, ná chomh cruálach is a cheap Adrienne ach an oiread.

Ach bhí an ceart aici, a cheap sé, bhí sé cruálach. Níorbh ionann é is an buachaill óg a scaoil saor na creabhair a bhí bailithe ag a dhearthaír i mbosca cipíní. Bhí Murcha ar buile leis dá bharr, ach d'fhreagair sé nár cheart créatúir ar bith a chruthaigh Dia a choinneáil i ngéibheann. Chuala a mháthair an freagra sin agus bhí sí go síoraí á insint dá chuid ainteanna nó d'aoinneach a thugadh cuairt ar an teach, ag taispeáint chomh neamhurchóideach is a bhí sé.

Dá bhfeicfeadh sí anois é, a smaoinigh sé. D'fhan sé ar bhóithrín na smaointe ar feadh i bhfad, é ag déanamh iontais an bhfeicfeadh sé a bhaile, an áit ar thug sé baile air i gcónaí, an áit ar rugadh agus ar tógadh é, go deo arís.

Nuair a d'fhill Adrienne, d'iarr Pól uirthi an bhféadfadh sé dul go hÉirinn in éineacht léi nuair a bheadh sí ag dul ann i gcomhair a taispeántais.

"Tuige nach féidir?" ar sí. "Tá fáilte romhat. Ach an mbeidh sé contúirteach?"

"Ní fhéadfadh sé a bheith níos contúirtí ná na laethanta seo a chuaigh thart anseo," a d'fhreagair sé. "Ní bhearrfaidh mé mé féin idir an dá linn, mar go bhfuil m'éadan róghortaithe. Agus ní bheidh sé chomh furasta mé a aithint le féasóg."

"Gan trácht ar chomh dathúil is a bheas tú."

"An é nach bhfuil mé sách dathúil cheana féin?" a d'iarr Pól go magúil.

"Beidh tú i d'Íosagán ceart an uair sin. Chuir mé i gcomparáid le hÍosa Críost inné thú. Beidh tú i do phictiúr de le féasóg."

"Ná bí ag rá rudaí mar sin."

"Tuige?" a d'fhiafraigh Adrienne le meangadh gáire. "An cúthalach atá tú nó pisreogach?"

"Chaon ceann acu, b'fhéidir, ach ní theastaíonn uaim trioblóid ar bith eile a tharraingt orainn."

"Ní raibh mé ach ag magadh," arsa Adrienne.

"Déan magadh faoi rud eicínt eile."

"Is furasta thú a ghortú," a d'fhreagair Adrienne. "Tá tú an-ghoilliúnach. Tá an ceart ag an dream a deir, 'Tar chun cónaithe liom agus beidh a fhios agat cén saghas duine mé'."

"Agus cén sórt duine mé?"

"Tá tú chomh cantalach le dris inniu. Níl a fhios agam cén chaoi a mbíonn tú aon lá eile."

"Bhí mé cruálach inné, cúthalach inniu, cantalach i láthair na huaire, gan trácht ar a bheith pisreogach," arsa Pól. "Cén lipéad a bheas orm amárach?"

"Peata," a d'fhreagair Adrienne, "má leanann tú leis an bpeataireacht atá ar siúl agat i láthair na huaire."

Ghabh Pól leithscéal. Chuir sé milleán ar an mbualadh a bhí faighte aige, ar na piollaí. D'inis sé chomh maith faoin tromluí a bhí air nuair a bhí sí imithe amach níos túisce.

Chuaigh Adrienne anonn agus thug barróg dó chomh maith is a bhí sí in ann gan a chuid easnacha a ghortú.

"Táim sórt trína chéile mé féin na laethanta seo," a dúirt sí.

"Mar gheall ormsa a bheith anseo?" a d'iarr Pól.

"Mar gheall ar gach a bhfuil ag tarlú. Mar gheall ar ghasúir a bheith ag an té a raibh mé pósta leis le bean eile. Mar go bhfuil faitíos orm go bhfuil chaon duine againn i gcontúirt. Den chéad uair i mo shaol bhí mé ag breathnú taobh thiar díom ar ball agus mé ag imeacht sa *vaporetto* agus ag siúl na sráide, féachaint an raibh aoinneach ag teacht i mo dhiaidh. Agus dá mbeadh duine do mo leanacht féin, is dóigh nach mbeinn sách glic len iad a thabhairt faoi deara."

"Is mise a tharraing an trioblóid seo ar fad ort," a dúirt Pól, cuma an bhróin ina ghuth. "Ba cheart dom imeacht glan amach as do bhealach agus suaimhneas a fhágáil agat."

"Ná himigh," ar sise. "Mar atá ráite agam cheana, táimid sa rud seo in éindí anois. Má tá aoinneach ag faire, táim cinnte go bhfuil mise feicthe acu chomh maith leatsa."

"Tá sé ar intinn agam labhairt le lucht na Gluaiseachta nuair a théim ar ais go hÉirinn," a dúirt Pól, "féachaint cén seasamh atá agam ina súile siúd. An bhfuil conradh amuigh orm nó céard?"

"Mura bhfuil a fhios acu cá bhfuil tú anois, beidh a fhios acu an uair sin é, cinnte," a dúirt Adrienne.

"Ní féidir liom dul ar aghaidh mar atá mé," a dúirt seisean. "Ba chuma liom nuair nach raibh ann ach mé féin. Ach má tá tusa le bheith in éineacht liom . . ."

"Ba mhaith liom a bheith, ach ba mhaith liom nach mbeadh ceachtar againn i dtrioblóid ná i mbaol."

Bhí Pól ina luí siar go compordach ar na piliúir agus dúirt Adrienne leis gan corraí. Luigh sí lena thaobh ansin. "Táim ag iarraidh do pháiste a bheith agam," a dúirt sí leis.

"Anois díreach?" a d'iarr Pól idir mhagadh is dáiríre.

"Nuair atá tú i do shláinte arís. Murar tharla sé cheana."

"Tá tú ag rá nach bhfuil . . ." Níor chríochnaigh Pól a cheist. "Shíl mé go raibh tú ar an b*pill* nó rud eicínt."

"Ná bíodh aon imní ort. Tógfaidh mé féin é, nó í, má tharlaíonn sé. Ní bheidh mé ag iarraidh tada ort." Rinne Adrienne gáire. "Seachas a bhfuil tugtha agat dom cheana."

"An toisc go bhfuil páiste ag d'fhear céile atá tú á rá? Ar mhaithe le díoltas, an ea?" a d'iarr Pól go crosta, cuma na himní air chomh maith. "Nach bhfuil ionam ach stail sa bpróiseas seo?"

"Toisc go bhfuil páiste ag teastáil uaim sula mbeidh mé róshean," a d'fhreagair Adrienne.

"Níl aois ar bith agatsa."

"Tá an clog ag ticeáil," ar sise. "Ba mhaith liom gasúr a bheith agam roimh dheireadh mo thríochaidí."

"Tháinig sé sin aniar aduaidh orm," arsa Pól, ag croitheadh a chloiginn ó thaobh go taobh. "Ba cheart duit rud chomh tábhachtach leis sin a phlé le duine sula ndéanann tú rud ar bith. Níl a fhios agam an bhfuil mise réidh lena aghaidh seo."

"Níor mhaith leat gasúr?" a d'iarr Adrienne.

"Ní mórán a smaoinigh mé orthu," a d'fhreagair sé. "Leis an obair a bhí ar siúl agamsa, ní fhéadfadh duine a bheith ag caint ar ghasúir ná ag smaoineamh orthu fiú."

"B'fhéidir nach n-oibreoidh sé ar chor ar bith," a dúirt Adrienne. Chuimil sí lámh dá bolg agus dá broinn. "Bhí mé ar an b*pill* chomh fada sin go mb'fhéidir go bhfuil an taobh istigh díom curtha as ord ar fad."

Bhí teannas eatarthu ar feadh tamaill, gan aon rud á rá ag ceachtar acu. Chuir Adrienne falling uirthi agus chuaigh sí amach ar an mbalcóin, ach d'fhill sí arís, mífhoighid ag baint léi, ach d'fhan sí ina tost.

"Cén t-ainm a thabharfas muid air?" a d'fhiafraigh Pól ar ball, cosúlacht air go raibh an smaoineamh ag dul i bhfeidhm air. "Más buachaill atá ann, cuir i gcás."

"Níl tú go huile is go hiomlán ina choinne mar sin?" a d'fhiafraigh Adrienne.

"Níor fhreagair tú mo cheist. Cén t-ainm?"

"Giorgio," arsa Adrienne.

"Ach ní Giorgio atá orm i ndáiríre," a d'fhreagair seisean. "Mar atá a fhios agat go maith."

"Ní ortsa a bhí mé ag cuimhneamh," arsa Adrienne go magúil, "ach ar Giorgio Armani, ealaíontóir mór, ar nós mé féin."

"Agus céard faoi chailín?"

"Venus," a dúirt Adrienne.

"Bandia an ghrá?" a d'iarr seisean.

"Ní hea. Tomhais arís."

"I ndiaidh Venus Williams?" a d'fhiafraigh Pól.

"Iad sin ar fad," ar sise, "ach fáth níos mó le rá ná iad sin arís."

"Níl a fhios agam. Inis dom."

"Mar go bhfuil sé cosúil le Veinéis," arsa Adrienne, "an áit is áilne ar domhan, an áit ar casadh ar a chéile sinn."

Bhí Pól ciúin ina dhiaidh sin ar feadh tamaill agus d'iarr Adrienne céard a bhí air.

"Ciallaíonn sé seo ar fad gur mar stail atá mise agat," a d'fhreagair sé. "Níl aon suim agat ionam féin."

"Creid sin, más maith agat," arsa Adrienne.

"Is fíor dom é."

"Céard atá ó fhear ar bith ach a bheith ina stail? Stail gan freagracht. Stail gan choinsias. Nach aoibhinn Dia duit? Nílimse ag iarraidh tacaíocht airgid ná tada."

"Ceapann tú nach mbeadh aon suim agamsa i mac nó iníon a bheith agam, fiú más trí chleas a tugadh ar an saol iad?"

"Bheinn ag súil go mbeadh," arsa Adrienne, "ach ní chuirfinn brú ar bith ort cabhrú liom."

Chroith Pól a chloigeann.

"Táim tar éis a bheith ag smaoineamh air agus nílim sásta leis sin, a bheag ná a mhór."

Chuir Adrienne na ceisteanna crua:

"Céard a dhéanfas tú liom mar sin? Mé a mharú? Mé a thabhairt amach i lár na farraige agus mé a fhágáil ansin?"

"Sin fáth eile nach mbeinn ag iarraidh gasúir leat," ar seisean, "mar go mbeifeá ag caitheamh rudaí mar sin liom an chuid eile de mo shaol, agus á rá os comhair na ngasúr chomh maith, is dóigh."

Thosaigh Adrienne ar a cuid éadaigh a chur uirthi go sciobtha agus, nuair a d'iarr Pól cén fáth, d'fhreagair sí:

"Tá mo dhóthain cloiste agam uaitse. Táim ag dul amach le *pill* an lae ina dhiaidh a cheannacht. Ní bheidh caint ar bith faoin ábhar seo a thuilleadh."

"Stop," a dúirt Pól. "Tá brón orm. Ní raibh mé ag súil le rud ar bith mar seo inniu. Tá an iomarca ann d'aon lá amháin. Shíl mé go raibh mo dhóthain trioblóide agam tar éis an lae inné."

"Trioblóid atá anois ionam?"

Shín Pól a lámh amach chuig Adrienne.

"Gabh i leith uait anseo. Céard faoi a bhfuil muid ag argóint?"

"Faoi ghasúir nach bhfuil againn, ach go bhfuil caolseans go bhféadfaimis ceann a bheith againn," a d'fhreagair Adrienne.

Thug Pól póg di lena liopaí briste.

"Níl a fhios agam an bhfuil an stail faoi réir le dul i mbun oibre arís," ar sé, a lámh á chur ina timpeall. Chodail siad ar feadh an tráthnóna ina dhiaidh sin agus is *pizza* ordaithe aníos ón siopa ar an tsráid a bhí acu mar dhinnéar arís. Bhraith Pól i bhfad níos fearr tar éis an méid a chodail sé, cé go raibh a chuid easnacha tinn fós. Sheas sé amach ar an mbalcóin, ag baint sásaimh as an gloine fíona a bhí á ól aige le hAdrienne ag deireadh an lae.

"Nach aisteach an bheirt muid?" ar sise, "ag troid nóiméad amháin agus sa leaba lena chéile an chéad nóiméad eile."

"Cruthaíonn sé sin gur lánúin i ndáiríre muid."

D'fhiafraigh Adrienne faoina chaidreamh le mná eile roimpi, ach d'éalaigh sé ó aon fhreagra cinnte a thabhairt:

"Ní tú an chéad bhean a bhí liom. Agus ní hé mise an chéad duine nó an t-aon duine a bhí agat. Nach leor é sin mar eolas?"

"D'inis mise duit faoin bhfear a bhí agamsa," ar sise. "Cé nach raibh mórán le n-insint go dtí gur imigh sé uaim."

"Níor iarr mé ort aon rud a insint. Éad a chothaíonn caint ar na rudaí sin."

"An bhfuil údar agam éad a bheith orm?" a d'fhiafraigh Adrienne. "An bhfuil bean chéile i bhfolach in áit eicínt?"

"Sin é go díreach atá i gceist agam: piocfaidh tú rud eicínt amach as chuile fhreagra a thugaim duit." D'admhaigh sé tar éis tamaill gur ar éigean a bhí bean ar bith leis le níos mó ná aon oíche amháin, nó dhá oíche, nó trí cinn ar a mhéid.

"An mar gheall ar an obair a bhí ar siúl agat é?" a d'fhiafraigh Adrienne. "Más féidir obair a thabhairt air."

"É sin cinnte, ach níor casadh aoinneach mar thusa orm go dtí anois."

"Seafóid! Is dóigh gur dhúirt tú é sin le do chuid sicíní aon oíche ar fad," ar sise. "Go dtí go bhfuair tú isteach i do leaba iad."

"Is fíor dom é," a dúirt Pól. "Tá tusa difriúil. Bheadh bean eile rite fadó, dá gcaithfeadh sí déileáil lena bhfuil cloiste agus feicthe agatsa ó thús na seachtaine."

"An mar gheall nár chleacht tú comhluadar na mban go dtí seo a bhí cantal ort liom ar maidin?" a d'iarr Adrienne.

"Cén leithscéal a bhí agat féin? Níl mé ag rá nach bhfuil an méid a dúirt tú fíor, ach bhí taithí agam ar dhaoine timpeall orm sa gcoláiste agus nuair a bhíodh grúpaí againn i mbun traenála. Ní cuimhneach liom a bheith cantalach, ná níor dhúirt aoinneach liom go raibh."

"Tuige nach ndéanann muid dearmad orainn féin ar feadh tamaill?" a d'iarr Adrienne, lámh sínte amach aici thar bhalcóin an árasáin, "agus sult a bhaint as an oíche agus as an gcathair."

"Níl locht air," arsa Pól go magúil, "má tá tusa sásta do bhéal a dhúnadh ar feadh soicind nó dhó."

"Níl mise . . ."

Chuir sé méar le béal Adrienne lena caint a stopadh. Phóg sé ansin í agus dúirt i gcogar, "Caithfimid é a dhéanamh amuigh anseo ceann de na hoícheanta, nuair a bheas mó chuid créachtaí leigheasta."

"Tá an diabhal ortsa," ar sí.

"Ní bheadh mo dhá thaobh in ann é a sheasamh mar gheall ar na pianta," ar sé. "Go dtí sin, caithfimid ár gcuid pléisiúir a fháil ón radharc."

Sheas Adrienne lena thaobh, a hanáil á tarraingt go mall trína béal oscailte aici, agus á séideadh amach arís.

"Sin é a dhéanaim nuair a smaoiním ar na toitíní. Tugann sé faoiseamh dom."

Rinne Pól iarracht an rud céanna a dhéanamh ach ghortaigh sé é.

"Tá súil agam nach maróidh deatach na cathrach thú," ar seisean. "Cuimhnigh ar an méid stuif truaillithe a thagann ó shimléir na mbád uilig, gan trácht ar an ngás a thagann ó chac uile na ndaoine a théann ón gcóras séarachais isteach sa bhfarraige."

Dhún Adrienne a béal ar an bpointe.

"Níor chuimhnigh mé air sin," a d'fhreagair sí. "Shílfeá go mbeadh an chuid is mó den dochar bainte as ag sáile na farraige."

"Dá mbeadh an t-uisce sách domhain, nó dá mbeadh an taoille ag tuile is ag trá mar a bhíonn sa mbaile, b'fhéidir go nglanfadh. Ach is beag a ardaíonn ná a íslíonn an taoille thart anseo."

Chuadar ar ais san árasán ansin mar go raibh Adrienne ag éirí fuar ar an mbalcóin. Nuair a ghlaoigh Patrick ar ball uirthi, dúirt sí nach raibh am aici labhairt leis mar go raibh comhluadar aici. Ba léir nach raibh sé ag éisteacht nuair a dúirt sé nach raibh Síle sásta go bhfeicfeadh sé a pháiste ach cúpla uair sa tseachtain.

"An bhfuil tusa ag caoineadh?" a d'iarr Adrienne.

Bhí a fhios aici gur bréag a bhí ann nuair a dúirt sé go raibh slaghdán air.

"Ach níl sé sin ag cur as dom, ach an dearcadh atá ag an mbitseach seo a thug mo pháiste ar an saol."

"Cé chomh minic sa tseachtain a theastaíonn uait é a fheiceáil?" a d'iarr Adrienne.

"Am ar bith a thograím," an freagra a thug sé. "Ní raibh aon chaint aici air seo go dtí gur rugadh an páiste. Déarfainn gurb iad an t-athair agus máthair atá taobh thiar den rud seo. Le go n-íocfainn tuilleadh leis an ngasúr a chothú, b'fhéidir."

Chuir Adrienne ceist:

"Nach mbeidh tú ag obair ar feadh na seachtaine mar is gnáth?"

"Beidh, ach ní hin é an pointe."

"Fad is a fheicimse," arsa Adrienne, "ní bheidh am agat é a fheiceáil ach cúpla lá sa tseachtain."

"Tá a fhios agam é sin, ach is ar an bprionsabal atá mise ag cuimhneamh," a d'fhreagair Patrick. "Is í an chéad chéim eile ná gan cead ar bith a thabhairt dom é a fheiceáil."

"Foc an prionsabal," arsa Adrienne. "Glac lena bhfuil tú in ann a fháil faoi láthair agus, de réir a chéile, beidh tú in ann níos mó a bhaint amach, go háirithe nuair a chruthaíonn tú go bhfuil tú i d'athair maith."

"Tuige ar ghá dom é sin a chruthú?" a d'iarr Patrick. "Níl seans ar bith tugtha dom go dtí seo."

"B'fhéidir go bhfuil sí ag súil go bpósfaidh tú í?" a d'iarr Adrienne. "Ós rud é go bhfuil muide scartha."

"Ag súil a bheas sí. Tá an lá thart go gcaithfidh duine an té a thugann a ghasúir ar an saol a phósadh. Cantal nó rud eicínt atá tagtha uirthi ó rugadh an páiste," arsa Patrick.

"Táimid ag caint ar hormóin agus ar chuile rud den sórt sin," a dúirt Adrienne. "Níl aon ghasúr agam, mar atá a fhios agat, ach tá a fhios agam an méid sin. Táim cinnte go mbeidh dearcadh difriúil ag Síle i gceann cúpla seachtain." Bhraith sí ina croí istigh gur cuma léi faoi na deacrachtaí a bhí ag Patrick agus Síle. Theastaigh uaithi é a chur ón bhfón go mbainfeadh sí taitneamh as comhluadar Phóil, ach bhí a hiar-fhear céile trína chéile agus níor theastaigh uaithi é a ghortú tuilleadh.

Bhí Patrick fós ag caint:

"Níl mise ag dul ag cur suas leis seo. Is mise an t-athair agus tá cearta agamsa."

"Tá a fhios agam go bhfuil. Tuige nach dtéann tú chuig dlíodóir?" a d'fhiafraigh Adrienne.

"Chuimhnigh mé air sin," a d'fhreagair Patrick, "ach b'fhéidir go gcuirfeadh sé sin as a meabhair ar fad í; nach ligfeadh sí cead dom é a fheiceáil a bheag ná a mhór."

"Ach d'fhéadfá na himpleachtaí a phlé le dlíodóir," an moladh a bhí ag Adrienne. "Níl na freagraí agamsa, a Phatrick."

"Nílim ag súil le freagra i ndáiríre, ach caithfidh mé labhairt le duine eicínt." Ina hintinn bhí Adrienne ag smaoineamh 'Tuige nár smaoinigh tú air sin sular scaoil tú le beilt do bhríste?' ach choinnigh sí guaim uirthi féin. Bhí sórt sásaimh uirthi nach raibh rudaí ag oibriú amach chomh maith sin dá hiar-fhear chéile agus a leannán. Shíl sí roimhe sin gurbh iad a bhí sna flaithis agus ise in ifreann, ach is é a mhalairt a bhí fíor i láthair na huaire. Cúpla mí roimhe sin, bheadh sí an-sásta díoltas mar seo a bheith aici ar an mbeirt a rinne praiseach dá saol, dar léi, ach ba mhó trua a bhí aici dóibh anois ná tada eile.

"Beimid ag caint air seo arís, a Phatrick. "Caithfidh mé imeacht anois. Dúirt mé leat go bhfuil duine anseo liom."

"An t-am seo den oíche?" a d'iarr seisean.

"Is duine fásta anois mé," an freagra a thug Adrienne.

"Ceist amháin eile agam." Labhair Patrick ar nós gur theastaigh uaidh greim a choinneáil ar an aon rud a shábhálfadh ón uaigneas é. "An bhfuil cearta ag athair maidir le cén t-ainm a thugtar ar pháiste?"

"Níl a fhios agam," arsa Adrienne. "Chomh fada le m'eolas, níl, mura bhfuil an bheirt pósta. Is ceist don aturnae í sin freisin. An é nach dtaitníonn an t-ainm atá sí a thabhairt air leat?"

"Tá sí ag caint ar Emmanuel a thabhairt air," ar seisean. "Nach in ainm scannán brocach?"

"Chuala mé trácht air, ach is é an leagan baineann den ainm atá i gceist: Emmanuelle. Más buan mo chuimne, agus ní inniu nó inné a rinne mé an teagasc críostaí mar ábhar scoile, tá ciall an-deas leis an bhfocal féin, Emmanuel. 'Cara le Dia' nó 'Dia linn' nó rud eicínt mar sin. Tuige nach ndéanann tú é a *ghoogle*áil ar an ríomhaire?"

"Ní ar Dhia atá sise ag cuimhneamh," a dúirt Patrick, "ach ar pheileadóir mór le rá i Sasana."

Cheartaigh Adrienne é:

"Nuair atá tú ag caint ar mháthair do linbh, caithfidh tú a hainm a thabhairt uirthi: Síle. Mura bhfuil an méid sin ómóis agat di, go bhfóire Dia oraibh."

"Níl a fhios agam céard atá i gceist agat," a d'fhreagair Patrick. "Níl tuiscint ar bith agam i ndáiríre ar chúrsaí ban."

"Mura dtugann tú Síle uirthi in ionad 'í sin' nó 'ise', níl seans ar bith agaibh," arsa Adrienne.

"Níl a fhios agam an bhfuil mé ag iarraidh caidreamh a bheith agam léi, an chaoi a bhfuil sí faoi láthair."

"Caithfidh sé go raibh mothúcháin ann bliain ó shin," a dúirt Adrienne, cé nár mhaith léi cuimhneamh ar ar tharla eatarthu.

Lig Patrick osna mór millteach.

"Is mór idir an t-am sin agus an t-am seo. Botún a bhí sa rud ar fad."

"Má tá tú ag iarraidh a bheith mór le do mhac . . ." Shíl Adrienne nár ghá di a caint a chríochnú.

"Tá tú chomh *bossy* anois is a bhí tú riamh," a dúirt Patrick. "Ná habair liomsa céard is ceart dom a dhéanamh."

"Ag iarraidh comhairle a chur ort a bhí mé," a d'fhreagair Adrienne go feargach. "Lean tú ort ag caint seafóide, cé go raibh a fhios agat go raibh cuairteoir anseo liom."

"Shíl mé nach raibh ansin ach leithscéal," a dúirt Patrick. "Le mé a chur den fón."

"Bhuel, bhí tú mícheart faoi sin, agus bhí tú mícheart faoinar dhúirt tú an lá cheana chomh maith."

"Céard é sin?"

Bhreathnaigh Adrienne thart go bhfeicfeadh sí an raibh Pól amuigh ar an mbalcóin i gcónaí sular fhreagair sí.

"Shíl tú nach mbeinn le fear ar bith ach thú féin go deo. Bhuel bhí. Go mion is go minic, agus bhí sé thar cionn. An ndéarfaidh mé leat chomh minic is a rinneamar é?"

Chroch Patrick an fón.

"Cé atá cruálach anois?" a d'iarr Pól nuair a tháinig sé ar ais isteach sa seomra.

"Bhí tú ag éisteacht?"

"Ní raibh aon rogha eile agam agus an fhuaim chomh hard," an freagra a thug sé.

"Déanaim dearmad nach bhfuil mé anseo liom féin i gcónaí." Shuigh Adrienne ar nós go raibh an mothú bainte aisti. "Maidir leis an gcruálachas, rinne mé mo mhíle dícheall a bheith cineálta agus tuisceanach faoina chás, ach d'éirigh leis mé a choipeadh ar deireadh. Níor fhoghlaim sé tada ó scar muid óna chéile."

"An bhfuil sé fíor nach raibh tú le fear ar bith eile ach mise i do shaol, seachas d'fhear céile?" a d'iarr Pól.

"Ní bhaineann sé leat," ar sise go borb. "Níor cheart duit a bheith ag éisteacht. B'fhéidir gur bréaga a bhí á n-insint agam."

"Ach nach deas é? Dúirt tú rud mar sin an oíche cheana, ach shíl mé go mbeadh buachaillí eile agat, nár chuir tú san áireamh. Nuair a bhí tú i do dhéagóir mar shampla," a dúirt Pól.

Bhí Adrienne fós ar buile le Patrick nuair a d'fhreagair sí: "Níl chuile dhuine ina *slut*."

"Ní thabharfainn é sin go brách ort," a dúirt Pól.

"Ag cuimhneamh ar an mbean a ghoid m'fhear céile atá mé," a d'fhreagair Adrienne.

"Bíonn beirt ag teastáil le haghaidh *tango*."

"Tá sé ag íoc go daor anois as," arsa Adrienne, "agus, an bhfuil a fhios agat, níl trua ar bith agam dó. Agus is lú ná sin arís mo thrua don bhean a thug a pháiste ar an saol."

"Bhí sé barrúil faoi Emmanuel," a dúirt Pól. Ach thug an chaint sin thar an teorainn a cheadaigh Adrienne faoina caidreamh leis an bhfear chéile a bhíodh aici, a phlé lena leannán úr. Chosain sí Patrick:

"B'fhéidir nach bhfuil sé chomh suas chun dáta ar imeachtaí an tsaoil le daoine eile," arsa Adrienne, "ach ní thabharfainn locht air sin. Ní gá do chuile dhuine a bheith páirteach in aois na cumarsáide agus an rachmais."

"Ní hé sin a bhí i gceist agam," arsa Pól, "ach ní raibh a fhios agam cé acu Emmanuel a bhí i gceist ag an gcailín: Adebayor nó Eboué?" Bhreathnaigh Adrienne air ar nós nár thuig sí focal a dúirt sé.

"Táimse ag dul amach as seo ar maidin," a dúirt sí gan aon choinne. "Fágfaidh mé rud le n-ithe réitithe. Beidh mé imithe an chuid is mó den lá."

"An bhfuil tú ag aireachtáil go bhfuil an áit róbheag don bheirt againn?" an cheist a chuir Pól.

"Teastaíonn uaim tuilleadh pictiúr a fheiceáil sna seanséipéil," a dúirt sí. "Agus tá an ceart agat faoin spás seo. Táimid i mullach a chéile rómhór. Nílim in ann cuimhneamh i gceart. Táim ag iarraidh am liom féin le rudaí a oibriú amach i mo chloigeann."

XXII

Chuaigh Adrienne ar *vaporetto* trí lár na cathrach go luath maidin lá arna mhárach. Thug an bealach ar ghluais an bád ar bharr an uisce sórt suaimhnis di, agus mar nach raibh aon deifir uirthi, agus ticéad oscailte aici, d'fhan sí inti go dtí gur shroich an críochfort. D'fhág sí an bád ar feadh tamaill ag an Lido – oileán faoi leith a bhí luaite ag Shakespeare, agus inar chaith filí móra le rá de chuid Shasana, ar nós Lord Byron agus Robert Browning, laethanta saoire. An rud is mó a chuir iontas uirthi ná go raibh gluaisteáin agus busanna ag gluaiseacht ar fud na háite, murarbh ionann is an chuid eile den Veinéis. Sheas sí isteach ar cheann de na busanna go dtí an stop is gaire don óstán ina bhfanadh Browning, an Quattro Fontane. Shílfeá gur ó chárta Nollag a tógadh an áit: teach de chuid an tseansaoil a bhí chomh galánta céanna taobh istigh agus a bhí taobh amuigh. Smaoinigh sí ar scannán a chonaic sí blianta roimhe sin faoin bhfile agus a ghrá geal, Elizabeth Barrett.

Thóg Adrienne ceann eile de na *vaporetti* ar ais an fhad céanna ansin. D'éirigh na turais níos compordaí de réir a chéile. Bhí an bád lán le daoine a bhí ag dul chun na hoibre ar dtús. Bhí na sluaite scaipthe ansin agus gan mórán turasóirí tagtha ó na hóstáin, na hárasáin ná na soithí móra sa gcuan go fóill. Bhreathnaigh sí amach ar na tithe móra ar thaobh amháin ar a céad turas, ar an taobh eile ag teacht ar ais. Ach is ar éigean a bhí na foirgnimh á bhfeiceáil aici, í ag iarraidh suaimhneas intinne a fháil ó stuaim agus staidéar an bháid agus í ag gluaiseacht léi go mall ar bharr an uisce.

Chuir sí na ceisteanna uile a bhí ina cloigeann an oíche roimhe, agus a choinnigh ó chodladh í ar feadh i bhfad, amach as a hintinn chomh fada is a bhí sí in ann. D'fhág sí an bád i ngar don Ponte dei Sospiri, Droichead na nOsnaí. Shíl sí go raibh an t-ainm sin feiliúnach don mhéid a tharla di féin le laethanta beaga anuas. Cibé cén fáth é, d'ardaigh a croí nuair a bhí sí ina seasamh i lár an droichid go hard os cionn an uisce. Lig sí cúpla osna chomh mór is chomh fada is a bhí ar a cumas, agus bhí cosúlacht air gur ghlan siad a hintinn agus a mothúcháin ar bhealach eicínt. Bhí na sluaite ina timpeall: díoltóirí pictiúr agus mascanna; díoltóirí málaí láimhe de chuid na lipéad is fearr, mar dhea; lucht déirce ag dul thart mar a bhí i gcónaí, nó ina suí ar thaobh an droichid.

Smaoinigh Adrienne nárbh fhada go mbeadh sí ar ais ansin in Éirinn. Chuaigh sí trí na rudaí a bheadh le réiteach: taisteal agus ticéid; lóistín, anois go háirithe dá mbeadh Pól ag dul léi. D'fhágfadh sí faoi lucht an ghailearaí gach ar bhain leis na pictiúir a chur in eagar. Ní bheadh an áit seo ina bhaile aici go deo, a smaoinigh sí. Bheadh sé ceart go leor go ceann tamaill, go dtí go mbeadh Patrick agus a pósadh agus an bagáiste uile a bhain leis curtha di aici.

Smaoinigh sí ar Chill Mhantáin agus shamhlaigh sí í féin i mbun péinteála ansin, Pól amuigh sa gharraí ag an gcúl, glasraí orgánacha á gcur ar fás aige. Bheadh Venus, a gcailín beag, ag rith thart agus ag tabhairt cúnaimh dó anois is arís. B'fhéidir go ndéanfadh an cailín beag mar a rinne a máthair roimpi nuair a bhí sí ag obair lena hathair féin: na plandaí a tharraingt aníos as an talamh agus an salachar a fhágáil ag fás. Chuir an smaoineamh sin meangadh gáire ar a béal.

Leis an méid a bhí ar siúl le tamall, is beag nach raibh dearmad déanta ag Adrienne ar a hathair agus an gheallúint a bhí tugtha aici go nglaofadh sí air go minic. Bhain sí triail as an uimhir ar a fón phóca ach ní raibh aon duine ag freagairt. D'fhág sí teachtaireacht go raibh sí ag cuimhneamh air agus í ar bharr Dhroichead na nOsnaí. Ní fada go mbeadh sí ar ais in Éirinn, ar sí, agus dúirt sí go bhfeicfeadh sí ansin é.

Cá bhfuil sé? a d'iarr Adrienne uirthi féin nuair a bhí a fón múchta aici, a himní ag fáil an lámh in uachtar arís uirthi. Shamhlaigh sí é ina luí sa seomra folctha, áit ar thit sé ag teacht ón bhfolcadán, stróc faighte aige agus gan duine ar bith le haire a thabhairt dó. Ach nach raibh bean ag dul isteach leis an nglantachán a dhéanamh? Nach raibh saol sóisialta aige chomh maith nó níos fearr dá aois ná mar a bhí aici féin? Gan trácht ar an gcara seo a chuaigh ag siúl sna sléibhte leis.

Chaithfeadh sí cuireadh a thabhairt don bhean sin chuig an taispeántas in éineacht lena hathair, a smaoinigh sí. Bhraith sí mídhílís dá máthair ar bhealach eicínt gur smaoinigh sí ar a leithéid a dhéanamh fiú amháin. Ach ba é seo an t-am le breathnú chun cinn agus le dul ar aghaidh. Bhí a máthair imithe ach bhí a hathair beo, agus ní fhéadfadh sé cibé saol a bhí i ndán dó a chaitheamh ag caoineadh is ag olagón. Bhí seisean ag leanacht ar aghaidh lena shaol, a cheap sí, ach ní raibh sise, ní mar gheall ar an mbás ach ar rud níos deacra arís: pósadh briste. Theastaigh uaithi an saol a bhí caite, an saol ar theip air, a chur taobh thiar di, ach bhí Patrick ansin ar an bhfón, oíche i ndiaidh oíche, mar thaibhse ar foluain os cionn smionagar a bpósta. Bhí sé in am aici a rá leis gan glaoch uirthi feasta. Ach ar cheart é a rá ag am a raibh sé chomh híseal ann féin?

Tháinig Adrienne anuas ó bharr an droichid agus shiúil sí chomh fada le caifé óna mbeadh radharc aici ar an gcanáil agus ar shíorghluaiseacht na mbád. D'ordaigh sí anraith agus shuigh sí ansin faoin aer ag baint taitnimh as a raibh ar siúl roimpi. Smaoinigh sí gur dóigh go mbeadh Patrick ag súil le cuireadh chuig a taispeántas i nGaillimh. Ar cheart di Síle a iarraidh in éindí leis? B'fhéidir go dtiocfaidís ar comhréiteach faoina bpáiste. Ach níor bhain sé sin léi, a dúirt Adrienne léi féin. Ba iad féin a tharraing na trioblóidí sin orthu féin, agus bheadh orthu iad a réiteach. Thograigh sí gan cuireadh a thabhairt do cheachtar acu. B'ionann sin agus a rá go raibh a bpósadh thart go huile is go hiomlán, ar deireadh.

Bhí an ghrian ina súile ach shíl Adrienne gurb í bád Phóil a chonaic sí ar an taobh eile den chanáil ag teacht ina treo. Chuir sé sin iontas uirthi mar cheap sí nach raibh a dhóthain de bhiseach air lena thacsaí a thiomáint. Bhí an bád leathchéad méadar nó níos mó uaithi, ach shíl sí go raibh hata ar an tiománaí den chineál a chaith na *gondoliers*, agus geansaí straidhpeáilte freisin.

Bhí fear bréige ceart déanta aige de féin, a cheap sí.

Cé go raibh sé ar intinn aici fanacht amach ón árasán go tráthnóna, thograigh Adrienne dul ar ais abhaile le go bhfaigheadh sí amach céard a bhí ar siúl. Níor cheart go mbainfeadh sé léi a bheag ná a mhór céard a bhí ar siúl aige, ach ní raibh a fhios aici an raibh sé i mbaol, nó an raibh rud eicínt eile ar siúl aige nár inis sé tada di faoi. Más lucht drugaí a bhí sa tóir air an lá cheana, cá bhfios nach raibh baint aige féin le drugaí i gcónaí?

Is ag an nóiméad sin a thug Adrienne faoi deara, den dara nó den tríú huair, fear dea-ghléasta a bhí suite ar an taobh eile den chaifé ag breathnú uirthi. D'iompaigh sé a shúile gach uair ar fhéach sí go díreach air. Níl ach bealach amháin le fáil amach cé thú féin, a smaoinigh sí. Shiúil sí trasna agus d'iarr an raibh aithne aige uirthi, nó ar cheart go mbeadh aithne aici air, mar go raibh súil á choinneáil aige uirthi le tamall. D'oscail sé a lámha amach ar bhealach drámatúil, rómánsúil, sular fhiafraigh sé i mBéarla le canúint láidir Iodáilise air, an coir a bhí ann anois breathnú ar bhean spéiriúil.

Cén sórt óinsigh í? a d'iarr Adrienne uirthi féin ar a bealach chuig an *vaporetto*, ag ceapadh go raibh chuile dhuine ag faire uirthi. Bhí a cuid paranóia ag méadú in aghaidh a lae.

XXIII

Thapaigh Pól a dheis le tuilleadh codlata a fháil chomh luath is a d'fhág Adrienne an t-árasán ar maidin. Níor ghlac sé piolla lena phian a mhaolú an oíche roimhe sin mar gheall ar na drochbhrionglóidí a bhí aige dá mbarr. D'fhag sé sin a dhá thaobh agus a éadan pianmhar, ach níorbh ionann tromluí an lae, dá dhonacht é, agus a mhacasamhail i ndorchadas na hoíche. Ghlac sé le níos mó ná mar a bhí ceadaithe agus thit sé i dtromshuan. Ní brionglóid a dhúisigh é an uair seo ach fonn múisce. Is amhlaidh go raibh an iomarca piollaí slogtha aige, a cheap sé, mar chuir sé aníos gach a raibh ina bholg. D'fhan sé ina luí ar an leaba ansin, na pianta fós air agus drochbhlas ina bhéal chomh maith. B'fhada ó d'airigh sé chomh dona.

Ní raibh a fhios ag Pól cén fhad a d'fhéadfadh sé fanacht san árasán. Bhí cúrsaí gnéis thar cionn idir é féin agus Adrienne, ach bhí teannas eatarthu an chuid is mó den am. B'fhéidir go raibh an ceart aici, a cheap sé, nuair a dúirt sí gur de bharr a chuid easpa taithí ar mhaireachtáil le bean lá i ndiaidh lae a bhí rudaí amhlaidh. Bhí an t-am a scaradh sé le formhór na mban a bhíodh aige sroichte anois arís aige, an t-am nach raibh a dhóthain sa bpléisiúr agus sa bpaisean. "Am cainte, am cáinte, am le scaradh," mar a deireadh cuid dá chomrádaithe. Shíl sé nach air féin a bhí an milleán ar fad. B'fhurasta Adrienne a choipeadh chomh maith. Cheap sé le tamall go raibh sé thar am aige socrú síos le bean eicínt, agus clann a bheith acu dá bhféadfaidís. Ach b'fhéidir nach bhféadfadh. Bhí daoine ann a bhí ina dtaistealaithe, daoine ina seachránaithe, daoine nach raibh ar a gcumas fanacht socair. B'fhéidir go raibh seisean ar dhuine acu.

Bhí uncail leis ar thaobh a mháthar a d'fhág an baile in aois a chúig bliana déag agus nach raibh tásc ná tuairisc air arís go dtí gur bhásaigh sé i nGlaschú sna seachtóidí. An rud is aistí faoi ná go raibh núachtáin áitiúla Éireannacha faoina leaba sa seomra a bhí ar cíos aige, línte tarraingthe faoi eachtraí a tharla san áit ar rugadh is ar tógadh é, cé go raibh sé imithe as an chuid is fearr de thrí scór bliain. Ní raibh oíche ar bith ann le linn do Phól a bheith ina ghasúr agus ina fhear óg nár dhúirt a mháthair paidir ar son a dearthár a bhí ar seachrán.

Go díreach mar atá sí ag rá paidreacha ar mhaithe lena mac atá básaithe ag an nóiméad seo, is dóigh, a cheap sé. B'fhéidir go raibh an mianach céanna ann is a bhí ina Uncail Cóilí, seachránaí nach raibh in ann socrú síos. Ní fhaca sé dearthár a mháthar go dtí go raibh sé sínte os cionn cláir nuair a tugadh a chorp abhaile as Albain, ach bhí rud eicínt faoi a thaitin le Pól.

Smaoinigh sé ansin go mb'fhéidir go bhféadfadh sé féin agus Adrienne leanacht lena gcaidreamh, ach an dá árasán a choinneáil. Ní bheidís i mullach a chéile ar an mbealach sin. Ní hé go raibh sé ag súil le fanacht le hAdrienne i gcónaí, ach bhí cosúlacht ar an scéal gur mar sin a bhí. Bhí sé cinnte gurb é sin a chothaigh cuid den teannas. Shíl sé go raibh sé róluath ag beirt ar bith dul chun cónaithe lena chéile tar éis cúpla lá, mar a rinneadar. Bheadh sé difriúil dá mbeadh cúirtéireacht réasúnta fada ann i dtosach agus aithne níos fearr acu ar a chéile.

Níl tú ach ag iarraidh éalú ó dhílseacht do bhean ar bith, arsa Pól leis féin. An mbeadh súil á caitheamh aige ar mhná eile dá mbeadh sé ar ais ina chónaí leis féin? Gach seans go mbeadh. Ach ní bheadh, ar ndóigh, dá mba rud é go raibh Adrienne agus é féin mór lena chéile. Bhí sé ag súil go ndéanfadh an sos beag óna chéile a bhí acu an lá sin maith do chaon duine acu. Ach céard a bheadh i ndán dóibh go fadtéarmach dá mbeadh sé faoi bhrú an t-am ar fad ó fhórsaí nach raibh aon smacht aige orthu: brainsí speisialta, lucht na Gluaiseachta agus lucht drugaí? Bhí sé in am aige a fháil amach go cinnte faoi na bagairtí sin.

Smaoinigh sé ar sheift a bhí ligthe trína intinn aige cheana ach curtha ar leataobh mar gur cheap sé nach n-oibreodh sé. Céard faoi dá mbeadh sé lena scéal a dhíol le nuachtán? Scéal a shaoil, scéal a bháis, agus scéal a aiséirí san Iodáil mar thiománaí tacsaí. Bheadh sé spéisiúil, cinnte, agus d'fhéadfadh sé luach tí a fháil as an insint. Ach an gcoinneodh sé sin na mic tíre ón doras? An mbeidís fós ag iarraidh é a mharú nuair a bheadh a fhios ag an saol gurb iad a sheanchomrádaithe a dhéanfadh é? Nó na bleachtairí? Nó lucht drugaí? Ach an mbeadh a fhios? Bhí an oiread sa tóir air nach mbeadh sé soiléir cé a rinne an gníomh. Chuirfí *assassin* ceart sa tóir air an uair seo a bheadh i bhfad níos proifisiúnta ná an bheirt a bhí ina dhiaidh an uair dheireanach.

Cheap Pól gurbh é an rud is mó a shábháil go dtí sin é ná go raibh sé folaithe chomh maith sin. Fad is a thuig sé, is de thimpiste a tháinig Sandra agus an fear mór ar an áit a raibh sé. D'aithin duine muinteartha leo é sa tacsaí nó in áit eicínt. Ach is fíorbheagán daoine a bheadh ag súil le Éireannach a fheiceáil ag tiomáint tacsaí uisce sa Veinéis. Dá scaoilfí a rún, cá rachadh sé? An mbeadh fonn ar Adrienne dul i bhfolach in aon áit eile in éineacht leis? Drochsheans. Bhí a saol féin agus a cuid ealaíne aici, agus b'fhurasta a fháil amach cá raibh sí ag obair ag am taispeántais mar shampla. Sin, mura n-éireodh sí as an bpéintéireacht ar fad. Bhí sí sách cantalach cheana, ach cén chaoi a mbeadh sí gan a cuid oibre? Bhí sé difriúil faoi láthair mar nach raibh a fhios ag aoinneach go raibh caidreamh agus ceangal eatarthu. Ach bheadh a fhios dá bhfeicfí lena chéile iad ag an taispeántas sin i nGaillimh. Níor theastaigh uaidh ise a chur i mbaol, thar dhuine ar bith.

Bhí rud eicínt tarraingteach faoin bplean sin cinnte. Chonaic sé na cinnlínte i súile a chuid samhlaíochta: "An spiadóir a tháinig ar ais ó na mairbh." Ba bhealach éalaithe amháin é, ach cá bhfios cé na himpleachtaí a bheadh air? D'fhéadfadh an DUP tarraingt amach as an rialtas i dTuaisceart Éireann mar nár insíodh an fhírinne dóibh, mar nár insíodh rud ar bith dóibh faoina leithéid a bheith fós beo. Ba é an namhaid ba mhó é ó thaobh siadsan de ar feadh tamaill, roinnt blianta roimhe sin. Maidir leis na póilíní, bhí "Namhaid an Phobail Uimhir a hAon" tugtha air sna nuachtáin. Is beag an trua a bhí ag an taobh sin dó nuair a fuair sé bás, mar dhea, go tobann agus go hóg. "*May he rot in hell*," a dúirt ceannaire amháin de chuid an UVF, agus b'fhéidir go raibh tuar tagtha faoin tairngreacht. Bhí sé in ifreann de chineál aisteach: é caite idir dhá shaol, é beo agus básaithe ag an am céanna.

Ach má bhí sé básaithe go hoifigiúil, bhí sé beo fós, a cheap Pól agus é ina luí ar leaba Adrienne. Tabhair beo air, a smaoinigh sé nuair a chuimhnigh sé ar an bpléisiúr a bhí acu ó thús na seachtaine. Chuimhnigh sé ansin ar chomh gar is a tháinig sé do bheith curtha den saol, agus thograigh sé an plean lena scéal a insint go poiblí a phlé le hAdrienne nuair a d'fhillfeadh sí níos deireanaí. Tharraing Pól an phluid aníos, shocraigh sé é féin sa leaba ar bhealach nach mbeadh pian air, agus d'fhan sé go suaimhneach le do dtitfeadh a chodladh air.

XXIV

"Cá ndeachaigh tú sa mbád?" Is ar éigean a bhí Adrienne taobh istigh de dhoras a hárasáin nuair a chuir sí an cheist.

Dhúisigh Pól agus sháigh sé a chloigeann aníos ón áit a raibh sé faoin bpluid. "An bhfuil an bád goidte?" Cheangail sé braillín ina thimpeall agus chuaigh sé amach ar an mbalcóin le go mbreathnódh sé síos, féachaint an raibh a thacsaí ceangailte ar aghaidh an dorais. "Tá sí ansin san áit ar fhág mé í," a dúirt sé.

"Bhí mé féin in ann é sin a insint duit," a dúirt Adrienne, "ach an raibh tú amuigh inti nuair a bhí mise ar an mbaile mór? Shíl mé go bhfaca mé thú ag dul tharam."

"Níor chorraigh mé as an leaba sin. Bhí an codladh is fearr a bhí agam le seachtain go dtí gur tháinig tú isteach cúpla nóiméad ó shin agus gur dhúisigh tú mé."

"Tá brón orm faoi sin," arsa Adrienne, ach bhí sórt amhrais uirthi i gcónaí. "Shíl mé go bhfaca mé do thacsaí ag dul síos an abhainn nuair a bhí mé ag ól cupán caife."

"Má bhí sí ann, is duine eile a bhí á tiomáint."

"Bhí an dath céanna uirthi agus chuile shórt," a dúirt Adrienne. "Fear le hata agus geansaí straidhpeáilte a bhí á tiomáint."

"Is dóigh go bhfuil thart ar leathchéad sa gcathair seo a bhfuil an dath sin orthu," a d'fhreagair Pól. "An é gur cheap tú go raibh mé bailithe liom amach as do shaol?"

"Rud eicínt mar sin. D'fhéadfá a bheith imithe go dtí duine eile de do chuid ban," a dúirt sí. "Ní raibh a fhios agam, ach bhí iontas orm go raibh tú sách maith fós. Sin an méid."

Bhreathnaigh Pól ar a uaireadóir.

"Má bhí mé le duine de mo chuid ban, mar a deir tú, níor thóg sé i bhfad orainn, mar go bhfuil mé ar ais anseo agus mo chuid éadaigh bainte díom, gan trácht ar na pianta a chuirfeadh sí orm lena haclaíocht."

"Níor stop an phian inné thú."

"Ní stopfadh sé inniu mé ach an oiread," a dúirt Pól. "Ach is i gcupán tae atá dúil agam i láthair na huaire."

D'éirigh Adrienne ón gcathaoir ina raibh sí suite.

"Agus tá súil agat go réiteoidh do bhansclábhaí duit é."

"Nílim," arsa Pól, ag éirí lomnocht amach as an leaba. "Suigh síos. Déanfaidh mé féin é. An mbeidh cupán agatsa?"

"Táim ceart go leor. Bhí caife agam ar ball." Bhreathnaigh Adrienne air. "As ucht Dé ort, cuir éadach eicínt ort."

"Shíl mé go raibh mé feicthe mar seo agat cheana?"

"Má thagann duine isteach . . ." a dúirt Adrienne.

"An bhfuil tú ag súil le duine eicínt?"

"Níl, ach cuir i gcás . . ."

"Gabhaim pardún," arsa Pól, a threabhsar á tharraingt aníos air féin. "Shíl mé go mbeadh ealaíontóir níos scaoilte, níos oscailte. Saol boihéamach agus é sin ar fad."

"An chéad rud eile a dhéanfas tú," arsa Adrienne, "mura gcoinneoidh mé súil ort, ná seasamh amach boilic-nocht ar an mbalcóin."

"Chuir mé an braillín i mo thimpeall agus mé ag dul amach ansin," a dúirt Pól. "Céard faoi é sé seo ar fad? Ní hé an easpa éadaigh atá ag cur as duit i ndáiríre. An bhfuil tú ag iarraidh orm imeacht nó céard?"

"Nílim," ar sí. "Níl do shláinte sách maith le n-imeacht fós."

"Ach ba mhaith leat go n-imeoinn nuair atá?"

"Braitheann sé sin ar an gcaoi a mbeidh an saol eadrainn idir an dá linn," a d'fhreagair Adrienne.

"D'fhéadfainn dul abhaile agus dul chun codlata i m'árasán féin," a dúirt Pól. "B'fhéidir go mbeadh cúnamh ag teastáil le haghaidh béilí agus rudaí eile. Ní bheinn sa mbealach ort an t-am ar fad."

"Ach an mbeadh tú sábháilte ann?" a d'iarr Adrienne. "D'éirigh leis an dream sin teacht ort an lá cheana. B'fhéidir go bhfuil a fhios ag tuilleadh fút."

"An bhfuil áit ar bith sábháilte?" an cheist a chuir Pól, agus d'inis sé di go raibh sé ag smaoineamh ar gach a insint d'iriseoir, féachaint céard a tharlódh ina dhiaidh sin. "Bheadh orthu fáil réidh liom nó éisteacht liom ar fad an t-am sin."

"Fág mise amach as," a dúirt Adrienne. "Feicim na cinnlínte anois: 'Tugann ealaíontóir foscadh don snípéir', nó 'An t-ealaíontóir teibí agus an fear marbh ina bheo'."

"Sin rogha amháin," arsa Pól, "ach ní bheinn ag iarraidh drochphoiblíocht ar bith a tharraingt ortsa. Ní gá go mbeifeá luaite a bheag ná a mhór."

"Ach d'fheicfí ansin ag an taispeántas thú," ar sise. "Cén míniú a bheadh agam air? Gur tú mo *bhodyguard*?"

"I gcás mar sin, ní rachainn in aon áit phoiblí," a d'fhreagair Pól. "Go ceann tamaill ar chaoi ar bith. Iontas naoi lá a bhíonn sna scéalta sin ar fad. Ní fada go mbeadh údar eile cainte ann."

"Déarfainn gur fearr an plean a luaigh tú cheana," a d'fhreagair Adrienne, "sé sin, do chás a phlé leis na húdaráis sa nGluaiseacht. Mura n-oibríonn sé sin, bain triail as plean B, plean na poiblíochta."

"Tá rud eicínt agat ansin ceart go leor," a dúirt Pól. "Chuirfeadh sé brú ar lucht na Gluaiseachta dá gceapfaidís go raibh baol ann go dtiocfadh an scéal amach sna páipéir. Bheadh orthu aghaidh a thabhairt ar an sórt liombó ina bhfuil mo leithéid."

"Tuige nach scríobhann tú síos do scéal féin?" a d'iarr Adrienne. "Gan bacadh le hiriseoir ar bith."

"Ní scríbhneoir mé. Aisteach go leor, níor scríobh mé m'ainm ceart fiú amháin, le blianta."

"Thabharfainn cúnamh duit," a dúirt Adrienne. "Tá an ríomhaire ansin, agus chaithfeadh sé cuid den lá duit."

"Is rud é a laghdódh ar an méid troda atá eadrainn, b'fhéidir," a dúirt Pól le meangadh gáire.

"Déarfainn go mbeidh sé sin ann i gcónaí," arsa Adrienne, "mar is carachtair réasúnta láidir go maith sinn, an bheirt againn."

"Carachtair réasúnta láidir, a deir tú?" arsa Pól. "Tá tusa do-chloíte ar fad. Ní féidir an lámh in uachtar a fháil ort in argóint."

Chuaigh Adrienne anonn go dtí an ríomhaire, agus d'oscail sí comhad próiseáil focal.

"Tosaigh am ar bith a thograíonn tú," ar sí. "Cuir fios orm má tá cúnamh ag teastáil."

"Níl tú ag caint ar thosú anois díreach?"

"Níl aon am mar an t-am faoi láthair," a d'fhreagair Adrienne. "Fiú más praiseach atá ann, nó mura bhfuil sé scríofa sách maith, is furasta fáil réidh leis."

Rinne Pól iarracht am na scríbhneoireachta a sheachaint.

"B'fhearr liom é a scríobh ar an *laptop* atá agam féin sa mbaile."

"Nach féidir leat an méid a scríobhann tú anseo a sheoladh abhaile ar ríomhphost?" a d'iarr Adrienne. "Agus leanacht ar aghaidh leis ansin lá ar bith a theastaíonn sos uait ón áit seo."

"Ach bheadh faitíos orm go mbeifeá á léamh nuair atáim imithe as seo," an chéad leithscéal eile a bhí ag Pól.

"Bheinn ag súil go mbeinn á léamh agus tú á scríobh," ar sise, "mar go bhfuil mé ag iarraidh cúnamh a thabhairt duit."

"Ní féidir liom aon rud a dhéanamh agus duine ag

breathnú thar mo ghualainn," a dúirt Pól. "Bhí tusa mar a chéile le do phictiúr an lá cheana."

"Nílim ag caint ar a bheith ag breathnú ar chuile fhocal a scríobhann tú," a d'fhreagair Adrienne, "ach ar rud ar bith a mbeifeá ag iarraidh cúnamh leis, le leagan cainte nó aon rud eile den sórt sin."

"Ní hé an Béarla mo chéad teanga," ar seisean, ag iarraidh éalú ón ngaisce arís. "Ní bheadh cuma ná caoi air."

"Scríobh i nGaeilge mar sin é. Cuirfidh sé an tír uile ag léamh i nGaeilge, nó an méid Gaeilge atá acu."

"Ba mhaith liom an lá sin a fheiceáil," arsa Pól. "Ach ní fheicfidh, faraor."

"Sin é a theastaigh ón úrscéalaí George Moore nuair a d'fhill sé ar Éirinn ón bhFrainc agus Sasana thart ar chéad bliain ó shin," a dúirt Adrienne. "'Scríobhfaidh mé leabhar,' a dúirt sé, 'a bheas chomh maith sin go mbeidh daoine ag iarraidh Gaeilge a fhoghlaim len é a léamh'."

"Níor éirigh leis, ar ndóigh," arsa Pól.

"Níor éirigh," ar sise, "ach tá an leabhar sin le scríobh fós ag duine eicínt. Tuige nach ndéanann tusa é?"

"Tá faitíos orm tabhairt faoi."

"Tuige?" a d'iarr Adrienne.

"Ní fear leabhar ná léinn mé."

"Bain triail as go bhfeicfidh tú," arsa Adrienne.

"Beidh mé maraithe ansin suite ag an mbord," a dúirt Pól, ón leaba. "Tosóidh mé air nuair a bheas mé i mo shláinte arís."

Thug Adrienne an ríomhaire anonn chuige.

"Déan é san áit a bhfuil tú mar sin. Scríobh líne amháin, go bhfeicfidh tú."

"Is iomaí rud eile atáim in ann smaoineamh air go bhféadfainn a dhéanamh sa leaba."

"Ní bheidh fáil ar aon rud eile," arsa Adrienne ag gáire, "go dtí go mbíonn leathanach scríofa agat."

Lig Pól osna.

"Níl a fhios agam cá dtosóidh mé fiú amháin, gan trácht ar aon rud eile."

"Tuige nach dtosaíonn tú ag an tús?" a d'iarr Adrienne.

"Tús na trioblóide, nó cén tús?"

"Tús do shaoil. Tabharfaidh sé léargas ar an gcaoi a ndeachaigh tú an treo sin le do shaol."

"Mar go bhfaca mé céard a bhí ag tarlú do mo mhuintir ó thuaidh," a d'fhreagair sé.

"Tá sé agat ansin," arsa Adrienne.

"Níl ansin ach aon abairt amháin."

"Tá a fhios agam, ach is é sin is cúis le gach a ndearna tú. Sin é an fáth ar chríochnaigh tú anseo inniu."

"Ní bheidh sa méid a scríobhfas mise ach ráiméis," arsa Pól. "B'fhearr liom mo scéal a insint amach díreach d'iriseoir. Bheadh sé sin in ann snas a chur air."

"Agus a chlaonadh féin a chur air chomh maith?" a d'fhiafraigh Adrienne. "An é sin atá uait: leagan duine eile ar do scéal, nó do scéal féin? Nó an bhfuil tú róleisciúil len é a scríobh?"

Bhreathnaigh Pól ar na litreacha.

"Níl a fhios agam cá dtosóidh mé. Tá a fhios agam le scríobh ar an rud seo, ceart go leor. Go mall. Ach níl a fhios agam cén chaoi leis an scéal a thosú."

"Tosaigh ag an tús," a dúirt Adrienne. "An chéad rud a bhfuil tú in ann cuimhneamh air sa mbaile nuair a bhí tú i do ghasúr."

"Is cuimhneach liom mo mháthair ag cniotáil. Le taobh na tine. Stocaí a bhíodh á gcniotáil aici don arm. Chomh maith is a bheith ag tabhairt aire dúinn féin agus do na beithígh."

"Sin é tús do scéil," a dúirt Adrienne. "Is mar sin a thosaigh James Joyce faoin *moo cow* ag dul síos an bóthar. Scríobh síos é go díreach mar a d'inis tú domsa ansin."

"Ach níl baint ar bith aige sin leis an nGluaiseacht," an freagra a thug Pól, ach é á scríobh síos ag an am céanna. "Ní bheadh suim ag aoinneach sa tseafóid sin."

"Nach bhfuil suim acu sa méid a scríobh Peig Sayers?" a d'iarr Adrienne. "B'fhéidir nach bhfuil spéis acu sa lao seo ná sa mbó sin, ach tugann an scéal sin léargas ar cé as ar tháinig tú."

Lean Pól ar aghaidh go mall, é ag cuimhneamh ar feadh tamaill agus ag scríobh ansin. De réir a chéile chuaigh sé ar aghaidh níos sciobtha de réir mar a chuimhnigh sé ar eachtraí beaga a tharla le linn a óige. Rinne Adrienne sceitsí de agus aird iomlán a thabhairt aige ar a chuid scríbhneoireachta. Smaoinigh sise gurb é sin an saghas saoil ba mhaith léi a bheith acu mar lánúin: an bheirt acu ag obair le chéile, a n-aird dírithe ar céard a bhí ar siúl acu, iad ag teacht le chéile ag deireadh na hoíche le haghaidh béile. Theastaigh uaithi gan torann ar bith a dhéanamh a thógfadh aird Phóil ón méid a bhí á scríobh aige. Níor labhair ceachtar acu go dtí go raibh leathanach iomlán scríofa.

"An bhfuil a fhios agat nach bhfuil sé sin chomh deacair is a cheap mé," a dúirt sé. "Níl cuma ná caoi ar an litriú ná ar an ngramadach, mar is fada ó d'fhreastail mise ar aon scoil. Ach leanann scéal amháin scéal eile de réir mar atá duine ag dul ar aghaidh."

"Is lena aghaidh sin atá eagarthóirí ann," a dúirt Adrienne. "Le gramadach agus litriú a cheartú agus gan ligint don scéal dul amú. Má tá scéal agat ar fiú é a scríobh, gheobhaidh siad duine leis an gceartúchán a dhéanamh."

D'iarr Adrienne cead air an méid a bhí scríofa go dtí sin aige a léamh.

"Tá sé sin go maith," a dúirt sí, "ach léim tú chun cinn rómhór ón am a bhí tú i do ghasúr. Ar tharla rud ar bith ar fiú cuimhneamh air nuair a bhí tú ar scoil?"

"Chuir mé suim mhór sa léitheoireacht," a dúirt Pól. "Léigh mé chuile rud ó Zane Gray agus na buachaillí bó go Dan Breen agus *My Fight For Irish Freedom*. Shíl mé gur sórt buachaill bó a bhí in Dan é féin – b'fhéidir gurbh ea." D'inis sé d'Adrienne faoin oíche ar dhúirt sé lena thuismitheoirí gurbh fharaor nach raibh Dúchrónaigh thart a thuilleadh a d'fhéadfadh sé a mharú.

"Scríobh é sin," a dúirt Adrienne, "agus chuile rud cosúil leis a bhfuil tú in ann cuimhneamh air. Taispeánfaidh sé sin cén fáth ar roghnaigh tú an bóthar ina ndeachaigh do shaol."

"Ní hé an chéad bóthar a roghnaigh mé é," ar sé, ag insint faoin am a ndeachaigh sé chun na Róimhe le bheith ina shagart, agus ar an idéalachas a spreag é chun sin a dhéanamh.

"Agus tuige a ndearna tú é sin?" a d'iarr Adrienne. "Níl mé ag iarraidh é a fháil amach dom féin. Ach beidh scéal do bheatha le fáil i bhfreagraí na gceisteanna sin. Cén fáth a ndearna tú é seo nó é siúd? Cén fáth ar roghnaigh tú an bóthar seo seachas an ceann a bhí ag dul sa treo eile? "

Chuaigh Pól ar ais go dtí an ríomhaire tar éis don bheirt acu sos a thógáil le caife a ól ar an mbalcóin. Thosaigh Adrienne ag cócaireacht: iasc úr ar feadh ceithre nóiméad ar an bhfriochtán, le spaigití agus sailéad. Faoin am a raibh an dinnéar réitithe aici, bhí sé deacair uirthi Pól a mhealladh ón bpróiseálaí focal.

"Má scríobhann tú an iomarca in éindí," a dúirt sí, "éireoidh tú tuirseach de ar ball agus ní dhéanfaidh tú tada."

"Níl sé sin fíor i mo chás féin," a d'fhreagair sé, agus é ag suí chun boird i gcomhair dinnéir. "Dúirt mo mháthair riamh gur cosúil le gadhar le cnámh mé. Nuair a chuirim spéis i rud eicínt, dírim m'aird air gan scaoileadh go huile is go hiomlán. Sórt galair atá ann is dóigh, ach is mar sin a d'oibrigh mé riamh, ar an bportach, ag plé le féar nó rud ar bith eile."

"Scríobh*aholic* a bheas ionat go ceann tamaill mar sin," a dúirt Adrienne. "Go bhfóire Dia orm."

"Is mar sin a bheas mé go dtí go rachaidh mé ar ais ag obair ar chaoi ar bith," a dúirt Pól. "Nach fearr é ná a bheith ag déanamh trua dom féin agus ag cur isteach ortsa agus tú ag obair. Agus, má thugaim liom mo ríomhaire féin, beidh mé in ann a bheith ag scríobh agus mé ag fanacht ar phaisinéirí ag an aerfort."

"Go n-éirí leat," ar sise, "ach ná cuir do shláinte i mbaol mar gheall air. Caithfidh tú foilsitheoir a lorg má éiríonn leat do chuid scríbhneoireachta a thabhairt chun críche."

"Beidh sé sin sách luath nuair a bheas mé leath bealaigh tríd," a d'fhreagair seisean. "Fiú má mharaíonn siad ansin mé, beidh mo scéal inste. Má tharlaíonn tada dom ba mhaith liom go dtabharfá do dhuine eicínt é, cibé méid atá scríofa agam."

"Ná téigh rófhada chun cinn ort féin," a dúirt Adrienne. "Níl tú ach tosaithe, agus tá súil agam nach mbeidh aoinneach le tú a mharú. Is obair chrua leanúnach í agus ní inniu ná amárach a bheas do scéal críochnaithe agat. Níl aon rud furasta ag baint le leabhar a scríobh, de réir mar atá feicthe agam le cairde liom. Is fusa i bhfad pictiúr a tharraingt. Sin é an fáth a mbímse ag plé leis."

"Tá tú ag plé leis mar go bhfuil tallann agat," arsa Pól. "Agus tá do cháil bainte amach agat cheana féin."

"D'éirigh liom dallamullóg a chur ar go leor le pictiúir nach bhfuil bun ná barr leo, mar a dúirt tú féin."

"Níor dhúirt mé a leithéid de rud," ar seisean. "Dúirt mé nach dtuigim pictiúr nach bhfuil ar nós an ghrianghraif. Is orm féin atá an locht gur mar sin atáim. Ní thuigim an teibíocht."

"B'fhéidir nach dtuigimse ach an oiread é," a dúirt Adrienne, "ach oibríonn sé dom."

"Cé mhéad leathanach a bhíonn i leabhar?" a d'iarr Pól ar ball, tar éis an béile a mholadh agus buíochas a ghabháil.

"Chomh fada le m'eolas," a dúirt Adrienne, "tá thart ar sé

chéad focal ar an leathanach sin, leathanach *foolscap* atá scríofa agat. Bheadh seasca míle nó níos mó ag teastáil le haghaidh leabhair."

"Leathanaigh nó focail?" a d'iarr Pól, mar a bheadh iontas air.

"Focail, ar ndóigh," a d'fhreagair Adrienne. "B'ionann thart ar céad fiche leathanach acu sin agus na gnáthleabhair de dhá chéad leathanach. Seachtó míle focal, b'fhéidir."

"Abair cúig leathanach in aghaidh an lae," arsa Pól. "Thart ar thrí mhíle focal. Beidh sé scríofa i gceann míosa agam, má scríobhaim cúpla leathanach breise corrlá."

"Is fearr thusa ná mise," a dúirt Adrienne, ag breathnú air le hiontas ina súile. Ag magadh a bhí mé nuair a dúirt mé go raibh tú ag iompú isteach i do scríobh*aholic*, ach feicim anois gur fíor dom."

"Ní rachaidh mé ar ais ag obair go dtí go mbeidh sé críochnaithe agam," arsa Pól. "Déanfaidh mé mar a rinne Ernie O'Malley agus Tom Barry agus Dan Breen. Inseoidh mé mo scéal agus beidh sé chomh maith le ceann ar bith acu."

"Tá tú ag cur faitís orm," a dúirt Adrienne.

"Faitíos? Mise? Cén chaoi?"

"Tá tú cosúil leis an dream sin a ghlacann le religiún nua agus a thugann iad féin go huile is go hiomlán dó. Díograis an té atá iompaithe. Is drochghalar é."

"Nach maith an rud é nach ndeachaigh mé ar an ól leis an díograis chéanna," a d'fhreagair Pól.

"Shíl mé go raibh *scam* eicínt ar siúl agat inniu," arsa Adrienne, "nuair a cheap mé go bhfaca mé do bhád ar an abhainn."

"Céard a cheap tú a bheadh ar siúl agam?"

"Ní raibh a fhios agam. Go raibh dream eicínt eile sa tóir ort, mar a bhíodar siúd an lá cheana. Nuair a tháinig mé ar ais agus chonaic mé an tacsaí taobh amuigh, shíl mé gur comhartha don saol mór a bhí ann gur anseo atá tú ag fanacht."

"Bhí mé féin ag cuimhneamh ar í a athrú go dtí an duga beag i ngar do m'árasán féin," a dúirt Pól. "Beidh sí níos sábháilte ansin ar chuile bhealach go dtí go rachaidh mé ar ais ag obair."

"Ach an bhfuil tú in ann í a thiomáint chomh fada sin, agus do bhealach a dhéanamh ar ais?" a d'iarr Adrienne

"Beidh, má thugann tusa cúnamh dom len í a cheangal agus an tarpól a chur uirthi," a dúirt sé. "Níl anró ar bith ag baint len í a thiomáint. Iarrfaidh mé ar dhuine de leaids na dtacsaithe muid a fhágáil ar ais ag an doras anseo."

Bhreathnaigh Adrienne ar a huaireadóir.

"Níl sé ródheireanach í a athrú inniu?" a dúirt sí.

"An é go bhfuil faitíos ort go dtiocfaidh dream eile sa tóir orm anocht nó amárach?" a d'iarr Pól.

"Cá bhfios dom? Agus is ionann í a fhágáil ansin agus a rá, 'Tá snípéir ag fanacht sna hárasáin seo'."

"B'fhéidir go bhfuil sé chomh maith dúinn í a athrú roimh thitim na hoíche mar sin, agus is lú an t-imní a bheas ort mar gheall uirthi."

"Cheapfadh duine ar bith gur bean eile atá agat," a dúirt Adrienne, "an chaoi a labhraíonn tú faoi do bháidín. Í seo agus í siúd."

"Baineann a bhí na báid riamh, fiú amháin na soithí móra, ar nós an *Titanic*," a dúirt Pól.

"Gabh i leith, go n-athróidh muid í mar sin." Chuir Adrienne béim ar an "í" agus a cóta á fháil aici.

"Féach air seo," arsa Pól, rud spéisiúil tugtha faoi deara ar an teilifís a bhí ar siúl go híseal taobh thiar dóibh. Bhí tuairisc ann faoi chorp fir ar thángthas air in eangach iascaigh amach ón gcósta. Bhí na *carabinieri* ag fiosrú an cháis. Mar go raibh seaicéad tarrthála air, bhí cosúlacht ar an scéal gurbh amhlaidh gur thit an fear ó bhord loinge, ach bhí amhras faoi lorg fola ar a lámha.

"Mo chuid fola-sa," a dúirt Pól, "tar éis an bhataráil a thug sé dom."

"Céard a dhéanfas tú?" a d'iarr Adrienne.

"Tada," ar seisean, "ach a bheith ag súil nach ndéanfar ceangal liomsa. Is fearr dúinn an tacsaí a athrú anois díreach, gan trácht ar an árasán a sciúradh. Caithfidh sé go bhfuil fuil ar fud na háite."

"An raibh sé i bhfad ón gcósta nuair a frítheadh a chorp?" a d'iarr Adrienne, mar is nuacht Iodáilise a bhí ar siúl agus níor thuig sí ach focal anseo is ansiúd.

"Níor dhúirt siad ach gur amuigh i lár na farraige a bhí sé," a d'fhreagair Pól. "Is cosúil nár tháinig siad ar an gcailín fós."

Thug sé féin agus Adrienne a thacsaí uisce chomh fada leis an áit a mbíodh sí ceangailte aige go hiondúil. Ba í Adrienne a cheangail le rópaí agus le slabhra í le comhairle ó Phól. Chuireadar glas ar an slabhra agus ar an inneall. Cheangail Adrienne an tarpól síos le téada beaga.

"Ní bhacfaidh mé léi go ceann míosa," a dúirt Pól nuair a bhí an méid sin déanta acu, "go dtí go mbíonn mo scéal críochnaithe agam, nó a fhormhór ar a laghad."

Chuadar ar ais go dtí an t-árasán ansin le gach rian fola a sciúradh is a ghlanadh. Thapaigh Adrienne an deis chun ord agus eagar a chur ar an árasán, cé go raibh Pól ag rá gurbh fhearr leis é nuair a bhí rudaí caite anseo is ansiúd.

"Ar cheart dul isteach sa bPrincipe le d'éadan a thaispeáint?" a d'iarr Adrienne nuair a bhíodar críochnaithe san árasán.

"Bheidís ag ceapadh gur masc atá orm," ar seisean, "tá an oiread buí agus duibh ar m'éadan fós."

"Nach toisc gur thit tú sa mbád atá sé amhlaidh?" a d'iarr Adrienne go leathmhagúil, "nuair a bhuail tú an tonn sin."

"Is gearr go mbeidh tú chomh maith ag na bréaga is atá mé féin," a d'fhreagair Pól.

"Níl ann ach bréag bheag," arsa Adrienne. "Ní peaca marfach é. Ní bheidh tú ag dó in ifreann go deo mar gheall air."

"Tá an oiread peacaí marfacha orm," ar seisean, "nach mbeadh tine sách mór ag na diabhail le mise a ghlanadh. Más fíor don mhéid a d'fhoghlaim muid ar scoil fadó."

"D'fhoghlaim muid freisin go bhfuil Dia maith," a dúirt Adrienne agus iad ag dul isteach doras an Principe. "Más ann dó nó d'aon cheo acu sin, níl a fhios agam. Is leis an saol seo a chaithfimid déileáil i láthair na huaire."

"Fuair tú é?" a dúirt Johnny i mBéarla le hAdrienne nuair a shiúil siad isteach sa mbeár. Mhínigh sí do Phól go raibh sí á chuardach ansin an lá a raibh sé ar iarraidh. Ní fhaca sí Johnny nuair a chuaigh sí ar ais le teachtaireacht ina dhiaidh sin. D'fhág sí ceann ag an deasc agus ceann sa mbeár, ach níorbh é a bhí ag obair ann an tráthnóna sin.

"Sin é an fear a dúirt liom go bhfuil go leor ban agat," ar sise nuair a thug Johnny na deochanna anuas chucu.

"Bíonn go leor le fulaingt ag an té a bhfuil níos mó ná bean amháin aige," a dúirt Johnny go magúil, ag breathnú ar éadan Phóil. "Bíonn mná ag troid ar nós na gcat eatarthu féin ach is é an fear is measa a thagann as ar deireadh."

"Ag caint ar a thaithí féin atá sé," a dúirt Pól. "Mar is mó acu atá aigesean ná mar a bhí agamsa riamh i mo shaol, más fíor dó féin ar chaoi ar bith." D'inis sé d'fhear an bheáir faoin timpiste a bhí aige, mar dhea, gur chaith maidhm as a sheasamh é agus an tacsaí á thiomáint aige san áit is measa ina raibh na maidhmeanna ar bhealach an aerfoirt. Dúirt sé gur lean an bád uirthi le luas nuair a bhí a ghreim caillte aige. Bhí sé caite anseo is ansiúd inti go dtí gur éirigh leis a chosa a chur faoi agus smacht a fháil uirthi arís.

"Cá fhad a mbeidh tú ar ais ag obair?" a d'iarr Johnny, ar nós nár chreid sé focal ó bhéal Phóil.

"I gceann míosa nó mar sin," a d'fhreagair seisean. "Tógfaidh mé go réidh é go ceann tamaill."

"Caithfidh tú ceann de na mascanna sin atá chomh fairsing thart anseo a chaitheamh go dtí sin," a dúirt Adrienne le Pól nuair a bhí Johnny imithe le freastal ar chustaiméirí eile."

"An bhfuil mé ag breathnú chomh dona sin?" a d'iarr sé. "Shíl mé gur feabhsaithe a bhí mé."

"Ag magadh atá mé i ndáiríre. Tá an dath ag imeacht de réir a chéile. Is measa a bhreathnaíonn sé nuair atá an dath buí sin air ná nuair a bhí sé dubh go huile is go hiomlán."

"Cosúlacht an diabhail atá orm mar sin?" a d'fhiafraigh Pól le meangadh gáire.

"Dá mbreathnódh an diabhal chomh deas is a bhreathnaíonn tusa, ní scanródh sé duine ar bith."

"Ní thugann plámás in áit ar bith thú," ar seisean.

"Feicfidh muid," a dúirt Adrienne, ag breathnú isteach ina shúile. D'fhág siad an t-óstán réasúnta luath mar go raibh pianta in easnacha Phóil tar éis a bheith ag imeacht sa mbád agus ag cuidiú le hAdrienne an t-árasán a sciúradh. Bhí sé ar intinn aige iarraidh ar cheann de na tiománaithe tacsaí eile iad a thabhairt abhaile, ach dúirt Adrienne gur fearr léi féin taisteal ar an *vaporetto*. Níor thaitin an siúl a bhí ag na báid eile léi.

"An é go bhfuil an turas níos rómánsúla ar na báid mhóra sin?" a d'iarr Pól agus iad ag siúl i ngreim láimhe a chéile i dtreo an duga.

"Ní hé sin é," ar sise, "ach mar go bhfuil mé scanraithe ón gcéad turas a thug mé i do thacsaí ón aerfort. Is mó an t-ionadh nach raibh mise bataráilte, brúite mar atá tusa anois ina dhiaidh sin."

Shuigh Pól os comhair an phróiseálaí focal nuair a shroich siad an t-árasán agus thosaigh sé ag scríobh ar aghaidh ón áit ar stop sé níos túisce tráthnóna. Ní mó ná sásta a bhí Adrienne.

"Shíl mé go raibh muid le dul a chodladh go luath, nó dul chun na leapa ar a laghad?"

"Lean ort," ar seisean. "Tóg cith nó pé rud atá i gceist agat. Beidh mé isteach i do dhiaidh gan mórán achair."

"Ba cheart duit a bheith i mo dhiaidh cheana. Agus ní ar mhaithe le codladh na hoíche a fháil."

Chuimil Pól lámh dá thaobh.

"Mura miste leat, tá rudaí i m'intinn ar mhaith liom iad a scríobh síos. Mura ndéanfaidh mé anois é beidh siad imithe glan amach as mo chloigeann."

Shín Adrienne méar i dtreo an ríomhaire.

"Is fearr leat an t-éadan cearnógach sin ná mise? Ba chuma liom ach ní leat féin é ar chor ar bith, ach liomsa."

"Tá a fhios agam sin, ach gheobhaidh mé mo cheann féin amárach. Tá a fhios agat freisin nach fearr liom duine ar bith ná tusa."

"Tuige nach gcruthaíonn tú mar sin é?" an cheist a chuir Adrienne, ag baint di a cuid bróg.

"Tá an oíche ar fad againn lena aghaidh sin. Níl uaim ach an méid atá i m'intinn a bhreacadh síos," arsa Pól.

"Agus is tábhachtaí é sin ná an bheirt againne?"

Chuir Pól a cheist féin:

"Céard a dhéanfása dá mbeadh pictiúr i do shamhaíocht a raibh ort a chur ar chanbhás. An ndéanfá dearmad ar chuile rud eile go mbeadh sé sin déanta agat?"

"Déarfainn leis an bpictiúr dul go tigh an diabhail agus fanacht go dtí go raibh mé réidh," an freagra a thug Adrienne. "Agus is fearr an pictiúr a bheadh agam dá bharr. Mar a chruthaigh mé an oíche cheana, má chuimhníonn tú."

Sheas Pól suas ón mbord a raibh an ríomhaire air go drogallach.

"Is dóigh go mbeidh mé in ann cuimhneamh ar an rud atá ar intinn agam a scríobh ar ball."

"Ná bac," arsa Adrienne. "Téigh ar ais ag scríobh. Is léir go bhfuil do rogha déanta agat cheana. Níor chuir mise gunna le cloigeann fir riamh ar mhaithe len é a fháil isteach i mo leaba."

XXV

Bhí sruth smaointe ag cur thar maoil in intinn Phóil. Chuir siad an abhainn sa mbaile i ndiaidh díle báistí i gcuimhne dó. Ba é an rud ba mheasa faoi ná nár fhéad sé breith ar a leath de na smaointe céanna len iad a chur ar phár. Ní raibh ord ná eagar orthu: íomhánna ón tsnípéireacht measctha le pictiúir óna óige, nó cuimhní cinn ón Róimh nuair a bhí sé ina ábhar sagairt ansin. Theastaigh uaidh scríobh faoin am a raibh sé ina mhalrach ag fás aníos. Bhreac sé smaoineamh ar bith a tháinig ina intinn agus nach raibh sé réidh le déileáil leis fós ar phíosa páipéir le taobh an ríomhaire. Bhí a fhios aige go raibh Adrienne oibrithe leis ach bhí sin curtha go cúl a chinn aige. Bhí súil aige go bhféadfadh sé gach rud a chur ina cheart nuair a rachadh sé isteach in aice léi sa leaba ar ball. Dhúiseodh sí, chuirfeadh sí a lámha ina thimpeall agus thabharfadh sí na póga móra gnaíúla sin dó roimh ghlacadh leis go huile is go hiomlán istigh inti i gcorp agus anam.

Idir an dá linn, bhí obair le déanamh. Léigh sé tríd an méid a scríobh sé tráthnóna. Chuir sé ord air chomh fada is a bhí ar a chumas agus scaoil sé lena chuimhní cinn. Thug siad sin siar go dtí na pictiúir dhubha agus bhána ar an teilifís é: lucht cearta sibhialta ar an mbóthar ag iarraidh a gceart, vótaí do chuile dhuine – cé nach raibh luaite acu ach na fir: "*One man, one vote*" – na póilíní ansin á mbualadh agus á scaipeadh. D'fhan ainm na háite ina chuimhne go dtí an lá sin, Burntollet, cé nach raibh sé ach thart ar dheich mbliana d'aois ag an am. Cé nach raibh teilifís dhaite acu sa mbaile, chonaic sé an fhuil ar bhaithis na ndaoine agus brúidiúlacht na bpóilíní. Thart faoin am céanna a bhí leabhar Dan Breen á léamh aige, agus mhionnaigh sé do Dhia ina intinn go dtroidfeadh sé ar son a mhuintire chomh luath is a bheadh sé in aois fir.

Le himeacht na mblianta thuig sé go raibh buachaillí óga, agus corr-chailín chomh maith, ón traidisiún eile, a bhí chomh hoibrithe céanna leisean. Bhí sé de mhian acusan díoltas a bhaint amach de bharr úafáis an IRA ar nós buamáil bhialann La Mon agus sléacht na Seanchille, gan trácht ar na saighdiúirí aonair a chuir sé féin den saol. Bhí an obair a rinne seisean glan ar a laghad, a deireadh sé leis féin. Ní raibh baill choirp scaipthe anseo is ansiúd, ná séidte go dtí taobh eile na sráide, measctha le píosaí feola ó dhaoine eile, na gadhair nach raibh sách scanraithe ag torann an bhuama ag teacht len iad a ithe sula raibh am ag lucht tarrthála iad a bhailiú suas. Bruscar an chogaidh. *Collateral damage.* Ar a laghad ní raibh airsean riamh breathnú isteach in éadan ná i súile an té a lámhaigh sé.

Cé go raibh na smaointe sin ag dul trí intinn Phóil, ní raibh sé tagtha chomh fada sin leis an scéal, agus ní bheadh go ceann tamaill. Ach bhí sé i gceist aige gach ar tharla a scríobh chomh díreach agus chomh macánta is a d'fhéadfadh sé, fiú má ghortaigh sé go mór é féin é sin a dhéanamh. Bheadh sé seo mar theastas aige, sórt faoistine, *apologia* don saol. Chinnteodh sé go mbeadh fáil air dá mba rud é go gcuirfí den saol é nó go bhfaigheadh sé bás go nádúrtha.

Chuirfeadh sé gach ar scríobh sé ar a chuntas ríomhphoist agus d'fhágfadh sé faoi réir é len é a chur chuig nuachtáin agus irisí sa mbaile trí chnaipe a bhrú. Níos fearr arís, chinnteodh sé go mbeadh deis le haghaidh ríomhphoist ar a fhón póca nua, rud nach raibh ar an seancheann. Bhí sé ag súil go léifeadh duine eicínt an méid a scríobh sé, más i nGaeilge féin é, teanga nach raibh mórán tóir ar na nuachtáin uirthi, teanga a chuir déistin ar fhormhór na gcolúnaithe aitheanta. Ach foc iad sin. Chloisfí scéal an chogaidh nach raibh cur síos déanta i gceart cheana air. Bheadh "Ar mo Chréachtaí Féin" chomh mór le rá lá eicínt le *On Another Man's Wound*.

Chonaic Pól é féin i súil a chuimhne ina bhuachaill óg sa séipéal, na sluaite ina thimpeall, a mháthair ar thaobh amháin agus Murcha ar an taobh eile, iad go diaganta cráifeach. D'fhanadh a athair ag cúl theach an phobail i gcónaí. Bhí paidrín aige féin a chuir capall le éadan bán i gcuimhne dó, mar gur bán a bhí figiúr Íosa ar an gcrois donn. Chuirfeadh sé an capall ag rith agus ag léim siar is aniar ar an suíochán a bhí chun tosaigh air leis an am a chaitheamh an fhad is a bhí an t-aifreann ar siúl. Bhain sé taitneamh as na dathanna agus as an mboladh a bhí sa séipéal. Murarbh ionann is daoine óga Éireannacha eile a rinne cur síos ar a n-óige ina gcuid scríbhneoireachta, níor bhraith sé an reiligiún ina mheáchan air riamh.

Is leis an domhan a shábháil ar son Dé a chuaigh sé chun na Róimhe le bheith ina shagart. Ní hé nach raibh sé ag smaoineamh ag an am céanna ar a thír féin a shábháil óna naimhde, mar ab fhacthas dó iad, ach bheadh troid is marú i gceist ansin agus theastaigh uaidh é sin a sheachaint. Ag smaoineamh siar anois air, bhí cosúlacht ar an scéal nach ar mhaithe leis an domhan a shábháil a chuaigh sé le bheith ina shagart, ach chun é féin a shábháil. Roghnaigh sé saol a cheap sé a choinneodh as ifreann é. Bheadh sé naofa, gan peaca gan marach. Trí bheith ina shagart, sheachnódh sé an drúis agus an marú agus chuile pheaca eile a bhí go mór sa nuacht religiúnda an uair sin.

B'fhada idir an uair sin agus an uair seo, a cheap Pól agus é ag scríobh leis, ach chaithfeadh sé scríobh faoi mar a bhí sé. B'in an uair nuair a bhí taoiseach na tíre ag vótáil in aghaidh a rialtais féin maidir le coiscíní agus an tír ina diabhal ó thuaidh. Ach ba é sin an saol a bhí ann, agus thuig sé nach féidir leis dearcadh a bhain le haois eile a bhualadh anuas air. Bhí oícheanta sa Róimh nuair a bhraith sé an chéad eitleán eile a fháil abhaile nuair a chloiseadh sé faoi uafáis ó thuaidh, faoi stailceanna ocrais, faoi bhrúidiúlacht ar phríosúnaigh. Ba ón Tuaisceart a tháinig roinnt mhaith de na mic léinn agus an lucht ceannais a bhí ar an gcoláiste agus phléití na ceisteanna móra ón mbaile go mion is go minic. Mar go raibh siad i dtír iasachta i bhfad ó bhaile, is amhlaidh gur ghoill gach ar chuala siad orthu.

Aisteach go leor, bhí roinnt mhaith de na hábhair sagairt a bhí mar chairde agus mar chomrádaithe aige an uair sin ina n-easpaig faoin am seo, gan trácht ar chuid de na hollúna a bhí os a chionn. Is cosúil nach raibh mórán muiníne ag lucht na Róimhe as an gcoláiste is mó sagart in Éirinn, Maigh Nuad, agus roghnaigh siad fir stuama staidéaracha a chaith tréimhse sa Róimh mar easpaig chomh minic agus ab fhéidir leo.

Gach seans go mbeadh sciorta dearg nó corcra air féin faoin am seo, a smaoinigh Pól le gáire beag, dá leanfadh sé leis an ngairm sin.

Shocraigh Pól, ar deireadh, gan filleadh ar an gcoláiste bliain amháin tar éis shaoire an tsamhraidh. Bhí deacrachtaí aige leis an gcreideamh ach ní raibh siad sin rómhór le sárú, a cheap sé. Ba mhó i bhfad na deacrachtaí a bhí aige faoi chúrsaí gnéis agus faoi ról na mban san eaglais. Ní raibh a fhios aige an é go raibh ról na mban ina leithscéal aige mar gheall ar an ngorta a d'fhág aontumha éigeantach an tsagairt ar a anam, íobairt a bheadh roimhe go lá a bháis. Thograigh sé bliain a chaitheamh sa mbaile an fhad is a bheadh a intinn á shocrú aige. Leis an bhfírinne a inseacht, níor smaoinigh sé ar fhilleadh arís mar go raibh sé gafa chomh mór sin leis an nGluaiseacht roimh dheireadh na bliana.

Fuair Pól amach gan mórán achair go raibh sé go maith ag rud amháin, go raibh scil thar cuimse aige nach raibh ag aoinneach eile de na hÓglaigh a bhí leis, a raibh a bhformhór roinnt mhaith ní b'óige ná é – bhí siadsan sna déaga, eisean sna luathfhichidí: bhí sé ráite ag cuid de na seanfhondúirí leis sula i bhfad go bhféadfadh sé dul sna cluichí Oilimpeacha mar ghunnadóir sa gcomórtas *clay pigeon*. Ach ní colúir chré a bhí i gceist ag an lucht ceannais nuair a chuala siad faoina fheabhas leis an raidhfil mór.

Tugadh go deisceart Ard Mhacha é ar feadh tamaill, le foghlaim ón máistir, ach níor fágadh i bhfad ann é mar gur sceith a chanúint air. Shocraigh na ceannairí nach n-úsáidfí é ach corruair, ach go mbeadh air a bheith cruinn na huaireanta sin. Bhí cead aige a rogha rud a dhéanamh idir an dá linn go dtí go nglaofaí air. Bhí air áiteacha faoi leith a aimsiú, sna foraoiseacha agus portaigh, le taithí agus cleachtadh a fháil ar na scileanna faoi leith a bhí ag teastáil le gunnaí áirithe.

Bhí sé ar nós dia beag ag lucht na Gluaiseachta. Socraíodh nach mbeadh air tiomáint in aon áit. Thugtaí ann agus thugtaí as é. Thugtaí aire dó i dtithe sábháilte, agus thugtaí ar ais ó dheas den teorainn é chomh luath is a d'fhéadfaí. Ba mhinic é imithe ar feadh na hoíche nó an deireadh seachtaine agus é ar ais ag a dheasc ar maidin lá arna mhárach nó ar maidin Dé Luain, gan a fhios ag an dream a bhí ag obair leis nach ar aghaidh na teilifíse nó ag cluichí peile a chaith sé an deireadh seachtaine. Chumadh sé scéalta a thug le fios go raibh saol sóisialta thar na bearta aige. Ach níor thug sé freagra díreach riamh ar an dream a bhíodh ag fiafraí faoin gclub nó faoin óstán ina raibh *time* chomh maith sin aige. Bhí sé sách dána ar maidin Dé Luain amháin a rá go raibh *killing* déanta aige thar an deireadh seachtaine, a chomhghleacaithe ag ceapadh gurb amhlaidh go raibh airgead buaite ar na capaill aige.

De réir a chéile, chuaigh Pól i dtaithí ar an bpróiseálaí

focal. Thuig sé tar éis tamaill nár ghá dó gach rud a chur in ord faoi láthair. D'fhéadfadh sé cur síos a dhéanamh ar rud a tharla blianta i ndiaidh an ábhair faoina raibh sé ag scríobh ag am áirithe, le nach ndéanfadh sé dearmad air. Bhí an rogha aige chomh maith alt nó caibidil a bhaint amach agus a aistriú go dtí áit eile, ach bhí sé imníoch faoi sin mar gur chaill sé alt amháin ar theastaigh uaidh a athrú. Bhí a fhios aige go raibh an t-alt sin in áit eicínt, ach cén áit? Thuig Pól go raibh sé ag éirí róthuirseach don obair nuair a chaill sé an chuid sin. Bhí iontas an domhain air nuair a bhreathnaigh sé ar a uaireadóir, mar go raibh sé tar éis a trí a chlog ar maidin. Ach bhí sé bródúil, sé leathanach *foolscap*, thart ar dheich leathanach dá leabhar scríofa aige.

Shocraigh Pól in aice le hAdrienne sa leaba, é idir dhá chomhairle arbh fhearr dó dul a chodladh nó í a dhúiseacht le go gcuirfeadh sí a lámha ina thimpeall agus í féin a thabhairt go huile is go hiomlán dó. Chomh luath is a mhothaigh sé a colainn the lena thaobh bhí a fhios aige céard a theastaigh uaidh. Chuir sé lámh timpeall ar Adrienne. Dhúisigh sise. D'iompaigh sí uaidh agus dúirt leis:

"Focáil leat." Shíl Pól gur idir chodladh is dúiseacht a bhí sí agus nár thuig sí céard a bhí sí ag rá leis. Ach nuair a leag sé lámh ar a corróg is é an freagra céanna a fuair sé: "Focáil leat. Is fearr leat do chuid scríbhneoireachta ná mise."

D'fhreagair sé le ráiteas beag a bhíodh acu nuair a bhíodh sé ag freastal ar aifreann:

"Agus leat féin."

XXVI

Bhí Adrienne ina suí go moch maidin lá arna mhárach agus bhí sí imithe as an árasán sular dhúisigh Pól. Thug sí léi a sceitsleabhar agus chuaigh sí ar an *vaporetto* go dtí an duga is gaire do Chearnóg Naomh Marcas. Is beag turasóir a bhí tagtha ann an t-am sin den mhaidin ach bhí lán bus de mhuintir na Seapáine ann roimpi. Bhí cosúlacht ar na colúir go raibh siad tuirseach. Ní raibh an oiread acu ag eitilt thart is a bhí nuair a bhí sí ann cheana. Shíl sí toisc nach raibh mórán turasóirí ann ag tabhairt bruscar aráin dóibh a bhíodar amhlaidh. Ní raibh tuairim aici cén áit ar chodail siad, cé go raibh cosúlacht ar go leor acu gur ar bharr na séipéal, na ngailearaithe agus na bhfoirgneamh eile a fuair siad codladh na hoíche. Cá bhfios dom nach ina luí i lár na cearnóige a chodlaíonn siad? ar sí léi féin, í ag iarraidh sceitsí a tharraingt díobh ag siúl, ag piocadh rudaí ón talamh agus ag eitilt ag an am céanna.

Bhain Adrienne taitneamh as an obair, í ag tarraingt chomh sciobtha is a d'fhéad sí le peann luaidhe, ionas nach gcaillfeadh sí na gluaiseachtaí agus na geáitsí a rinne na héin. Bhí a fhios aici go gcuideodh na sceitsí sin léi ina cuid oibre. D'admhaigh sí di féin ag an am céanna nárbh é sin an fáth a raibh sí ann ach le teachtaireacht a thabhairt do Phól go bhféadfadh sise déanamh mar a rinne seisean: d'fhéadfadh sí féin béim níos mó a chur ar a cuid oibre ná ar an gcaidreamh a bhí eatarthu chomh maith.

Sás don ghé chomh maith le don ghandal, a smaoinigh sí, cé go raibh aiféala uirthi faoin rud a dúirt sí leis nuair a chuaigh sé isteach sa leaba in aice léi i lár na hoíche. Bhí a fhios aici go mba bhreá léi, ag an nóiméad céanna, é a ligint isteach istigh inti beo beathach, ach theastaigh uaithi ceacht a mhúineadh dó. Theastaigh uaithi a thaispeáint nach óinseach ar bith a bhí inti a thugadh cead a chinn dó am ar bith a thograigh sé.

Is beag nár éirigh cosa Adrienne lag fúithi agus í ag smaoineamh ar an bpléisiúr nach raibh acu. Bhreathnaigh sí ina timpeall, féacháint ar thug aoinneach faoi deara an lagar a tháinig uirthi nó ar thomhais siad cén fáth ach, ar ndóigh, ní raibh suim dá laghad á cur inti ná ina cuid sceitseála. Ní raibh inti ach duine de na céadta a tharraing sceitsí sa gcearnóg lá i ndiaidh lae. Nach í a bhí ina hóinseach freisin, a cheap sí, rud chomh mór a dhéanamh as eachtra chomh beag. Ba cheart di bród agus buíochas a bheith uirthi go raibh Pól tosaithe ag scríobh, mar go dtabharfadh sé sin deis níos mó di féin a cuid oibre a dhéanamh gan aoinneach ag cur isteach uirthi. Ní raibh aon rud chomh dona le caint agus comhrá agus ceisteanna nuair a bhí duine i mbun oibre.

Nuair a bhí a dóthain sceitsí de na colúir críochnaithe ag Adrienne, chuaigh sí ar ais chuig an duga beag le fanacht ar an *accelerato,* leagan eile níos sciobtha den *vaporetto.* Bhí réimse fhairsing farraige amach roimpi le heaglaisí móra eile le feiceáil trasna uaithi ar an taobh eile. Bhí caifé álainn chun tosaigh ar óstán le taobh na farraige agus is ann a bhí bricfeasta aici, mar gur fhág sí an t-árasán níos túisce gan aon rud a ithe ná a ól. Níor theastaigh uaithi Pól a dhúiseacht, ar mhaithe lena shláinte ach, níos mó arís, ar mhaithe le ceacht agus teachtaireacht a thabhairt dó. Ghlac Adrienne a ham anois, le harán agus cáis, sú oráistí agus caife. D'iarr sí cead ón bhfreastalaí sceitsí a tharraingt agus í suite ansin. Le geáitsíocht dhrámatúil lena láimh dheis thug sé le fios go raibh cead aici a rogha sceitse a tharraingt.

Bhí sé nó seacht *gondola* amuigh os a comhair. Bhí na fir a bhí iontu san iomaíocht lena chéile leis an gcéad áit a fháil le breith ar na chéad phaisinéirí a thiocfadh anuas ón gcearnóg nó as na báid mhóra a bhí ag síorghluaiseacht siar is aniar. D'éirigh léi cuid den iomaíocht idir na *gondoliers* a bhreacadh síos. Is mó áthas a chuir sé sin uirthi ná na colúir a bhí tarraingthe aici ar phár níos túisce ar maidin. Bhí bainisteoir na bialainne ina sheasamh taobh thiar d'Adrienne ag féachaint uirthi ag obair le luas. D'iarr sé an mbeadh na sceitsí ar díol. D'fhreagair Adrienne nach raibh siad críochnaithe ina n-iomláine, mar go raibh sí le pictiúir a bhunú orthu i gcomhair taispeántais.

Ní raibh a chuid Béarla siúd thar mholadh beirte ach thug sé le fios go mbeadh spéis aige cuid de na sceitsí a cheannacht mar a bhí siad, le crochadh ar na ballaí sa mbialann. Cheannaigh sé ceithre cinn ar an toirt ar chéad euro an ceann agus dúirt go bhfaigheadh sé féin frámaí le cur orthu. An rud is mó a chuir áthas ar Adrienne ná gur thug sé a chárta di lena uimhir teileafóin agus a sheoladh ríomhphoist. Dúirt sé léi na pictiúrí a bhunódh sí ar na sceitsí a thaispeáint dósan sula gcuirfí ar taispeáint in aon áit eile iad.

Mhínigh Adrienne chomh maith is a bhí sí in ann nach mbeadh a pictiúir ar nós grianghrafanna. Thug seisean le fios, ina mheascán de Bhéarla agus d'Iodáilis chomh maith le an-chuid geáitsíochta, gur chuma leis. Ní raibh sí lánchinnte agus í ag imeacht agus airgead tirim ina póca ar thuig sé i gceart gur péinteáil theibí a bheadh ar siúl aici, ach bhí a croí ardaithe aige le hais mar a bhí ar maidin.

Is mó trua ná aon rud eile a bhí ag Adrienne do Phól mar gheall ar an gcaoi ar chaith sí leis an oíche roimhe sin. Ní raibh aon deifir abhaile uirthi ag an am céanna. Bhí ceacht le foghlaim aige, agus bíodh am aige le n-oibriú amach cén fáth nach raibh sí ann lena bhricfeasta nuair a dhúisigh sé. Ach b'fhéidir nach ndúiseodh sé a bheag ná a mhór go bhfillfeadh sí. Cén dochar? Ba léi féin an lá agus thógfadh sí am leis. Chuaigh sí ar ais abhaile go mall, ag siúl ar na cúlsráideanna, cé nárbh fhéidir sráideanna a thabhairt ar a bhformhór ach lánaí caola idir tithe arda.

Ní shiúlfadh sí ann san oíche, ach thug an áit léargas di ar an gcineál árasáin inar chónaigh an chuid is mó de ghnáthmhuintir na háite. Ní raibh gairdín ná balcóin ag a bhformhór, agus ní raibh de bhláth iontu ach boscaí le pabhsaetha ar fhuinneoga anseo is ansiúd. B'fhéidir go raibh siad go hálainn taobh istigh, ach shíl sí go mbeadh sé deacair maireachtáil ina leithéid.

Tháinig sí go dtí séipéal mór nach raibh in úsáid mar theach pobail ní ba mhó, ach arbh ionad taispeántais agus gailearaí anois é. Fearais bunaithe ar líníocht Leonardo Da Vinci a bhí ann, déanta as adhmad den chuid is mó, le beagán miotail agus cadáis in áiteacha a raibh seolta nó sciatháin i gceist. Bhí a leithéidí sin ann sna hiarrachtaí a rinne Leonardo bealach eitilte bunaithe ar éin a fhorbairt. Shíl sí go raibh cuid acu an-chosúil le *gliders* an lae inniu. Chuir sé iontas ar Adrienne go raibh pleananna le haghaidh an oiread sin fearas cogaidh aige: deiseanna le clocha móra nó buamaí a chaitheamh thar bhallaí daingnithe cathracha, deiseanna eile ann le ballaí nó geataí caisleáin a réabadh.

Caithfidh mé Pól a thabhairt anseo, arsa Adrienne léi féin. Chuirfeadh sé spéis i ndeiseanna den sórt seo. Smaoinigh sí ansin gur dóigh go raibh a sháith feicthe aige d'arm agus armlón. Ach bheadh spéis aige ina dhiaidh sin i gclisteacht agus i samhlaíocht Leonardo. Bhí samplaí ann freisin dá líníocht sna cloigne samplacha a tharraing sé mar réiteach dá chuid pictiúr agus snoíodóireachta. Bhí siad chomh maith nó níos fearr ná líníocht ar bith dá bhfaca sí riamh.

An t-aon rud a ghoill ar Adrienne faoin áit ná gur tháinig an té a bhí ag tabhairt aire don doras chomh fada léi agus dúirt sé nach bhfuair sí ticéad ar a bealach isteach. Mura n-íocfadh sí, bheadh sí díbrithe láithreach. Is beag nár scanraigh sé í leis an gcaoi a raibh a chuid lámh ag preabadh suas is anuas agus é ag argóint léi. Ar deireadh, fuair sí an ticéad ag bun a mála a thug cead isteach di do na gailearaithe agus ionaid taispeántais ar fad. Níor ghabh sé leithscéal ar bith, ach d'imigh leis go pusach ar nós go raibh cleas imrithe aici air. Cé is moite de sin, bhí taitneamh bainte ag Adrienne as imeachtaí na maidine.

XXVII

Ba é clingeadh an teileafóin a dhúisigh Pól. Bhí iontas air nach raibh Adrienne san árasán nuair a chuardaigh sé thart timpeall. Stop an clingeadh agus thosaigh arís faoi thrí. Ní raibh sé ar intinn ag Pól é a fhreagairt ach cheap sé ansin go mb'fhéidir gurbh í Adrienne a bhí ag iarraidh glaoch air. Bhí a fhios aici go raibh a fhón póca scriosta, agus b'fhéidir go raibh sí ag iarraidh teacht air. D'fhreagair sé. Guth fir a bhí ann, canúint na hÉireann:

"Cé thusa?" a d'fhiafraigh sé go crosta.

Lig Pól air gur Iodálach a bhí ann féin agus is sa teanga sin a d'fhreagair sé, ag ligint air nach raibh mórán Béarla aige:

"*Non ho capito,*" ar sé. Ní thuigim.

"An bhfuil Béarla ar bith agat?" a tháinig an cheist, agus ansin labhair an té ar an taobh eile go mall. "An bhfuil Adrienne ansin? Ba mhaith liom labhairt léi."

Thug Pól le fios i mBéarla le canúint throm na hIodáile nach raibh sí san árasán agus nach raibh a fhios aige cá raibh sí nó cén t-am a mbeadh sí ag filleadh.

"Bhí mé i mo chodladh nuair a d'imigh sí amach ar maidin," a mhínigh sé. "Ní raibh mé ag caint léi ón oíche aréir."

Tháinig an cheist thar sáile:

"Cé thú féin?"

D'fhreagair Pól a cheist le ceist eile:

"Cé thusa? An tú a hathair? Is mise Giorgio, cara léi."

"Is mise a fear céile," arsa Patrick ón taobh eile den líne. "Cuirfidh mé geall nár dhúirt sí leat go bhfuil sí pósta."

"Pósta," arsa Pól i mBéarla sórt briste. "Agus — cén chaoi a ndeireann tú é? — colscartha freisin."

"Táimid scartha faoi láthair," a dúirt Patrick, "ach níl colscaradh faighte againn. Bíonn ar dhuine a bheith scartha cúig bliana lena leithéid a fháil sa tír seo. Beidh ar Adrienne fanacht ceithre bliana eile air, mura mbeimid ar ais lena chéile roimhe sin."

"B'fhéidir go bhfaighidh sí ceann níos tapúla anseo," a dúirt Pól go héadrom. "Nach é an grá is tábhachtaí ar deireadh, agus ní hiad na rialacha."

"Tá dlíthe fíorthábhachtach," arsa Patrick.

"Níl dlí ná breitheamh ná sagart ná riail in ann Adrienne agus mise a choinneáil óna chéile," a d'fhreagair Pól, sásamh á fháil aige as a bheith ag magadh faoi Phatrick.

"Abair léi glaoch a chur orm nuair a thiocfas sí isteach," ar seisean. "Tá rud tábhachtach le plé agam léi."

"Déarfaidh mé gur ghlaoigh tú agus gur thug tú ordú glaoch ar ais," arsa Pól.

"Ní ordú a bhí ann, ach iarratas," a mhínigh Patrick. "Tá an chumarsáid idirnáisiúnta seo thar a bheith deacair," ar sé, ar nós gur ag caint leis féin a bhí sí. "Bíonn sé doiligh ar dhaoine a chéile a thuiscint i gceart."

"Ná bí ag cur dallamullóige ort féin faoi Adrienne," an chomhairle a chuir Pól air. "Is liomsa atá sí anois agus ní bheidh sí ag dul ar ais chugat. Tá sé chomh maith agat glacadh leis sin."

"Feicfidh muid faoi sin," arsa Patrick. "B'fhéidir go mbeidh scéal eile aici nuair a chloisfeas sí céard tá le rá agamsa."

"Agus céard é sin?" a d'iarr Pól.

"Nílim ag tabhairt freagra gearr ort, ach ní bheadh sé cúirtéiseach gan é a rá le hAdrienne i dtosach."

Níor theastaigh ó Phól go bhféadfadh Patrick Adrienne a mhealladh uaidh. Shíl sé go raibh sé in am aige imirt go brocach.

"B'fhéidir go bhfuil bean eile de do chuid ag súil le páiste chomh maith."

Spréach Patrick:

"Éist anois, a bhuachaill. Ní bhaineann sé leatsa céard a dhéanaim, ná céard atá idir mise agus Adrienne. Níl ionat ach caitheamh ama, *gigolo* a bhfuil sí ag baint úsáide as ar mhaithe le beagán pléisiúir agus comhluadair a bheith aici sula dtagann sí ar ais chuig a fear céile ceart."

"Fear a bhí ina bhollics ceart ba chóir duit a rá," arsa Pól trína fhiacla. "Cuach a rinne an diabhal i nead eile nach raibh ar a chumas a dhéanamh ina nead féin."

Bhí a chanúint Iodálach caillte ag Pól ó tháinig fearg air.

"Ní Iodálach thusa," a dúirt Patrick, "ach Éireannach lofa. Ná bíodh aon imní ort. Gheobhaidh mise chuile rud amach fút. Cuirfidh mé bleachtaire príobháideach ar do chás, a bhuachaill."

"Ná déan sin," arsa Pól. "Ná déan sin, a mhac, nó íocfaidh tú go daor as."

"An bhfuil tusa ag bagairt ormsa?" a d'iarr Patrick. "An ag admháil go bhfuil rud eicínt le ceilt agat atá tú?"

"An t-aon rud a bheas le ceilt ná do cloigeannsa a bheith sáite i bportach," a d'fhreagair Pól go feargach, "mura dtugann tú aire do do ghraithe féin."

"Is cuid de mo ghraithe í mo bhean chéile," arsa Patrick. "Mo bhean atá goidte agatsa."

Bhí fonn ar Phól a rá gur chaill sé a bhean a luaithe is a bhí sé mídhílis di, ach bhí a fhios aige go raibh sé tar éis dul thar fóir leis na rudaí a bhí ráite aige cheana. Ní chuideodh sé leis dá gcloisfeadh Adrienne ar ais ó Phatrick iad.

"Ná tabhair aon aird ormsa," ar sé go stuama. "Ach an

oiread leat féin, is ag troid ar mhaithe leis an mbean a bhfuil grá agam di atá mé."

"Beidh mé ag glaoch ar Adrienne ar ball," a dúirt Patrick agus chroch sé an fón go tobann.

Bhí mé i mo dhóthain trioblóide le hAdrienne cheana, arsa Pól leis féin. Fan go gcloisfidh sí faoin mbleachtaire agus faoi na bagairtí a rinne mé ar a fear. Bhí caint Phatrick faoin mbleachtaire céanna ag cur beagán imní air, ach chuir sé as a chloigeann é. B'fhéidir nach raibh ann ach bagairt gan bhrí. Ach nach furasta do chos a chur ann, ar sé leis fein, nuair nach bhfuil duine ag iarraidh ach an fón a fhreagairt.

XXVIII

Níor luaigh Pól glaoch Phatrick le hAdrienne a bheag ná a mhór nuair a d'fhill sí, go dtí go bhfaigheadh sé amach i dtosach cén giúmar a bhí uirthi agus cén chaoi a mbeadh sí leis. Bhí gach rud maite aici dó, de réir cosúlachta, mar chríochnaíodar sa leaba lena chéile taobh istigh de chúig nóiméad, Pól ag glacadh leithscéil go raibh sé chomh tógtha leis an scríbhneoireacht an oíche roimhe, Adrienne ag rá go ndearna sí rud rómhór d'eachtra beag.

Bhí siad ina luí go compordach in ascaill a chéile nuair a dúirt Pól as nós cuma liom:

"Dála an scéil, ghlaoigh d'fhear céile ar ball."

"Patrick?" a d'iarr Adrienne.

"Cé mhéad acu atá agat?" arsa Pól go magúil.

"Níl fear céile ar bith agam," ar sise, í ag cuimilt láimhe dá bhrollach. "Ach bhíodh ceann agam darb ainm Patrick."

"Ceapann seisean go láidir gurb é d'fhear céile i gcónaí é agus dá mbeadh sé anseo bheinnse á dhíbirt as do leaba aige."

"Níor dhúirt sé a leithéid de rud?" a d'iarr Adrienne.

Chuir Pól go mór le caint Phatrick:

"Bhí sé gar go maith do mé a choilleadh, naofacht agus buanseasmhacht an phósta agus an stuif sin ar fad á fhógairt aige."

"Is é féin a bhris na geallúintí sin," arsa Adrienne.

"Bhraith mé é sin a rá leis, ach níor bhain sé liom."

Bhí Adrienne corraithe.

"Fan go labhróidh mise leis. Níl ceart ná cead aige a bheith gránna leatsa faoinar tharla idir mise agus é féin. Nach aige atá an muineál!"

"Lena cheart a thabhairt dó, níor ghlaoigh sé ach le labhairt leatsa," a dúirt Pól. "Ní raibh súil aige go bhfreagródh fear. Ní bhacfainn leis an deamhan fón a bheag ná a mhór murach gur cheap mé gur tusa a bhí ag glaoch," ar seisean, "agus bhí a fhios agat go raibh m'fhón póca briste. Cuireann sé sin i gcuimhne dom go bhfuil sé thar am agam ceann nua a fháil."

"Murach go bhfuil mé chomh coipthe . . ."

Is beag nach raibh Adrienne ag creathadh.

"Thabharfainn lán mo bhéil dó mar gheall ar a bheith chomh gránna leat. Is é féin an focar a chuaigh ag scrúáil leis an mbitseach sin ina oifig."

"Dúirt sé go nglaofadh sé ar ais ar ball," arsa Pól, "ach ní raibh a fhios agam cén t-am a mbeifeá ar ais."

"Ar dhúirt sé cén fáth a raibh sé ag glaoch?"

"Níor dhúirt ach gur theastaigh uaidh labhairt leatsa."

"Meas tú an bhfuil rud eicínt mícheart?" a d'iarr Adrienne. "B'fhéidir gur tharla rud eicínt don pháiste."

"Ní dóigh liom go mbeadh sé bagrach, maslach liomsa i gcás mar sin," a dúirt Pól. "Bheadh a dhóthain eile ar a intinn aige seachas mise a ionsaí."

"Tá brón orm faoi sin," arsa Adrienne trína cuid fiacla. "Cinnteoidh mé nach dtarlóidh sé arís."

"Ná bí róchrua air," arsa Pól ar nós gur cuma leis faoinar dhúirt Patrick. "Tá sé ag dul tríd go leor is dóigh."

Tháinig Adrienne anall agus thug póg dó.

"Á, nach tú an peata. Tá do chroí san áit cheart."

Chuaigh Pól ar ais chuig an scríbhneoireacht nuair a bhí caife ólta acu. Dúirt Adrienne gur thaitin sé léi é sin a fheiceáil mar gurb é an dara lá ag obair den sórt sin an lá is deacra go minic.

"Tosaíonn duine le fonn agus le faobhar," ar sí, "ach bíonn sé deacair leanacht ar aghaidh leis an díograis chéanna."

"Tuirse is mó atá ag cur as domsa," arsa Pól, "mar gur scríobh mé an iomarca aréir, gan trácht ar ar tharla ar ball."

"Ba cheart go dtabharfadh sé sin inspioráid duit."

"Tá neart inspioráide agam," ar seisean. "Is é an tsíorchaint atá ag cur as dom agus mé ag iarraidh m'aird iomlán a dhíriú air seo."

Rinne Adrienne gáire beag agus chrom sí a cloigeann, ar nós go raibh náire uirthi.

"Tá brón orm. Tuigim do chás. Bím féin mar a chéile nuair atáim ag obair. Ní osclóidh mé mo bhéal arís."

Chuaigh sí amach ar an mbalcóin lena sceitsleabhar. Tar éis di staidéar a dhéanamh ar na pictiúir a bhí tarraingthe aici ar maidin, tháinig sí isteach agus réitigh sí canbhás. D'iompaigh Pól a dhroim le nach bhfeicfeadh sé céard a bhí ar siúl aici, mar go gcuirfeadh gluaiseacht ar bith isteach ar a chuid oibre féin.

"Ar mhaith leat sú oráistí, nó gloine fíona?" a d'iarr Adrienne tar éis ceathrú uaire.

D'fhreagair Pól agus é ag leanacht air ag scríobh ag an am céanna:

"Ní theastaíonn deoch de chineál ar bith uaim, go raibh maith agat, agus má táim ag iarraidh ceann ar ball gheobhaidh mé féin é ionas nach gcuirfidh mé isteach ar do chuid oibre."

"Tá do theachtaireacht faighte agam, ard agus soiléir," a d'fhreagair Adrienne go magúil. Leag sí uaithi a scuab ar ball agus dúirt, "Nílim ag dul in áit ar bith leis seo."

Stop Pól de bheith ag scríobh agus ba léir go raibh sé mífhoighdeach.

"Céard atá mícheart anois?"

"Táim ag iarraidh na *gondole* a shamhlú ar bhealach siombalach," ar sí. "Thriail mé na colúir ar an mbealach céanna agus níor oibrigh sé sin ach an oiread."

"Tuige nach nglaonn tú ar Phatrick, agus a fháil amach céard go díreach atá uaidh?" an freagra a thug Pól.

"Cén bhaint atá aige sin leis an scéal?"

"Is léir go bhfuil rud eicínt ag cur as duit," ar seisean, "agus is é sin an t-aon rud atáimse in ann cuimhneamh air."

"Níl mise ag dul ag glaoch air. Ní thabharfainn an sásamh sin dó, tar éis an chaoi ar labhair sé leatsa."

"Éist, a Adrienne, níor chuir sé sin isteach ná amach ormsa," arsa Pól. "Anois, murar miste leat, ba mhaith liom an méid atá ar siúl agam a chríochnú."

Chuir Adrienne suas a dhá láimh.

"Brón orm arís, coinnigh ort. Ní chuirfidh mé isteach ar do mhórshaothar."

"B'fhéidir gur cheart dom an scríbhneoireacht a dhéanamh i m'árasán féin," a dúirt Pól. "Bheadh deis ag chaon duine againn obair a dhéanamh gan duine ar bith ag cur isteach ar an duine eile."

"Déan do rogha rud," ar sise, ar nós go raibh sé tar éis a rá léi nár thaitin a comhluadar leis ní ba mhó.

Is ag an nóiméad sin a ghlaoigh Patrick. D'éirigh Pól le go dtabharfadh sé an próiseálaí focal leis isteach sa seomra codlata ach thug Adrienne comhartha láimhe dó fanacht san áit a raibh sé. Chuir sí a lámh os cionn an fhóin agus dúirt:

"Níl aon rud le rá agam leis nach féidir leatsa a chloisteáil."

"An bhfuil sé sin ansin?" an chéad cheist a chuir Patrick.

Thograigh Adrienne ar rudaí a dhéanamh deacair dó:

"An bhfuil cé anseo?"

"É sin gan aon mhúineadh a d'fhreagair an fón ar ball. Cuirfidh mé geall nár inis sé duit a bheag ná a mhór go raibh mé ag glaoch."

"An bhfuil tú ag caint ar mo chara, a Phatrick?" a d'iarr Adrienne. "Pól an t-ainm atá air."

"George nó rud eicínt a bhí ar an mbréagadóir ar ball. Cén sloinne atá air?" Rinne Pól comhartha nár theastaigh uaidh é sin a insint, é ag smaoineamh ar an mbleachtaire príobháideach. "Níl sloinne ag teastáil le haghaidh an méid a bhíonn ar siúl eadrainn," a d'fhreagair Adrienne go magúil.

"Níor thaitin sé liomsa," a dúirt Patrick, le cinnteacht.

"Bíonn éad orainn ar fad," arsa Adrienne go héadrom.

"Ní éad atá i gceist agam," arsa Patrick, "ach easpa béasa. Ach tá do leaba déanta agat . . ."

"Mar a rinne tusa romham?" a d'iarr Adrienne. "Cén chaoi a bhfuil Síle agus an páiste?"

"Ceart go leor," arsa Patrick. "Tá sé ag fás in aghaidh an lae. Sin é an fáth a raibh mé ag glaoch ort ar maidin i ndáiríre."

"Tuige?" a d'iarr Adrienne. Bhí a dóthain aithne aici air le n-aithint go raibh scéal mór le plé.

"Dúirt sí go mbeadh cead agam é a fheiceáil níos minicí dá mba rud é go raibh an bheirt againn ar ais lena chéile arís."

D'fhan Adrienne ina tost ar feadh tamaill, ag smaoineamh, sular fhiafraigh sí:

"An bhfuil tú ag rá liom go bhfuil Síle ag iarraidh mise agus tusa a chur ar ais le chéile arís tar éis di ár bpósadh a scriosadh de chéaduair? Nach aici atá an muineál?"

"Tá faitíos uirthi nach mbeinn in ann aire a thabhairt dó i gceart mé féin nuair a bheadh sé faoi mo chúram," a d'fhreagair Patrick. "Ach ba chuma léi dá mbeadh bean agam a thabharfadh cúnamh dom."

Rinne Adrienne gáire os ard.

"Sin é an t-iarratas pósta is barrúla a chuala mé riamh," a dúirt sí. Rinne sí aithris dhrámatúil ar a leithéid: "Tuige nach bpósann tú mé le haire a thabhairt do pháiste mo leannáin?"

"Ach táimid pósta cheana," a d'fhreagair Patrick. "D'fhéadfaimis tosú as an nua. Bheadh páiste againn anois is arís a thabharfadh cion is grá dúinn, ach ní bheadh ort aire a thabhairt dó an t-am ar fad."

Níor theastaigh ó Adrienne é a ghortú rómhór.

"Tá an iomarca á iarraidh agat, a Phatrick, i bhfad an iomarca."

"Thabharfainn maithiúnas duit," ar seisean, "dá maithfeá dom."

"Tuige a mbeadh maithiúnas ag teastáil uaimse?" a d'iarr Adrienne, fearg ag corraí inti arís.

"As a bheith in éindí leis siúd. Adhaltranas atá ann agus tú pósta liomsa i gcónaí."

"Tar chun cónaithe sa saol réadúil, a Phatrick," a d'fhreagair Adrienne agus chroch sí suas an fón.

Chinn ar Phól tuilleadh a scríobh go ceann i bhfad ina dhiaidh sin, Adrienne ag tabhairt amach faoi Phatick agus Síle agus gach ar bhain leo. Ní amháin nach raibh aon fhonn uirthi dul ar ais chuige, a dúirt sí, ach ní raibh a fhios aici cén fáth ar phós sí riamh é. Fear bog, lag, saonta, fear gan cnámh droma. Thug sí chuile ainm a d'fhéadfadh sí a thabhairt chun a cuimhne air, chuile cheann acu níos measa ná an ceann eile:

"Dá mbeadh an oiread de chnámh droma ann is a bhí de bhod air, bheadh cuma eicínt air," ar sí go feargach.

"Tá tú ag rá," arsa Pól, "go raibh sé go maith ag rud eicínt?"

"Bhí a dhóthain spreacaidh ann dul in éineacht léi sin," a d'fhreagair Adrienne, "cé nach raibh fonn air mórán a dhéanamh le blianta roimhe sin. Is mó am caite ag an mbeirt againne le chéile ar an gcaoi sin le seachtain," ar sí, "ná mar a bhí agam féin agus Patrick le bliain. Ach b'fhéidir gur orm féin a bhí an locht nach raibh mé sách tarraingteach aige."

"Bhí dallamullóg air go huile is go hiomlán dá mba rud é gur cheap sé nach raibh tusa tarraingteach," arsa Pól.

"Tuige a ndeachaigh sé léi siúd mar sin?" a d'iarr Adrienne.

"Cá bhfios domsa?" a d'iarr Pól. "B'fhéidir go raibh sí éasca, go raibh dúil aici i bhfear níos sine? Gur figiúr ar nós a hathar a bhí uaithi."

"Ná téigh síos an bóthar sin," arsa Adrienne. "Bheadh míniú ag Freud nó ag duine eicínt air, is dóigh. Ba chuma liom dá mbeadh sí dathúil ach tá sí ar nós luch beag liath. Agus ní ag caint ar a gruaig atá mé nuair a deir mé 'liath' ach ar a pearsantacht. Más féidir é sin a thabhairt ar an gcuma ghránna atá uirthi." Chuir Adrienne a lámh chun a béil agus rinne sí gáire beag. "Go maithe Dia dom é. Nach mé an bhitseach."

"B'fhéidir go raibh tú róláidir dó," a dúirt Pól, "gur luch shéimh, shoineanta a theastaigh uaidh."

"Thosaigh an luch ag béiceach nuair a bhí a páiste aici," arsa Adrienne, "Thosaigh sí ar na rialacha a leagan síos do Phatrick. Níos measa ná sin arís, is cosúil go dteastaíonn uaithi mo shaolsa a rialú chomh maith."

"Sin rud nach ndéanfaidh duine ar bith, déarfainn," arsa Pól. "Nó beidh siad i dtrioblóid."

"B'fhéidir go bhfuil an luch iompaithe isteach ina francach," arsa Adrienne.

"An ndearna tú pictiúr di sin?" a d'iarr Pól. "Den fhrancach a bhí ina luch tráth den saol?"

"Ní dhearna, ach b'fhéidir go ndéanfaidh mé amach anseo." Mhínigh Adrienne go raibh na pictiúir a rinne sí nuair a bhí a pósadh ag titim as a chéile dubh, dorcha: "Ag scáthánú mo chuid mothúchán féin a bhí siad, ach níor chuimhnigh mé riamh an té ba chúis leis an trioblóid ar fad a tharraingt isteach iontu. Is iontach an smaoineamh é sin." Dúirt Adrienne le Pól go bhféadfadh sé filleadh ar a scríbhneoireacht, nár ghá di an t-ualach a bhí uirthi a leagan ar a chuid guaillí a thuilleadh. Chuirfeadh sí ar an gcanbhás é.

"Bhfuil a fhios agat céard a dhéanfas tú amárach?" ar sí.

"Téigh ag scríobh i d'árasán féin ar feadh an lae. Fan ann chomh fada is a theastaíonn. Ansin ní bheimid ag cur isteach ar obair a chéile. Beimid ar nós beirt ag dul chuig a gcuid oifigí nó a n-ionaid oibre."

"Agus cá bhfios céard a tharlós nuair a fhillfimid abhaile tráthnóna?" arsa Pól.

XXIX

Chuir Pól an méid a bhí scríofa aige ar ríomhphost chuig a ríomhaire féin sula ndeachaigh sé ar ais go dtí a árasán féin ar maidin lá arna mhárach. Bhí an chosúlacht air go raibh gach rud san áit mar a d'fhág sé féin agus Adrienne é cúpla lá roimhe sin, ach mhothaigh sé ag an am céanna go raibh duine eicínt ann idir an dá linn. Ní raibh sé in ann méar a leagan ar cén fáth ar cheap sé é sin, ach shíl sé go raibh leabhra ar na seilfeanna agus rudaí eile corraithe beagán ón áit a raibh siad. B'fhéidir gurbh iad Sandra agus an fear mór a bhí ag breathnú ar rudaí sular tháinig sé isteach an lá sin, ach bhí iontas air nach raibh na hathruithe sin tugtha faoi deara aige an lá cheana. Chuaigh sé thart le cinntiú nach raibh aoinneach i bhfolach san árasán, ach ní raibh.

Ag oscailt an ríomhaire dó shíl Pól go raibh duine seachas é féin ag plé leis, a chóduimhir á chuardach acu nó rud eicínt. Ach bhí sé sásta go raibh a ríomhphost lena scéal tagtha tríd go huile is go hiomlán. Bhí fón póca nua ceannaithe aige ar an mbealach abhaile agus shocraigh sé go mbeadh ar a chumas an scéal a chur chuig nuachtán nó foilsitheoir ar an bhfón sin. An méid sin déanta agus a intinn sásta, shuigh sé síos agus thosaigh sé ag scríobh. Bhí cur síos á dhéanamh aige ar an tsnípéireacht agus d'inis sé glan na fírinne mar ab fhacthas dó í faoi gach duine a mharaigh sé. Chuir sé in iúl cé a thug ordú dó, cé a thug ann é agus cé a thug abhaile é. Bhí a fhios aige go raibh na daoine sin á gcur i mbaol aige, ach bhraith sé go raibh sé de dhualgas air an fhírinne a insint. Chuirfeadh ainmneacha áirithe iontas ar roinnt mhaith i measc an phobail. Shéanfaí a scéal mar a séanadh go leor roimhe sin: scéalta, mar shampla, faoi cé a bhí ar an Ard-Chomhairle le linn tréimhsí áirithe.

Chuirfí an cheist, ar ndóigh, faoi cé a chreidfeadh gunnadóir aonair i gcomparáid le polaiteoir mór le rá. Faoin bpobal a bheadh sé taobh amháin a chreidiúint seachas an taobh eile. Ach bheadh a fhios ag a bhformhór ina gcroí istigh cé a bhí ceart agus cé nach raibh. Níor tháinig dúnmharú ná foréigean idir polaiteoir agus a chuid vótálaithe riamh, a mhaígh sé. Laochra a bhí iontu i súile an pobail, daoine a chuir a mbeatha féin i mbaol ar mhaithe lena muintir, agus a chuir beatha daoine eile i mbaol, agus a shéid amach as an saol iad le gunnaí agus buamaí chomh maith, ar ndóigh. Ní raibh Pól in ann locht a fháil ar dhuine ar bith acu, a scríobh sé, mar go raibh an rud céanna nó níos measa déanta aige féin.

Ghlac sé sos ón obair tar éis trí huaire an chloig nuair a bhí cúpla míle focal scríofa aige. Chuaigh sé ag breathnú ar a bhád, a raibh cosúlacht uirthi go raibh sí mar a d'fhág sé féin agus Adrienne í an lá cheana. Mhothaigh sé go raibh sé ag feabhsú in aghaidh an lae ó thaobh a shláinte de. Ní raibh mórán pianta air agus shíl sé go bhféadfadh sé dul ar ais i mbun oibre níos túisce ná mar a cheap sé roimhe sin. Ach bhí sé idir dhá chomhairle mar bhí an méid a bhí á scríobh aige tábhachtach.

Ar an taobh eile den scéal, ní fada go dteastódh airgead maireachtála uaidh, le nach mbeadh sé ag briseadh isteach ar an méid a bhí curtha ar leataobh aige ar fhaitíos go mbeadh air éalú ón gcathair faoi dheifir, dá mba ghá. Ba í Adrienne a chuir an chuid is mó de na béilí ar fáil le seachtain nó mar sin anuas ó gortaíodh é ach b'fhearr leis a bhealach féin a íoc ná a bheith ag brath ar charthanacht duine ar bith, is cuma chomh mór is a bhí an duine sin leis.

Tar éis dó filleadh ar a árasán féin le haghaidh an lae, bhí Pól ag súil ó mhaidin le cuairt ó bhleachtaire de chuid na *carabinieri*, a mbeadh corp an fhir mhóir a frítheadh sa bhfarraige á fhiosrú acu. De réir mar a bhí an lá ag imeacht bhí sé ag súil nach bhféadfaidís aon cheangal a dhéanamh idir é féin agus an eachtra sin. Bhí a fhios aige go raibh na póilíní mall go maith uaireanta, ach bhíodar críochnúil. Chruthaíodar é sin sa taobh ó dheas den Iodáil ina ndéileáil leis an *mafia*. In ainneoin chomh maith is a bhíodar siúd ag fanacht ina dtost, nó ag séanadh gach ar cuireadh ina leith, d'éirigh leis na póilíní go leor acu a chur i bpríosún. Ach d'fhoghlaim sé féin ó na máistrí, an dream a bhí in ann ceist a chur ar leataobh go snasta agus ceist eile a fhreagairt ina áit, dallamullóg curtha ar an gceistitheoir. Rinne siad é ar raidió agus ar teilifís chomh maith is a rinneadar i stáisiún na bpóilíní. Ach b'fhéidir gurbh é sin a tháinig idir iad agus vótaí na ndaoine ar deireadh, taobh amuigh d'áiteacha áirithe.

Chuimhnigh Pól ar an té a thug traenáil agus treoir dóibh sna cúrsaí sin. Bhí a fhios aige go mbeadh deacrachtaí ag fir óga idéalacha bréaga a insint, fiú ar mhaithe lena gcúis. Thaispeáin sé dóibh cé chomh minic is nár fhreagair Íosa Críost ceisteanna díreacha sa Tiomna Nua. D'fhreagair sé cuid acu le ceist eile, tuilleadh le scéalta, roinnt eile le tost. Ansin bhí freagraí glice aige go minic ar nós "Íocaigí le Céasar na nithe is le Céasar agus le Dia na nithe is le Dia". Bheadh sé féin céasta i bhfad níos túisce ná mar a céasadh é murach gur thug sé na freagraí éalaithe sin. Bheadh póilíní agus saighdiúirí, gan trácht ar pharaimíleataigh ón taobh eile ag iarraidh iadsan a chéasadh sna blianta amach rompu mura ndéanfaidís mar a rinne Críost, a dúirt sé. Leagan amach fíorghlic a bhí ansin, a cheap Pól, mar gur chuir sé ar thaobh Chríost iad ina n-intinn óg.

Bhí a phlean féin faoi réir ag Pól dá gcuirfí scrúdú béil air.

Bheadh sé fíorchúirtéiseach leis an gcéad bhleachtaire agus gach rud á shéanadh aige. Mura n-oibreodh sé sin, ní labhródh sé ach i nGaeilge. Dá dtabharfaí fear nó bean teanga isteach ina dhiaidh sin, thabharfadh sé le fios gur príosúnach míleata a bhí ann, gur saighdiúir de chuid an IRA é, go raibh sé cosanta faoin gComhaontú Angla-Éireannach, agus gur ghlac Aontas na hEorpa leis an gcomhaontú sin. Bhí meascán den fhírinne agus den bhréag sna freagraí sin, ach bhí sé ag súil go mbeadh aturnaetha agus póilíní curtha trína chéile aige faoin am sin. Bheadh an méid a bhí á scríobh aige ina chosaint chomh maith, a cheap sé, mar go dtaispeánfadh sé gur chaith sé leath a shaoil i nGluaiseacht na Poblachta.

Bhí rogha eile aige, ar ndóigh: bailiú leis amach as an tír, dul ar ais go hÉirinn le hAdrienne, b'fhéidir, agus fanacht ann. Nuair nár frítheadh corp Sandra agus nach raibh aon chaint ó shin ar an gcorp eile, bhí súil aige nach raibh aon tuairim ag na póilíní faoin scéal. Nuair a bhí tae ólta agus béile ite aige i gcaifé le taobh na sráide, dheifrigh Pól ar ais chuig an scríbhneoireacht. Rinne sé cur síos ar an méid a raibh sé ag cuimhneamh air le linn an sosa a bhí aige: na bealaí éagsúla a bhí ann le ceisteanna a sheachaint nó le ceistitheoirí a chur ar mhalairt treo. Thug sé samplaí d'eachtraí barrúla inar thug comrádaithe a bhí á gceistiú freagraí aisteacha, ar nós an té a mhionnaigh gur ó Mars a bhí cuid de na harmlóin ag teacht chuig an nGluaiseacht. Thosaigh fear eile ag cur múisce chuile cheist a cuireadh air go dtí gur thosaigh cuid de na bleachtairí iad féin ag caitheamh aníos ar deireadh de bharr an drochbholaidh a bhí uaidh.

De réir mar a bhí an tráthnóna ag druidim chun deiridh, is mó sásamh a bhí ag teacht ar Phól de bharr a chuid oibre. Bhí difríocht mhór idir a bheith ag obair leis féin agus Adrienne a bheith san árasán leis. Ba chuma cén iarracht a rinne sí fanacht ciúin agus socair, chuirfeadh an cor is lú isteach air agus é ag iarraidh a aird iomlán a dhíriú ar an scríbh-neoireacht. Shíl sé go raibh an modh oibre is fearr aimsithe acu: chaon duine acu ag obair ina n-áit féin ar feadh an lae, agus iad ag teacht le chéile le haghaidh bhéile na hoíche.

Meas tú cén sórt pictiúir atá déanta aici ó mhaidin? a smaoinigh sé nuair a bhí an ríomhaire á dhúnadh aige.

Sular fhág sé an t-árasán d'fhág Pól roinnt rudaí ar bhealach ar leith, ionas go n-aithneodh sé dá mbeadh aoinneach istigh ann le linn dó féin a bheith imithe. Chuir sé snáth trasna ar na doirse, agus d'fhág sé an próiseálaí focal beagán ar leataobh le go mbeadh a fhios aige ar chorraigh aoinneach é nó ar bhreathnaigh siad air. Bhí cóip dá raibh scríofa aige curtha ar a chuntas ríomhphoist aige, le tuilleadh oibre a dhéanamh air ar ríomhaire Adrienne níos deireanaí b'fhéidir, ach le cinntiú chomh maith nach mbeadh a raibh scríofa aige scriosta.

Ní raibh Pól cinnte an raibh duine ar bith san árasán nuair a bhí sé féin as láthair, ach chuir sé a mhuinín ina mhothúcháin faoi rudaí den sórt sin an chuid is mó den am. Cheap sé go raibh faire á déanamh air i gcónaí. Céard a d'fhéadfadh sé a dhéanamh ach a bheith ag faire ar ais? Ar a bhealach abhaile ar an *vaporetto* smaoinigh sé go raibh sé ar nós duine de na hoibrithe ag dul abhaile óna bpost i siopaí nó bancanna. Dá mba i Londain a bhí sé, bheadh hata *bowler* air agus scáth báistí faoina ascaill aige agus é ag sodar i ndiaidh na n-uasal.

XXX

Bhí Adrienne ceangailte do chathaoir ina hárasán féin, fear réasúnta óg le canúint Thuaisceart Éireann suite trasna uaithi, gunna láimhe i bpóca a threabhsair aige. Bhí an cheist cheannann chéanna curtha míle uair aige: "Cá bhfuil sé?"

Bhí an freagra céanna tugtha freisin: "Níl a fhios agam."

Bhí cosúlacht ar an bhfear óg go raibh sé sibhialta, dea-bhéasach, nach raibh sé ag iarraidh freagra a cheiste i ndáiríre ach ag fanacht go dtiocfadh Pól ar ais.

"An bhfuil tú len é a mharú?" a d'fhiafraigh Adrienne nuair a cheangail sé i dtosach í. Ag teacht ó na siopaí a bhí sí nuair a shiúil sé lena taobh agus thairg sé di in Iodáilis a mála a iompar chomh fada lena doras. Shíl sí gur fear óg, mac léinn b'fhéidir, a bhí ann a shaothraigh cúpla euro ar *tips* ar an mbealach sin. Tháinig smaoineamh ina hintinn ansin a chuir ag gáire í: gur *gigolo* a bhí ann, agus smaoinigh sí gan é ligint thar doras isteach, cé gur ar an staighre is mó a theastódh cúnamh uaithi.

Dúirt sí leis a mála a fhágáil ag bun an staighre, ach nuair a chuardaigh sí le soinseáil a fháil, rug sé ar uirthi ar a gualainn agus dúirt léi gan imní a bheith uirthi. Ní hí a bhí uaidh ach an fear a bhí ag fanacht léi.

"Fanfaidh mé go bhfillfidh sé," a dúirt sé. "Tá a fhios agam nach bhfuil sé istigh mar táim ag faire air le cúpla lá."

"Ba cheart go mbeadh a fhios agat cá bhfuil sé mar sin," an freagra a thug Adrienne.

"Tá a fhios agam, ach níl fonn orm aghaidh a thabhairt ar an leon ina phluais féin. Beidh tusa anseo mar chosaint agam."

Níor fhreagair an fear a ceist faoinar theastaigh uaidh Pól a mharú, ach dúirt sé nach raibh aon rud ina choinne go pearsanta. Bhí ordú tugtha dó agus bhí air é a chomhlíonadh. Ghabh sé leithscéal go raibh air í a cheangal, rud a rinne sé le téip ghreamaitheach. Cheangail sé a cosa do chosa na cathaoireach ar a raibh sí suite, agus cheangail sé a lámha lena chéile roimpi.

"Níor ghortaigh mé rómhór thú?" a d'iarr sé nuair a bhí sé sin déanta aige. "Scaoilfidh mé saor thú ar ball, mar nach bhfuil aon rud agam i d'aghaidh. Is de thimpiste atá tusa anseo."

Bhí faitíos ar Adrienne.

"Níl tú ach á rá sin, mar go bhfuil a fhios agat go maith go bhfuil mé in ann tú a aithneachtáil. Bheadh balacláva nó rud eicínt ort mura bhfuil sé i gceist agat mise a mharú chomh maith."

"Nach mbeadh chuile dhuine ag breathnú orm agus mé ag iompar do mhála agus balacláva orm?" ar sé le meangadh gáire, ar nós gur ag caint faoi chluiche peile nó rud eicínt a bhí sé.

Bhí guth Adrienne ag ardú le himní, ach bhí sí ag súil ag an am céanna go gcloisfeadh Pól í dá mba rud é go raibh sé ag teacht i ngar don árasán.

"Caithfidh tú mé a mharú. Tá a fhios agam é, mar go bhfuil mé i m'fhinné, mar go bhfuil tú feicthe agam."

"Éist do bhéal," ar seisean go crosta. "Cé a dúirt aon rud faoi dhaoine a mharú?"

Labhair Adrienne arís i nguth ard scanraithe:

"Tá a fhios agam go gcaithfidh tú, ach ní gá ceachtar againn a mharú. Tá airgead agam, luach tí. D'fhéadfá glacadh leis agus bailiú leat."

"Dá mbeadh spéis agamsa in airgead," a d'fhreagair an fear, "ní bheinn anseo. Ar son na cúise atá mé, mar a bhí Pól tráth dá shaol. Agus is beag difear a dhéanann sé go bhfuil mé feicthe agat," ar sé, "mar nach bhfeicfidh tú mise go deo arís."

"Céard atá déanta as bealach aige?" a d'iarr Adrienne, a himní le tabhairt faoi deara ina caint.

"Tada, ach níl a chuid seirbhísí ag teastáil níos mó. Is cúis náire anois é don Ghluaiseacht."

"Nach gcaithfidh siad mar a chéile leatsa amach anseo?" an cheist a chuir Adrienne.

"Ní bheidh sé sin i gceist," ar sé, "mar go bhfuil an cogadh thart. Níl le déanamh anois ach déileáil leis na ceanna scaoilte."

"Agus is ceann acu sin mise?" arsa Adrienne go ciúin.

"Ní tú," a d'fhreagair an fear. "Níl uaim ach a bhéal siúd a dhúnadh anois is choíche."

"Céard faoin eolas atá curtha i dtaisce aige?" a d'iarr Adrienne, "na rúin atá le scaoileadh i ndiaidh a bháis?"

"Cá bhfuil siad sin?"

"I mbanc eicínt, nó ag aturnae," arsa Adrienne. "Cá bhfios domsa? Níor casadh ormsa é go dtí an lá cheana."

Bhí a fhios ag Adrienne go raibh an diabhal déanta leis an ráiteas sin. Bhí an fear seo curtha trína chéile aici, mar thuig sé gur mó trioblóid a bhí Pól in ann a tharraingt ar an nGluaiseacht lena bhás ná lena bheo.

"Ach cén difear a dhéanann sé duitse?" a d'iarr sí. "Níl le déanamh agatsa ach muid a mharú. Is daoine eile a chaitheann déileáil lena dtiteann amach ina dhiaidh sin."

Thóg an fear fón as a phóca.

"Fan ansin," ar sé le hAdrienne go searbhasach. "Ná téigh in áit ar bith."

Chuaigh sé anonn go dtí an doras amach ar an mbalcóin agus sheas sé ansin, le nach gcloisfeadh Adrienne céard a bhí á rá aige agus go mbeadh sé in ann í a fheiceáil ag an am céanna. Labhair sé i nGaeilge bhriste, ag ceapadh nach mbeadh dóthain Gaeilge ag Adrienne len é a thuiscint. Níor chuala sí gach ar dhúirt sé, ach thuig sí ón méid a chuala sí gur ag caint le duine mór le rá sa nGluaiseacht a bhí sé. Thóg sé tamall maith air a fháil tríd de chéaduair. Bhí códuimhreacha á úsáid aige agus é á chur ó dhuine go duine níos airde ná a chéile. Bhí sé ag insint go raibh eolas rúnda curtha i dtaisce ag Pól in áit eicínt le scaoileadh tar éis a bháis, nuair a d'airigh Adrienne eochair Phóil á cur sa doras aige.

Bhéic Adrienne amach in ard a gutha:

"No!"

Bhí an fón leagtha uaidh ag an bhfear agus é ar aire le taobh an dorais, a ghunna ina láimh aige faoi chionn soicind, ach ba léir go raibh Pól bailithe leis. Bhí súil ag Adrienne buille nó urchar a fháil ón ngunnadóir mar dhíoltas ar a ndearna sí, ach is amhlaidh a thóg sé téad éadrom as a phóca, agus d'éirigh leis é sin a úsáid le éalú ón mbalcóin agus síos go talamh.

Maróidh siad a chéile síos in íochtar, a cheap Adrienne, agus fágfar mise ceangailte anseo le bás a fháil leis an ocras.

XXXI

Bhí Adrienne ar a míle dícheall ag iarraidh í féin a scaoileadh saor leathuair ina dhiaidh sin nuair a chuala sí eochair sa doras arís. Pól a bhí ann, fuil ag sileadh ó pholl beagán síos óna ghualainn chlé. Bhí sé leathchromtha ar thaobh amháin ar bhealach a chuir dealbh Chúchulainn in Ard-Oifig an Phoist i mBaile Átha Cliath i gcuimhne di. Bhí a fhón póca crochta ar bhealach caithréimeach aige in ainneoin na péine a bhí air. Tháinig sé anall chuici go bacach agus thit ag a cosa, áit a raibh sí ceangailte leis an gcathaoir:

"Mharaigh mé é," ar sé, agus thit sé ina staic ar an talamh roimpi.

Thosaigh Adrienne ag screadaíl in ard a gutha. Bhí an fón a thit ó láimh Phóil ag clingeadh ag an am céanna.

Níorbh fhada go raibh daoine ag teacht isteach tríd an doras, i mullach a chéile: póilíní, lucht leighis, daoine ó na hárasáin eile. Ní raibh a fhios aici mar nár aithin sí iad, ach go raibh a fhios aici cé hiad na *carabinieri* ón éadach a chaith siad. Ghearr duine an ceangal a bhí ar a cuid lámh. Bhí idir Bhéarla agus Iodáilis á labhairt léi, ach is ar éigean a thuig sí focal. Bhí a haird iomlán dírithe aici ar Phól, agus an raibh sé beo nó marbh. Níor thuig sí go raibh sí ag screadaíl an t-am ar fad, go dtí gur éist sí le céard a bhí á rá ag banphóilín cineálta a chuaigh ar a glúine lena taobh agus a chuir lámh ina timpeall, í ag rá arís is arís eile go mbeadh chuile shórt ceart. Thug sí le fios ansin go raibh Pól beo, go raibh mothú ina chuisle, go raibh sé le tabhairt chuig an ospidéal.

"Rachaidh mise in éineacht leis," arsa Adrienne,

"An é d'fhear céile é?" a d'iarr an banphóilín.

"Is é," a d'fhreagair Adrienne, ar fhaitíos nach ligfí in éineacht leis í.

"Tuige a raibh gunna aige?" a d'iarr an banphóilín ar an mbealach chuig an ospidéal san otharbhád.

"Scéal fada," arsa Adrienne.

"Drugaí?"

"Polaitíocht."

"Al Qaeda?" Bhí a hiontas le tabhairt faoi deara in éadan an bhanphóilín.

"IRA. Tá an scéal ar fad ar a *laptop*. Nílim in ann cuimhneamh ar thada mar sin anois."

Leag an bhean eile lámh ar ghlúin Adrienne.

"Tá a fhios agam. Tá neart ama lena aghaidh sin."

Tháinig gliondar ar chroí Adrienne nuair a bhí Pól á iompar as an mbád. D'oscail sé a shúile agus d'ardaigh sé é féin beagán ar a uileann. Tháinig aoibh an gháire ar a bhéal nuair a bhreathnaigh sé uirthi. Ach bhí a fhios aici nuair a thit sé siar nach n-éireodh sé arís.